# EL
# ALCARAVÁN

# GERMÁN CASTRO CAYCEDO

# EL
# ALCARAVÁN

**PLANETA**

© Germán Castro Caycedo, 1996

© Planeta Colombiana Editorial S.A., 1996

Carrera 68A N° 22-55   Santa Fe de Bogotá, D.C.

Diseño de la cubierta: Paula Iriarte

Diseño y armada electrónica: Planeta Colombiana Editorial S.A.

Primera edición: noviembre de 1996

Segunda edición: enero de 1997

ISBN: 958-614-536-0

Impreso en Colombia

*Impresión y encuadernación*
Printer Colombiana S.A.

*Al ingeniero trasvasador*
*de hidrocarburos, Darío Herrera*

# INTRODUCCIÓN

*A partir de 1966 visité en forma recurrente los Llanos Orientales y parte de la selva Amazónica en busca de un nuevo país, que entonces comenzaba a despertar —ahora creo que a agonizar— a golpes de hacha.*

*Para llegar a cualquiera de los puntos de esa geografía distante, era necesario utilizar el DC-3, un avión maravilloso construido antes de la Segunda Guerra Mundial.*

*Pero veinticinco años después regresé y encontré a los mismos pilotos en los aviones de entonces, aterrizando entre el barro cocido del verano y desafiando las tempestades del invierno. Un mundo en el cual se detuvo el tiempo. Allí empecé a vivir esta crónica que parece de ayer pero es de hoy, con vigencia en el final del milenio a través de personajes reales e historias asombrosas sucedidas ahora.*

*Y a instancias de esa aviación de aliento, de la cual emerge un colombiano lleno de imaginación y creatividad gracias a la pobreza, fueron apareciendo el indio y la selva, la cosmogonía y el manejo del poder de su mente, las costumbres, el lenguaje, los ríos, la fauna, la simbiosis del ser humano con el medio. Pero también, el vaquero y el Llano en su intimidad, la identificación racial, la biodiversidad de nuestra floresta, el paisaje, la presencia del firmamento, los vientos que barren la llanura y su traducción a las cuerdas del arpa.*

*La aviación del Llano es diferente a la del resto de Colombia y a la del mundo y aunque actualmente vuelan allí aviones modernos, el DC-3 continúa siendo respuesta a las necesidades de un medio que se quedó anclado en el ayer por culpa del abandono del Estado.*

*Agradezco la ayuda invaluable que me prestó para realizar esta crónica el capitán Fernando León García, el estímulo que recibí de mis amigos Gildo Zuccarini y Cristian Mosquera, al profesor Gary Stiles y al doctor Thomas McNish, especialistas en aves colombianas, a Tito Vargas, Fabio Franco Niño, Peregrino Mora, a los capitanes Antonio García, Bernabé Silva y Luis Guevara Gutiérrez, a los protagonistas de la historia que me acogieron sin reservas y a cuya ilusión espero que responda este libro.*

*El Autor*

Atardecer del Domingo de Ramos. A las cinco y media el sol se había perdido detrás de las montañas y las nubes sobre el Llano eran de cobre.

En el mirador de La Tagua, una cafetería en el aeropuerto de Villavicencio, Álvaro Niño y Jairo Arango, dos pilotos, atisbaban en el cielo las bandadas de pájaros que volvían a sus refugios.

Volando sobre la llanura media hora antes, Jairo había sobrepasado en el Curtiss seis escuadrones de por lo menos tres mil aves distintas, de diversos colores, volando en formaciones diferentes. Unas iban en la dirección del Río Guayuriba y otras hacia el Guatiquía, en busca de los árboles de yopo y las matas de caña brava que viven en las riberas y las islas.

El capitán Niño solamente divisó desde la cabina del DC-6 un grupo de gavanes que avanzaba en V detrás de un líder y tan pronto como el avión se emparejó con ellos —mil pies por encima—, él y el copiloto vieron cuando el que iba adelante le cedió el puesto a su relevo para que siguiera marcándole el ritmo a la bandada.

—Al batir las alas, los pájaros comprimen el aire y producen torbellinos que se desplazan hacia atrás, saliendo por las puntas y los que vuelan a sus espaldas los aprovechan para flotar con la misma velocidad pero haciendo un esfuerzo menor. Por eso se forman en V, le explicó al grupo de mecánicos, auxiliares, la gente del oficio que los rodeaba.

La primera en aparecer al Este de la cabecera Dos Dos fue una mancha de patos jililí, agrupados en forma de ramilletes que trazaron un giro amplio sobre el bambú y luego se clavaron en descenso, formando un remolino.

—Ojo a ese tornado, dijo alguien.

—Y ojo al oriente, replicó Jairo Arango.

No lejos de la pista cruzó un alcaraván con su vuelo boyante y liviano, el cuello recogido, las patas estiradas bajo la cola y la alas, grandes y blancas, brillando con los últimos rayos del sol.

—El alcaraván encoge el cuello para acercar la cabeza cuanto más puede al centro de gravedad, porque lo tiene grueso y fuerte, mientras que la cola es pequeña. Fíjate que él va avanzando pero con una especie de brincos, como si se esforzara por vencer la dificultad. Dicen que la naturaleza no le dio los mejores atributos para volar, pero, a pesar de todo, vuela porque le gusta y porque es valiente.

—Como los pilotos del Llano, que navegan, más con el corazón y el sentido que con otra cosa, dijo Leonel Aguirre, un técnico.

—A pesar de que la cola es muy corta, él la utiliza muy bien para recoger el aire que sale de las puntas de las alas.

Las plumas de atrás se llaman timoneras y se mantienen en movimiento permanente, subiendo y bajando, inclinándose para cambiar de rumbo.

—Y el oído de ese animal es impresionante. Capta los sonidos a centenares de kilómetros. Eso le ayuda para guiarse cuando está arriba.

—Como uno, que necesita adiestrar el ojo y el sentido para remplazar la falta de ayudas y de facilidades que hay en otras partes, pero con las que no contamos aquí.

—Claro pero, además, el alcaraván tiene los pies sobre la tierra. Anida en el suelo.

—Como nosotros.

En un pequeño parque, frente al aeropuerto Vanguardia, de Villavicencio, hay dos placas de cemento con un par de listas desactualizadas en las cuales se leen los nombres de ciento noventa y dos pilotos muertos, la mayoría en accidentes.

Alcaravanes que nunca regresaron.

Villavicencio es una ciudad de doscientos treinta mil habitantes al pie de la cordillera de Los Andes, donde muere la gigantesca mole de montañas y comienzan 650 mil kilómetros cuadrados de llanuras y selvas, sobre un territorio más extenso que Francia o Alemania.

En los Llanos y la selva, la vida corre lenta bajo la lluvia que empapa nueve meses del año y se recoge en ríos colosales que rebosan sus cauces inundando millares de kilómetros en su paso hacia el Orinoco y el Amazonas.

Sabanas y manigua. Vida tosca en la que las gentes conocieron primero el avión y después la luz eléctrica. ¿El automovil? No. En los puertos de río la lengua sabe pronunciar lancha, bote, curiara, potrillo, embarcaciones con motores fatigados o remos pulidos en maderas finas.

Y en el cielo rumban aviones asmáticos que eructan, tosen y se asfixian, porque, aunque ahora comienzan a llegar algunos más modernos y todos adquieren equipos

actualizados para superar la endiablada falta de infraestructura, buena parte de ellos comenzaron a volar en los
años cuarentas y aún lo hacen transportando a la vez seres
humanos, carga y animales domésticos.

Aviación de pobres entre las tempestades y el barro de
las pistas. Entre el viento abrumador y la tierra cuarteada
por el sol de plomo en el verano, como respuesta a las distancias, en una geografía que no conoce carreteras.

Y aviación romántica y de cojones, a través de la cual
surge un ser humano lleno de imaginación y de estoicismo,
que recicla y crea una tecnología única a partir de su ca-
rencia.

Una mañana de invierno aterrizamos en Villavicencio
para tomar combustible. Según el piloto, el tiempo estaba
medido porque el DC-4 debía volar a Puerto Carreño —750
kilómetros— y regresar antes de la caída del sol. Si pasaba
la noche allí, el piloto —que a la vez era dueño del avión—,
perdería el vuelo del día siguiente y su problema era es-
forzarse para acabar de pagarlo.

Decolamos media hora más tarde, pero a cinco minutos de vuelo uno de los motores empezó a lanzar explosiones.

—Hay que regresar porque "el tres" está perdiendo
revoluciones —explicó el capitán y luego se comunicó con
la torre del aeropuerto, reportó su falla y dijo con tranquilidad:

—Por favor, que se ubique en plataforma Arturo Frías,
el Caza Fallas.

Frías es un mecánico de oídos finos, que dictamina con
prontitud las enfermedades de los aviones y así se gana el

tiempo que emplearían en cualquier otro aeropuerto del mundo para llevar la nave hasta un hangar y revisarlo con ayuda de equipos sofisticados. Es decir, salva vuelos. O mejor, ahorra dinero en esta lucha permanente por las millas, los minutos y la moneda.

Una vez en Vanguardia, bajaron los pasajeros y Frías se colocó frente al avión.

—¿Cuál es el motor enfermo? preguntó.

—El tres.

—Préndalo.

Le dieron encendido y volvió a toser.

—Póngale mil doscientas revoluciones, gritó mientras hacía una señal con los dedos de su mano.

—Ahora mil quinientas.

—Dos mil trescientas.

Y a medida que el piloto aumentaba la potencia del motor, Caza Fallas afinaba el oído y de pronto dijo: "Ya. Ya. Corta. Cilindro".

Le alcanzaron un banco de madera, un balde con agua y un trapo. Subió, destapó la máquina, empapó el trapo y empezó a colocárselo, uno a uno, a los cilindros calientes que lo hacían chirriar, hasta que tocó uno que no provocó vapor, ni ruido, ni estridencia, sencillamente porque estaba frío.

—¡Ese es el que viene molestando!

En Vanguardia dicen satíricamente que los aviones decolan dándole la espalda a Villavicencio para no caer sobre la ciudad.

La cabecera por sobre la cual se elevan es la Dos Dos, al norte. Saliendo por ella se accidentaron por fallas en los motores en el momento de levantar, el Uno Cuatro Nueve de El Venado. Llevaba como copiloto a la finada Lilia de Garnica, que se mató después saliendo de Yopal, en un accidente con saldo de treinta muertos; el Trece Cuarenta, otro DC-3 de Lacol en el que fallecieron tres pasajeros; el Cuatrocientos, un Curtiss de Aerosol; el Treinta y Cuatro Sesenta y Ocho, de Avesca, donde murieron Rin Rin y nueve pasajeros; un super Curtiss de Coral al mando de Francisco Cortés, con saldo de un muerto; un DC-3 de Transoriente que dejó once personas sin vida pero en el que se salvó el comandante Polidoro Castañeda; el Veintidós Trece, en que murieron el capitán Jaime Medina y siete personas más.

"Son muchos y todos saliendo por esa cabecera", me dijo en una oficina de la Aeronáutica Civil un funcionario que se excusaba porque "la lista se refundió entre tantos papeles que manejamos aquí".

El mirador de La Tagua está a la altura de la plataforma de Vanguardia, cerca de la cabecera Cero Cuatro, la más ruidosa porque allí se posan los aviones antes de decolar, de manera que uno los ve acelerar a fondo en medio de un ruido endemoniado y clavarse contra el piso antes de arrancar, mientras alguien grita el nombre del piloto y la ruta que va a cubrir.

—Ese es Lucho Cortés, el rompehielo, porque se le mete a las tormentas con sangre fría.

—Y el que está detrás esperando para entrar a la cabecera es Giovanni Bordé, uno de los mejores de Suramérica.

—Mira ese DC-3, el Doce Quince: se ha salido de las pistas varias veces por culpa del maldito ganado —dijo Darío Herrera, un tanqueador de la Esso que durante veinticuatro años anduvo sobre las alas de los aviones abasteciéndolos y detrás de ellos cuando se presentaba alguna emergencia en Vanguardia, porque no había máquinas de bomberos y el carrotanque —con dos mil galones de gasolina encima— era el que enfrentaba las llamas con sus extintores.

—En el Llano el ganado es tan peligroso como los gallinazos en vuelo, explicó un piloto y Darío continuó con su historia.

—Hay cantidades de pistas que son potreros. Les ponen dos triángulos de lata pintados de blanco en una cabecera como identificación. Luego caminan los cuatrocientos, ochocientos, mil metros, miran de lado a lado, miden con pasos la distancia y al llegar a la otra cabecera, algunas veces clavan otros dos triángulos y si la hay, una mangaveleta de trapo para medir la intensidad y el curso del viento.

Al llegar, el piloto tiene que hacer sobrepasos encima de la pista: los vuelos salen de Villavicencio hacia las seis de la mañana. A los veinte minutos ya es el primer aterrizaje: ¿Esa pista estará inundada? Se sabe que llovió toda la noche, porque en Villavicencio llovió. Entrar sin tantear primero es peligrosísimo porque los pastizales son altos y no se ven los charcos. Entonces el tipo se coloca con el sol, ladea un poco el avión y mira: si brilló allá abajo, está inundada y no se mete. Pero si baja desprevenido, el zarpazo del agua es horrible, los vidrios quedan bañados en barro y viene el accidente. Si el avión es pequeño, se capotea. Es decir, se clava de nariz. Eso sucede a cada rato. El DC-3 todavía tiene la resistencia de las ruedas grandes y barre, pero al final ya el agua y el barro lo detienen con peligro.

Cuando no están los triángulos ni la mangaveleta, el piloto hace su sobrepaso, observa para que lado están inclinadas las palmas de moriche o la posición del ganado y sabe las condiciones de la brisa. Es que el ganado siempre le da la espalda al viento. Entonces por donde las vacas colocan el culo, por ahí está soplando.

—Se aterriza y se decola con viento contrario. Se entra contra el viento y se sale igual. Siempre. Nunca con viento de cola, explicó un piloto y Darío agregó:

—En las sabanas, el avión llega a la pista y tiene que espantar el ganado a base de sobrepasos. Sale el ganado de allí, se perfila el aterrizaje y de pronto dice el copiloto: "Ojo a la vaca sorda, que no falta". Esos accidentes son clásicos. La vaca sorda es el animal que algunas veces se queda entre su pastizal y cuando ya el avión va entrando, se levanta con el cimbronazo y la vibración del piso y, ¡tome! contra la nave: arranca el tren, daña la hélice, ¡accidente! Por eso, siempre que van a aterrizar sobre yerba, uno escucha que el piloto o el copiloto gritan antes de tocar:

"¡Ojo a la vaca sorda!"

—Y, ¿qué tal lo de Luis Loaiza?

—Luis Loaiza —explicó Darío— vuela DC-3 y es muy gago: "Da,da,da,da,río, co,co,co,mo, eee, sss ¿tásss? Pero es un pilotazo de primera. No hace mucho trabajaba con Silverio Silva, un copiloto y llegaron a una pista, evacuaron el ganado y, para abajo. Pero el copiloto iba entrando muy rápido y Luis empezó a gritar:

—La vaaca. La Vaaca. La Vaaaca. Y le pregunta Silva: ¿Cuál vaca? Y aquél responde:

—La vaaaa a ¡caaagar!

—¿Te acuerdas de José León Tabares?

—Claro. Ese era el verdugo de los copilotos, un viejo cascarrabias, regañón. Decolaba y después de subir ruedas y limpiar el avión, le decía al copiloto: "Pídase un reporte del tiempo".

—¿A quién? ¿Reporte de dónde, capitán?

—De Nueva York, de París, de Nueva Delhi, de alguna parte donde haya de eso, pero pídalo ¡carajo! Pídalo.

Algunas veces se ponían en el calvario de tratar de comunicarse con Mitú para saber si allá estaba lloviendo y si de milagro los escuchaban, el tipo se ponía feliz, emocionado, todo un logro y le decía: "Capitán, me contestó Mitú, me contestó Mitú... ¿Qué le digo?

—Pues pregúntele por la novia, por la mamá, pero convérsele, carajo, ¡Convérsele!


Conocí a Darío un domingo en Vanguardia. Entonces se volaba poco los días de fiesta y los mecánicos aprovechaban para darle servicio a los aviones antes de comenzar una nueva semana. Podía usted ver hasta quince DC-3

alineados en la plataforma y frente a ellos, la gente trabajando.

Por lo general, los festivos Darío no tenía mucho qué
hacer y ese día fue hasta donde Fabio Henao, un antioqueño
al que le gustaban las bestias y era dueño de Sol y Sombra
—un pequeño restaurante en el aeropuerto— y le dijo:

—Fabio, présteme la potra baya.

—Claro, Darío, móntela.

El ya le había contado al dueño de la yegua que también era antioqueño, hijo de arriero y buen jinete y Fabio
lo había visto montar y le dijo una vez más:

—Coja la potra y váyase. Tranquilo.

El enfrenó y ensilló la baya y entró en ella a la plataforma con un sombrero pelo'e guama encasquetado hasta las
orejas y tan pronto lo vió, Olinto Mora hizo tañer la sirena
de emergencias en la torre de control y a través de un alto-
parlante le ordenó a voz y en cuello que abandonara aquel
lugar. Pero Darío que no estaba para atajar discursos ese
día, puso piernas a su cabalgadura, levantó la mano para
indicar que no lo atormentaran y siguió andando y rastri-
llando el animal cerca de los mecánicos que brincaban y
hacían volar herramientas, baldes, bancos, transitaba por
debajo de las alas de los aviones, iba y venía, hasta que
Pedro Wilches, un técnico costeño, le gritó:

—Saca esa yegua de aquí, que esto no es un hipódro-
mo. Anda. Quita esa vaina de aquí, y Darío le contestó:

—Costeño menso, usted lo que me tiene es envidia porque no sabe montar a caballo. Le voy a enseñar cómo es
que se "sienta" un animal rastrillao, bien frenao. Me voy a
ir hasta abajo, donde está el Norsman (el HK Ocho) y me

vengo desbocao y cuando esté frente a sus narices, se la voy a frenar en seco, p'a que vea cómo es que se domina un animal.

Se alejó hasta cuadrar la jaca frente al Norsman como si se hallara en un torneo, fincó los pies en los estribos, tascó el freno, observó que todos los circunstantes estaban concentrados en él y de un momento a otro se acomodó mejor el morrión en la cabeza, dio de espuelas al animal y hecho al galope, lo siguió fustigando y pasó por el frente de la torre de control a todo el correr de su jaca.

Pero mientras él volteaba la espalda para tomar posición, los mecánicos apelaron a sus malas artes y regaron el contenido de dos tambores de aceite quemado en la misma derrota y camino en que el caballero dijo que rastrillaría el corcel y lo esperaron sonrientes.

Darío se acercaba a paso tirado, circulaba por debajo de las alas de los aviones, se agachaba, luego se erguía, lanzaba voces. Un espectáculo impar, y él, un jinete lúcido. Pero cuando entró a trecho, identificó la mancha y el aceite espeso y ya no tuvo tiempo para interponer ningún oficio. Lo único que sintió fue que hidalgo y rocín levantaban las patas. La potra dio con su amo en tierra y empezaron a deslizarse a gran velocidad sobre la grasa. Así cruzaron por debajo de un DC-3, patinaron otro tanto, el Barón derribó una caneca con la testa pero siguieron en línea recta hasta detenerse malamente bajo el patín de cola de un segundo avión y allá quedaron engarzados por el jopo:

—La pata, la pata, saquen la yegua, saquen la yegua clamaba el esforzado caballero con voz maltrecha, en medio de la risotada general de la caterva de rufianes que paralizó a Vanguardia ese domingo.

De todas maneras hubo un incidente y, según los reglamentos, debía ser puesto en conocimiento de la Aeronáutica Civil y al día siguiente su jefe le dijo indignado:

—Señor, cuénteme lo que sucedió ayer. Tengo que escribir un reporte.

—No, pues, como no había qué hacer yo cogí una yegua, entré a la plataforma y, hombre, tan de malas que me estrellé contra un DC-3.

—No, es que yo no puedo poner en un informe que Darío en una yegua se estrelló contra un avión. En pleno aeropuerto. Dentro de una zona restringida. Eso no cabe. No sea hijueputa. ¿Qué hago yo?

Darío es un hombre de contrastes, extrovertido y con sentido del humor, pero serio y orgulloso de su trabajo, como la mayoría de la gente que se mueve en este medio. No es llanero.

Nació hace sesenta años en El Carmen de Atrato, núcleo de una zona colonizada por aserradores y campesinos que bajaron de Salgar, Concordia, Betulia y Urrao, pueblos encumbrados en la cordillera de los Andes y se internaron en la selva tropical que circunda al Océano Pacífico, exactamente en el extremo opuesto de los Llanos.

Siendo aún niño, trabajaba al lado de su padre —arriero que transportaba carga sobre el lomo de una recua de treinta mulas a través de las montañas—, pero la construcción de una carretera dejó esta labor a los camiones y como escuchó decir que en los Llanos había trabajo, no tuvo

*Darío Herrera*

problema en abandonar la región con su mujer embaraza-
da, diez hijos y veintidós mulas de carga, atravesar los
Andes de lado a lado y llegar finalmente a Villavicencio.
Unos ochocientos kilómetros por las vías de entonces. Darío
tenía doce años.

Cuando cumplió veinticuatro abandonó el campo y se
empleó en la Esso como tanqueador de aviones en el aeropuerto de Vanguardia y, por su personalidad, llegó a ser el
centro de mil historias jocosas, trágicas, inverosímiles.

Una tarde, su hijo Iván le dijo: "En el colegio nos piden
que anotemos en el cuaderno la profesión de los padres.
¿Pongo que tú eres tanqueador de aviones? ¿Eso queda
bien?

"Nada queda mal si es honrado, pero si lo prefieres,
escribe que tu papá es... es... ¡Hombre! Ingeniero trasvasador de hidrocarburos", le dijo.

Trasvasar hidrocarburos es una labor ruda y de alto
riesgo.

Por ejemplo, él recuerda que un Jueves Santo a las seis
de la mañana descubrió un escape de gasolina etílica a
partir de un 'flanche' de la tubería que unía las bombas de
succión con cinco tanques que almacenaban, en ese momento, ochenta y cuatro mil galones de combustible.

Cuando vio el hilo deslizándose por los tubos tenía en
las manos dos cubos llenos de gasolina para cebar las bombas. Los dejó en el sitio, trajo una llave y empezó a apretar,
pero se produjo chispa y tras la chispa estalló una llamara-
da. Dio dos pasos atrás, se estrelló contra los cubos y acabó de empaparse. Las llamas ya llegaban a los tanques y
como él estaba abrasado, buscó a alguien que lo apagara,
pero solamente veía gente alejándose. Entonces rasgó el

mono enterizo con que estaba vestido y al llegar a los pies, éste se atoró en las botas y antes de deshacerse de él, se quemó las piernas, parte de la espalda y el brazo derecho.

"En ese momento me encontraba desnudo pero me devolví porque pensé instantáneamente: 'Yo le prendí candela a esto, yo lo tengo que apagar'.

"Había allí un extinguidor de ciento cincuenta libras, milagroso, bello y lo operé como si fuera un autómata. Recuerdo que abrí despacio las válvulas, estiré la manguera y cuando sentí que se cargó bien, hice el procedimiento que me enseñaron: a tierra y a seguir el fuego, a seguir el fuego, hasta que llegué al tanque y me concentré allí. Cuando se levantó esa llama grande y se fue, todo estaba cubierto por el polvo blanco y yo perdí el conocimiento".

Los aviones continuaban llegando a la cabecera y acelaraban sus motores a fondo. Llovía y al arrancar dejaban una estela de agua espectacular. En medio del ruido se sumó Alvaro Niño, un hombre con cara de alemán y buenos modales y casi sin darse cuenta resultó hablando en medio del grupo que, según el tono de cada narrador, estallaba en carcajadas o guardaba silencios largos, de acuerdo con el histrionismo o el perfil dramático que le imprimía cada uno a su historia.

Veníamos de Arauca en el Siete Uno Ocho —comenzó diciendo— y traía a bordo al capitán Plazas, en ese momento Director de la Aeronáutica Civil en los Llanos, pero el señor estaba en una borrachera terrible y molestaba.

De verdad, molestaba: uno lo escuchaba caminando, adelante, en la cabina, atrás, gritando, gesticulando. Le decía a la gente, "Si ustedes quieren, hago aterrizar este avión aquí. Pero aquí mismo, porque yo soy el que manda en la Aeronáutica".

Las pasajeros, ya muy incómodos, empezaron a quejarse pero el capitán continuaba de para allá y de para acá, hablando y gritando. Entonces, con la auxiliar de vuelo mandé llamar a dos policías que afortunadamente venían como pasajeros y les dije:

"Ese señor es el capitán Plazas, director de la Aerocivil. Es persona respetable pero está con sus tragos. Siéntenlo junto a la ventana y uno de ustedes hágase al lado para que no se vuelva a poner de pie".

Continuamos el vuelo normalmente, el capitán no volvió a sentirse y llegamos a Villavicencio. El avión continuaba para Neiva.

Recuerdo que cuando apagué motores vino un problema enorme porque los policías lo habían asegurado a los brazos de la silla con sus esposas y tan pronto me enteré, les dije que lo soltaran. "¿Cómo se les ocurrió hacer eso?" Pero los policías no tenían llaves para abrir las esposas y me dijeron que debían ir hasta la ciudad por ellas. Como estábamos de prisa, tuvieron que subir a un par de mecánicos, desatornillar el asiento y sacar al capitán a hombros por toda la plataforma, en una procesión que culminó en el terminal de pasajeros, que a esa hora se hallaba lleno de gente. Pero ahí iba por entre la muchedumbre el director de la Aeronáutica Civil en su trono, lanzando coces y blasfemando con todo el aire de los pulmones.

Pronto se fue la lluvia y ahora el sol hacía desprender del piso un vaho que se mezclaba con el olor de la vegetación recién humedecida. Vanguardia es un aeropuerto pequeño y familiar, poblado por sobrevivientes, almas de carne y hueso que han sentido la muerte al lado, no una sino dos, tres veces durante su vida, ligada a esta aviación de tanto aliento.

En el extremo de una de las dos mesas blancas del mirador había permanecido sin despegar los labios Manuel Pulido, un hombre moreno que según las lenguas, un día se bajó pálido de un avión, con menos palabras que de costumbre y sólo acertó a decir: "No vuelvo a subirme nunca en una cosa de éstas", juramento que cumplió al pie de la letra antes de irse a vivir en el campo, donde cría animales de corral y madruga todos los días a ordeñar a Viviana, una vaca araguata que le da un ternero cada año.

Bajo el resplandor vimos el Catalina de Giovanni Bordé que venía a ocupar su sitio de taxeo frente a la cafetería y Manuel se quedó mirándolo. Esos aviones le hacen arrugar la piel.

—Ahí lo tiene —dijo Darío— y el hombre sonrió y volvió a encerrarse, pero despertó pronto y, en sus palabras secas, dichas pausadamente, en tono bajo, con inseguridad primero y cierta fluidez una vez se acomodó en los recuerdos, vino parte de su historia que comenzó aquí, una mañana, a las ocho y media, a bordo de un Catalina como éste, con tres toneladas de víveres, cerveza y gasolina para la policía de Mitú, un puesto avanzado dentro de la selva.

Volaban él, dos pilotos, Rosendo, el marinero, Carlos Alberto Segura, un teniente y Florentino Rincón, un sargento. Cincuenta minutos después de despegar y a la altura del río Guaviare —un monstruo que separa el Llano de la selva—, el avión se metió en una tormenta y no volvieron a salir de ella sino a las dos de la tarde. Cinco horas después.

Él nunca había sentido una tormenta tan tenaz, con corrientes de viento ascendentes, que elevaban el avión, novecientos pies —unos trescientos metros—, setecientos pies y luego corrientes descendentes que lo sepultaban otros seiscientos. Y el cielo: el cielo ardía en llamas. El avión zumbaba para arriba, hacia un lado, para abajo, hacia el otro lado. Adentro volaban cajas como balazos, tarros como balazos, zapatos como balazos, porque por el tambaleo y el meneo, hasta los chagualos se nos zafaron de los pies. Duramos una eternidad en ese terremoto, hasta cuando, ya les digo, a las dos de la tarde, el Catalina se sosegó un poco y comenzamos a ver huecos entre las nubes.

El piloto se metió por entre un ojal de aquellos y descendieron hasta cerca de las copas de los árboles, porque la nube estaba baja. Así sobrevolaron casi a ras, bastante tiempo, pero no conocían nada.

Estábamos perdidos sobre la selva, sin saber qué rumbo llevábamos porque los instrumentos quedaron locos por la tempestad eléctrica: la brújula, por ejemplo, se movía para todos lados, el horizonte se despelotó, el radio, ni mú: fuera de servicio. Y afuera, cero visibilidad. Arropados por nubes negras y apretadas. Al parecer era una cadena de cumulonimbus que no terminaba y no terminaba. ¿Por qué no se despedazó el avión?

Durante todo el tiempo permanecimos callados y cuando alguien abría la boca era para rezar. Tampoco me explico cómo resistió el piloto semejante remezón porque, de verdad, hay que decirlo, estaba enfermo: que la noche anterior tuvo una fiesta como hasta las cinco de la mañana, con aguardientico y música de arpa y lo vimos subir al avión timbrado del malestar.

A las dos y media aclaró, pero empezamos a ver ríos diferentes de los que conocíamos, montañas pequeñas que no se parecían ni al Chiribiquete, ni al Cerro de Muñeta, ni a Cerro Azul, ni al Cerro Cumare, ni a la Serranía del Yarí... y pura selva oscura. De pronto vimos unas colinas y el capitán me preguntó:

—¿Usted conoce esos cerros?

—No señor, —le respondí—. No reconozco nada.

—Cómo que no reconoce, hombre. Ese que está a la izquierda es el Cerro del Buque. Estamos cerca de Mitú.

—No, capitán —le dije—, ese no es el Buque. Quién sabe qué será porque este terreno no lo conocemos. Esto no es Colombia.

Volamos una hora en estas condiciones y cuando nos quedaba combustible para otra, cruzamos un río bastante grande y el capitán dijo que era el Guaviare. Le dije que no. El Guaviare no es así de ancho como aquél, ni tiene el mismo color, ni las mismas curvas, pero en cambio le propuse que acuatizáramos ahí: llevábamos gasolina, refrescos, comida en abundancia y podríamos resistir semanas esperando a que nos rescataran, pero él dijo que no. Se quedó pensando unos segundos y luego soltó así:

—Qué vamos a acuatizar si estamos abajo de San José del Guaviare. Mire la sabana allá al frente.

Ahí me di cuenta de que él estaba mal de la razón, pues no se miraba sabana por ningún lado. Lo que atalayábamos era azul: selva hasta donde daba el horizonte. Tal vez la angustia. Pero por otro lado, le tenía terror a acuatizar porque esa operación lleva su grado de dificultad y él nunca logró superarlo. Y tampoco sabía nadar. Siempre voló el Catalina en pistas de tierra y ese avión es un bote para meterlo entre el agua.

A las tres y quince minutos calculé que solamente nos quedaba media hora de combustible y llamé a Rosendo y le dije:

—Si nos salvamos de ésta, no vuelvo a trabajar en aviación. Yo ya tuve un accidente con otro Catalina.

Y a esa hora, las tres y quince, le dije al comandante:

—Capitán, ¿tiramos la carga?

Dijo: No. Al otro lado está la sabana. Véala. Mírela allá, planita, sin árboles. Mírela allá. Se paró un poco del asiento y repitió otra vez que ya nos acercábamos a la costa de la selva y que tan pronto se acabara la maraña de árboles, íbamos a hacer un barrigazo en lo plano. Imagínese. Barrigazo en un Catalina. Pero es que tampoco había sabana. No se veía nada diferente a la selva y entonces le dije al copiloto:

—Lucho: ¿usted ve sabana?

—No. Sólo selva.

Era un muchacho sin experiencia, con unos veintidós años y apenas comenzaba a sumar horas de vuelo, pero sin ninguna pericia, tímido, respetuoso con su superior. El piloto oyó lo que hablamos pero no chistó nada. Tenía los ojos como platos. Rígido, agarrado a la cabrilla y yo le hablé otra vez:

—Capitán, ¿botamos la carga?

—No, no, —respondió.

Cuando le avisé que sólo teníamos combustible para quince minutos, tampoco dijo nada. Estaba rígido y me di cuenta que comenzaba a echar una babaza amarilla por la boca. El capitán tomaba pastillas para los nervios, creo que era Librium y me imagino que por la tensión se tragó varias pepas. Eso es lo que yo presumo. No digo que haya sido así, porque no estoy seguro, pero lo que sí recuerdo perfectamente es que echaba babaza amarilla. Con esa visión corrí hacia atrás y les dije a los demás que botáramos la carga. El marinero abrió las dos compuertas traseras y empezamos a lanzar, uno por uno, los cinco tambores de gasolina de cincuenta y cinco galones cada uno. Luego, una por una, las canastas de cerveza y después cargas de papa, arroz, cereales, azúcar, cajas con diferentes comestibles. Teníamos que aligerar el avión pensando en el golpe, porque esa carga es la que lo destripa a uno. Tiramos unas dos toneladas y media en pocos minutos... Ese avión se descarga en un aeropuerto, en condiciones normales, en veinte minutos y nosotros lo descargamos en seis.

Lo único que dejé a bordo fue una caja de cartón con veinticuatro latas de salchichas y un poco de pan, pensando en que nos íbamos a salvar. Cuando el avión quedó descargado fui hasta la cabina de pilotos y le dije al comandante: "Capitán, ya botamos la carga" y dijo, "Bueno. Bien". Estaba tieso. Volamos unos minutos más y, recuerdo perfectamente, a las tres y treinta estábamos a tres mil quinientos pies —más o menos ochocientos metros sobre el terreno— y los motores comenzaron a perder potencia, ringletearon un poco y ya pudimos distinguir las palas. Luego sentimos que se apagó todo. No se escuchaba más que el viento y el avión comenzó a planear. En ese momento el piloto parecía sepultado entre el asiento. Y el copiloto muy asustado, pero no tomaba el mando porque... es que era un niño sin conocimientos para la ocasión.

Volví a salir y les dije a los demás, "Vámonos para la cola porque allá hay más facilidades de sobrevivir". Al comienzo el teniente dijo que no, pero cuando nos vio, se corrió y se aferró como pudo a los mamparos de la estructura, tal como lo habíamos hecho nosotros. El avión no tenía cinturones de seguridad.

El Catalina planeó, bajamos a unos ciento cincuenta metros, a cien, a cincuenta y unos segundos después sentimos que empezaba a tocar árboles y alcanzamos a ver al piloto con la cabrilla atrás, tratando de levantarle la nariz al avión y de verdad que logró elevársela porque el Catalina echó la cola abajo, sacó el pecho y nos desplomamos: resbalábamos sobre las copas de los árboles, en medio de una tempestad de palos. Un arborizaje bien hecho, pero cuando venía deslizándose sobre el techo de la selva le salió por todo el centro un árbol más grande que los demás y el Catalina se apachurró contra el tronco. Un golpe violento, un estruendo y el avión se partió por la mitad. La nariz quedó incrustada contra el árbol y nosotros caímos —atrapados dentro del resto del fuselaje—, hasta el piso de la selva y terminamos arrinconados contra la compuerta de la cola, en un espacio pequeño, protegido por arcos de metal. Allí chocamos una vez más y como el meneo fue muy violento, no pude sujetarme de nada. Sentí un mazazo en la cabeza y quedé privado.

Cuando desperté, miré el reloj: las cuatro y diez de la tarde. Los demás habían bajado a tierra y se estaban alistando para comenzar a caminar: me iban a dejar porque creyeron que yo estaba muerto. Dizque fueron y me movieron y como no di señales de vida, dijeron, "Está tieso. Tenemos que dejarlo".

Pero volví a la vida y escuché voces: decían que había que moverse para tratar de buscar ayuda. Salí de la borrachera en que me sentía y recuerdo que les grité:

—Esperen a que me baje. Yo voy con ustedes.

Cuando estaba saliendo de entre las latas, escuché los quejidos del copiloto. Bajé y le dije al teniente: "Vamos, que hay un piloto vivo". Pero todos estaban fracturados: al teniente se le rompieron varias costillas y no podía respirar bien. Al sargento se le desencajó totalmente la quijada y cuando daba un paso, se fruncía del dolor y al marinero se le había roto una clavícula. Fuimos con el teniente hasta la cabina, aplastada por el impacto y vimos al capitán destrozado y al copiloto muy mal. Traté de soltarle el cinturón porque quedó prensado, pero pegó un grito, volvió la cabeza y murió.

Nos alejamos de allí con la moral jodida y más allacito, detrás de donde quedó la cola, nos reunimos y lo primero que hicimos fue romper las faldas de las camisas para sacar tiras de trapo y amarrarle la quijada al sargento y colgarle el brazo al marinero. El teniente se quedó como estaba, con mucho dolor, pero se aguantó y yo subí al avión a bus-

car herramientas o alguna cosa, pero no apareció el hacha
que siempre va a bordo, no aparecieron los machetes, no
aparecieron ni un martillo, ni una llave, ni una manila, ni
un diablo. La pistola del teniente se perdió. Lo que sí apareció fue el revólver del sargento... pero estaba dañado
porque con el golpe se le torció el gatillo. No servía.

Con lo único que contábamos era con un cuchillo que
traía el marinero. Esa era el arma de nosotros. Nada más.
No había brújula, no había una línea de pesca, no había un
anzuelo, no apareció la caja con la ración y los elementos
para primeros auxilios que lleva siempre el Catalina y si
no apareció la caja, pues tampoco teníamos ni una pastilla
para el dolor, ni un centímetro de esparadrapo, ni vendas,
ni analgésicos, ni calmantes. Busqué un poco más entre
aquella chatarra y por fortuna logré encontrar la caja con
las salchichas. Me la eché al hombro. Yo era el único que
contaba con la salud intacta.

Pero a todas éstas, nos dimos cuenta que habíamos caído
al pie de un nacimiento de agua: era un tronco grande y por
debajo salía un chorrito pequeñito y le dije al teniente, "Nosotros no vamos a abandonar esta agua, primero para tener
qué beber y, segundo, porque esa nos lleva a alguna quebrada y de esa a un caño y del caño a un río y de ese río..."

Ninguno de nosotros había estado nunca en la selva,
pero yo había escuchado eso del agua, de manera que arrancamos unas hojitas, hicimos como especie de embudos y
bebimos un poco. Miramos para donde seguía ese hilo y lo
que vimos fue selva cerrada. Una selva sin tocar por la
mano del hombre. Los árboles eran formidables y debajo
de los árboles crecía una muralla de vegetación. A esa hora
ya se empezaba a poner oscuro. Bebimos un poco, le dimos al sargento que estaba muy mal y acordamos que, a

*Manuel Pulido*

partir de ese momento, nos íbamos a comer una salchicha diaria cada uno. No más que una. Dijeron que sí.

Empezamos a caminar por el borde de esa agüita pero lento, lento, porque ellos no podían avanzar mucho y como había palos caídos y barro en la orilla, entonces era paso entre paso. Cada metro teníamos que detenernos por la maraña de enredaderas y maleza y bejucos y, como no contábamos con machete, cortábamos con el cuchillo del marinero o apartábamos con la mano y así avanzábamos un poquito y otra vez los obstáculos y otra vez a tratar de abrirse paso. Cuando era muy cerrado, dábamos un rodeíto pequeño y otra vez volvíamos a buscar el agua, pero quebrando ramas para marcar una senda, por si acaso nos poníamos a dar vueltas. Claro que al día siguiente sí dimos vueltas y vueltas en un mismo sitio y perdimos todo el día de camino, pero no por despiste sino porque el chorrito de agua hacía una curva amplia y volvía casi al mismo punto.

A las cinco de la tarde empezó a oscurecer y sentimos miedo. Nos quedamos al pie del cauce y cuando estábamos pensando dónde pasar la noche, vimos unos árboles que botan raíces gruesas por el tronco, como a un metro y medio del piso. Esas raíces se abren en arcos y forman como una choza debajo. En la oscuridad cortamos hojas de palma y las tendimos en el piso. Otras las encaramamos sobre los arcos y nos metimos ahí, temerosos, sin armas, sin una luz, sin nada.

Debajo del cambuche lloramos y cuando estábamos ya calmados, abrimos a tientas la primera lata de salchichas y la repartimos, pero el sargento no podía mover la mandíbula y tuve que destripar bien la salchicha con los dedos y se la metí entre la boca y él gritaba del dolor. Así lo alimentamos de ahí en adelante.

Después de masticar el pedacito de comida, nos acomodamos y empezó esa noche tan larga, tan larga, con las dolencias de los enfermos y con esa humedad y con una nube de zancudos que, hombre, nos partieron el cuero en cosa de minutos. Parecíamos Cristos. Y esa rasquiña por todo el cuerpo, en la cabeza, en la cara, en el pecho.

Al día siguiente recogimos la caja de salchichas y déle p'alante. Paso entre paso, paso entre paso y ya como al medio día vimos que el chorrito de agua comenzaba a ensancharse. Descansamos un rato y seguimos y el agua seguía ensanchándose. Ya era un arroyo pequeño. Caminábamos cuidando especialmente al sargento porque sufría cada vez que teníamos que treparnos en el tronco de algún palo caído para dar el paso adelante, o bajar un escaloncito. No podíamos dejarlo resbalar en ese piso tejido de raíces forradas en lama y en maleza húmeda.

Al atardecer vimos árboles de los de la víspera, cortamos palmas y hojas y armamos cambuche y cuando comenzó a cerrar la noche hicimos lo mismo que en la pasada: una salchicha, unos sorbos de agua y a escuchar quejidos y llanto de los enfermos y a rascarnos por todos lados. Los zancudos venían por nubes y uno espante y ráscuese y los otros quéjense.

Al cuarto día el arroyo era más ancho, hasta que desembocó en un caño después de otra vuelta grande, pero ya la orilla de esa corriente no era seca sino húmeda. Ya el marinero y yo andábamos descalzos porque los zapaticos se rompieron y tuvimos que botar los pedazos. Ese caño tenía tres metros de orilla a orilla, pero al día siguiente se vio más ancho.

Por el hambre empezamos a enflaquecer y ya avanzábamos menos y descansábamos más. Algunas veces comíamos cogollos de palma y frutas que se veían en en suelo mordidas por los animales, porque como no las conocíamos, nos daba miedo envenenarnos. Pero de todas maneras el hambre era muy verduga y el cansancio también y eso terminó por hacer que se nos desmayaran las esperanzas.

Justo a la mañana siguiente llovió y el caño creció y al crecerse empezó a sacar de sus cuevas una manada de culebras que andaban y andaban buscando lo más seco. La mayoría eran vívoras de colores, con anillos negros y rojos, otras eran verdes, azules, moradas, grandes, pequeñas, medianas, pero siempre las veíamos huyendo o les hacíamos ruido con unas varas que cortamos para usar como bastón y ellas partían a esconderse.

A los cinco días oímos el ronquido de un tigre a eso de las ocho de la noche y nos dio miedo porque lo único que teníamos para defendernos eran esas varas. El animal roncaba y caminaba y caminaba despacito, en redondo del árbol, abierto, por ahí como a unos quince metros de nosotros y nosotros lo único que hacíamos era esperar el ataque, recostados uno contra el otro. Esa noche lo escuchamos como hasta la una de la mañana y cuando dejó de roncar nos dio más temor porque creímos que venía a atacar.

Amaneció. Arrancamos a caminar y a medida que avanzábamos lo escuchábamos atrás, adelante, a un lado. Nos persiguió todo ese día y por la noche volvió a roncar como desde las nueve hasta la madrugada, cuando no lo oímos más.

Como a los ocho días de estar caminando a pie quedo por entre el barro, dando rodeos pequeños, abriendo ma-

leza con las manos, saltando trampas, el caño desembocó
en un río que fue creciendo a medida que bajábamos, hasta que llegó a tener unos veinte metros de banda a banda.
Pero el día que llegamos a este sitio, empezó a desgajarse
el cielo. Llovía de día y de noche y a la madrugada hacía
frío. La ropa se había despedazado por las zarzas y la maleza. Ya los pantalones no tenían piernas y las camisas eran
un pedazo de trapo, primero porque les cortamos las faldas para hacerles vendas a los que tenían quebrada la salud y también porque la selva se tragó las mangas. Nos
tocaba caminar entre el barro, por entre charcos grandes,
por lo que fuera, pero no nos alejábamos de la orilla.

Antes del anochecer dábamos unos cuántos pasos hacia el interior de la maraña buscando partes secas y cuando encontrábamos un alto, cortábamos ramas de lo que
fuera, palma o maleza y hacíamos ranchitos para tratar de
descansar. Por la noche llorábamos, después rezábamos,
le pedíamos a Dios que nos protegiera y, aunque los enfermos cada vez andaban más maltratados, estábamos seguros de que íbamos a salir con vida porque ese río nos tenía
que llevar a algún lugar con gente.

Caminábamos muy pausado porque no teníamos fuerzas. Andábamos, diga, tres horas y descansábamos dos y
otro poquito para adelante y descanse. No era como los
primeros días. Y avanzábamos menos porque, entre otras
cosas, el día era más corto: salíamos como a las ocho de la
mañana y la salida era demorada: la gente se quejaba mucho al volver a ponerse de pie. Dábamos algunos pasos y
al medio día nos comíamos la salchicha, descansábamos
otra vez y seguíamos, avanzando y deteniéndonos, por ahí
como hasta las cuatro de la tarde cuando acampábamos en
medio del aguacero y de los torrentes de agua que bajaban

por entre la selva. A esa hora, lo mismo de siempre: busque un altico, limpie el rastrojo con las manos y haga rancho y acuérdenos del pacto que hicimos el primer día, según el cual nadie iba a dejar abandonado a nadie. Si alguno enfermaba como para no poder andar, los demás tenían que tratar de hacer una camilla con palos del monte y llevarlo a cuestas. Y cuando ya no pudiéramos dar un solo paso más, nos ajuntábamos debajo de un palo y nos quedábamos ahí rezando a esperar la muerte.

Desde el primer día vimos muchas aves, unas medianas y otras grandísimas, pero sin con qué cazarlas, ni cómo prepararlas. Claro que si hubiéramos agarrado alguna no habríamos necesitado cocinarla para comérnosla.

Al décimo día acampamos en un altico y cuando amaneció vimos, más abajo, sobre la orilla del río, una choza pequeña: "Por aquí hay gente". Caminamos hasta allá y la encontramos desocupada, pero cerca tenía que haber alguien. Nos tratamos de orientar y caminamos una hora río abajo y de un momento a otro escuchamos hachazos, hachazos, hachazos: nos abrazamos, lloramos, nos sentíamos muy emocionados porque ésa era nuestra salvación. En ese momento comenzamos a mirarnos: estábamos casi desnudos, descalzos, sin color en el rostro, inflamados por la picadura de los zancudos, llenos de barba, sudorosos, embarrados, pero vivos. Estábamos vivos.

Cuando pasó la emoción, fuimos buscando el sitio donde escuchábamos los hachazos, que era el centro de la selva, retirado del río. Pero allí la selva ya está trillada y se ven trochas y caminitos que lo van llevando a uno y obra de unos quince minutos de andar con las las piernas desjarretadas, por fin pudimos ver desde un alto a cuatro indios con pantalón y camisa, tumbando un palo para apoderarse de un panal de abejas. Al lado del árbol había un caño y una canoa con motor. Nos acercamos y empezamos a llamarlos pero tres de ellos partieron en carrera y se perdieron en la selva y se quedó el cuarto que era un anciano de condición mansa. Nos acercamos, lo saludamos y nos contestó en español, hombre amable ese viejito y empezamos a contarle nuestra tragedia y cuando nos escuchó con paciencia, mirándonos de arriba abajo, dijo: "nosotros sí vimos avión a la hora que anochecía. Cruzó por pie nuestro y después sentimos golpe en selva".

Estábamos en eso cuando llegaron los otros tres, los saludamos, hablamos con ellos y les pedimos que nos sacaran a alguna parte. Ellos recogieron la miel del panal y dijeron que nos iban a llevar hasta donde sus patrones, unos peruanos que se dedicaban a explotar un árbol que se llama palo de rosa. Navegamos dos horas, aguas abajo, hasta una maloca donde depositan la madera.

Allí habitaban peruanos al mando de un señor Pizarro que se movió a compasión y nos dio drogas y algo para beber, pero dijo que no debíamos comer todavía porque, como llevábamos aguantando tanto tiempo, podíamos morir. Hizo preparar una colada de avena, nos dieron unos sorbitos y después nos iban dando más. No se explicaban cómo habíamos sobrevivido, heridos, sin armas, sin nada con qué defendernos, sin conocer la selva.

Les hicieron curaciones a los enfermos, nos dieron ropita, nos bañamos en el mismo río y nos quedamos ahí un par de días, ya comiendo en buena paz, descansando, durmiendo con recompensa de sueño, sin pensar en tigres, ni en culebras y al tercer día salimos en una lancha a las cinco de la mañana.

Recorrimos todo ese día y toda esa noche por el río Campuya, desembocamos al Río Putumayo que hace frontera entre Colombia y Perú, y al otro día llegamos a las seis de la mañana a un punto llamado Puerto Arturo, sobre el Putumayo, banda colombiana, donde procesan la madera.

En el puerto había una lancha de dos pisos con cocina, camarotes, cuarto de máquinas, de propiedad de un colombiano que navegaba por esas aguas comprando cerdos, pescado, tortugas, pieles, o cambiándolas por escopetas, munición, pilas, hamacas, machetes y que precisamente iba rumbo a Puerto Leguízamo, a unos veinte días de navegación y le pedimos que nos llevara. Dijo que sí. En Puerto Arturo no se pudo llamar porque el radio no servía, pero el encargado dizque insistió, insistió y ya al anochecer se comunicó con el consulado de Colombia en Iquitos, Perú, y avisó que habíamos aparecido.

Arrancamos aguas arriba como al medio día, navegamos toda esa tarde, toda la noche y a las ocho de la mañana llegamos a un puesto de policía peruano de donde salieron varios guardias en sus botes, abordaron la lancha y preguntaron por nosotros. Nos identificamos y dijeron que echáramos pie a tierra porque venía un avión a recogernos. Así lo hicimos. La lancha se despidió y siguió su camino, y obra de unas dos horas, vimos que un Catalina de la Fuerza Aérea peruana, igual al de nuestro accidente y exactamente igual a éste de Giovanni, se perfilaba sobre el río.

¿En qué otra cosa podíamos regresar?

"Tres años antes de este accidente yo había tenido una emergencia, también en un Catalina, el HK Diez Veinte. Habíamos acuatizado frente a Puerto Inírida, un punto muy lejano de la selva colombiana, donde dejamos tres toneladas de comida y cargamos canastas de cerveza vacías y algunos bultos de caucho. Como a la una de la tarde el piloto prendió motores, el marinero desató el avión del árbol en que lo había amarrado y decolamos. El avión fue cobrando altura y cuando volábamos a dos mil pies, unos quinientos metros sobre la selva, uno de los motores empezó a estornudar y después de los estornudos soltó humo y con el humo aparecieron llamas.

Emergencia. El radio había sacado la mano en el vuelo de venida. Estábamos mudos. El capitán manejó la situación con mucha tranquilidad, viró sobre el motor bueno, ganó el río y como era invierno, todo se hallaba anegado y cualquier punto servía como pista para acuatizar. Acuatizamos y salimos por la compuerta trasera y desde allí apagamos el incendio con los extinguidores. El avión flotó unos doscientos metros hasta la copa de un árbol que salía a la superficie y allí lo atamos.

Esa noche dormimos entre el avión y al día siguiente por la mañana salimos con un indígena y nadamos tres horas para adentro buscando tierra y no la encontramos. Nadábamos un trecho y nos encaramábamos en la copa de algún árbol, descansábamos un poquito y volvíamos a meternos al agua. Nada. Regresamos otras tres horas a avisar que no había ni asomos de tierra firme.

"Ahí empezó también el hambre porque lo único que iba para los pilotos, el marinero y yo, eran las raciones de emergencia pero se acabaron esa noche.

"Esperamos dos días, tres días, cuatro días, desesperados allí en medio de ese mar, también con mosquitos y con un calor y una humedad bárbaros, de día, y de noche mucho frío.

"Durante el día, cuando no estaba lloviendo como suele llover en la selva, nos acostábamos encima de los planos del avión a esperar. Y de noche nos metíamos a tratar de dormir, pero con esa hambre nadie lograba conciliar el sueño. Lo único que hacíamos era tomar agua del río. No había más.

"Al tercer día el copiloto empezó a sufrir de angustia y a hablar disparates. Que nos íbamos a morir en ese sitio, que su familia. Y al rato, que vámonos para un restaurante a comer chuletas, a comer ensalada de cangrejo. Silencio. A la media hora se ponía a llorar: "no me dejen morir aquí, no me dejen morir aquí".

"Pero finalmente escuchamos un motor y aparecieron dos aviones de la Fuerza Aérea que nos buscaban, sobrevolaron en forma rasante, movieron las alas hacia los costados en señal de que ya nos habían reportado y como a las dos horas apareció otro avión y lanzó bolsas con drogas y comida. Comimos, dormimos más tranquilos y al otro día, ¿saben qué vino a rescatarnos? Otro Catalina".

La víspera del Domingo de Ramos por la mañana cayó un DC-3 más allá de la cabecera, con veintidós almas a bordo y alguna carga. No hubo llamas, ni muertos, ni heridos.

El vuelo estaba programado a La Macarena, un pueblo de colonos y por la tarde fuimos en un taxi hasta el sitio, a seis minutos del aeropuerto y hallamos el avión en medio de un campo de labranza solitario.

¿El piloto? No recordaban su nombre. Y ¿el avión? Bueno, un DC-3 como tantos. Y ¿la emergencia? Pues una emergencia como tantas. ¿Fotos? Sí. Algunas. Al fin y al cabo todo era corriente.

A la madrugada el avión zumbaba en mi cabeza. No podía ser que todo resultara "como tantos". Allí tenía que haber alguna historia.

A las ocho dijeron que el piloto se llamaba Ricardo Medina, treinta y seis años, dieciséis volando. Por la noche lo localicé en casa de su hermano, que también es piloto. Se hallaba con un segundo hermano: piloto. Su padre fue piloto y el tercer hermano, el mayor, pues también piloto.

Jaime, su padre, fue el de un avión en el Río Vaupés y otro fallando sobre la cabecera de siempre, la Dos Dos. Y su hermano, Jairo, el del DC-3 en Carurú, al lado del Vaupés.

¿Y los aviones? El de Jairo, el mismo con que su padre acuatizó en aquel río y los otros, uno que comenzaba con el número trece y otro que terminaba en trece, ambos rebautizados con nombres de pilotos muertos.

El asunto es sencillo, pero para entenderlo hay que comenzar por Ricardo, que aquel sábado debía volar a La Macarena.

Para él, ese es un vuelo espectacular porque se trata de una serranía llena de vida que se ve desde el avión anclada en medio de la selva azul y más acá el pueblo acurrucado, con sus casas de tabla y sus cantinas y las calles formando una Z cerca de la pista.

Te bajas del avión y el calor y la humedad penetran primero por las palmas de las manos y después por la caja del cuerpo, por las nalgas, por el cuello que se desgaja en sudor. Y sale todo el pueblo a recibir el avión que, si no es por la pericia del piloto, antes de aterrizar se puede llevar el techo de la casa de Crispiniano Meza.

A la pista de La Macarena solamente sale a recibirte un vehículo: la carreta de Marcofríjoles, tirada por una mula —Evangelina— y construida con oloroso, una madera de fragancia que huele a agua de alhucema, con sus ruedas herradas en acero de lámina y los radios tallados por Patosalao, el de Caldas, en otra madera llamada cedro macho.

Pero esa carreta no te lleva hasta el pueblo: no. Esa es para los equipajes.

Y ¿la gente?

La gente tiene que irse a pata.

En el pueblo están el granero de Manuelvinagre, el estanco de Conzeta Zapata, el billar de Arseín Ramírez, la botica de Danubies González, la talabartería de Osiel Valencia y la casa de Beatrizparranda.

A unos cuarenta kilómetros de los Andes, la sierra está solitaria dándole la espalda a la cordillera.

Esa serranía, que es mucho más antigua que los Andes, sólo tiene ciento veinte kilómetros de largo y treinta de ancho, con climas de primavera porque, aun abajo, en sus fundamentos, el aire es más tibio que en la selva que la rodea.

Y en las cumbres, que no pasan de dos mil quinientos metros de altura, las brisas son frescas. Tres climas: frío, templado y caliente en un cuerpo de pocos kilómetros. Algo así como el mundo perdido de la naturaleza colombiana, cubierto por un bosque espeso donde se refugian a la vez especies de los Andes, de la selva amazónica y de los llanos del Orinoco.

El capitán Medina pensaba esa mañana cómo al llegar allí, —cuando van pasajeros del interior del país—, acostumbra sobrevolar unas tres veces por lado y lado, para que filmen o tomen fotografías de un espectáculo llamado el Caño Cristales, río de aguas transparentes y varios colores por la masa de vegetación sin raíces que crece soldada a las rocas y a las piedras y cambia de tintura, según las estaciones de lluvia o de sequía: rojo, luego verde, luego azul intenso.

En ese trayecto final, él generalmente les va comentando en qué sitio se hallan, les explica que la niebla de las laderas va bajando a medida que corre el día y se posa, ya al anochecer, sobre el techo de la selva, a través de la cual corren grandes ríos que nacen en los Andes y viajan hacia el Orinoco. Desde el avión se divisan quebradas que revientan en su caída por entre la montaña.

Les habla de la vegetación con todos los tonos de verde, perforados por algunos árboles amarillos, otros rosados, otros de flores rojas como el maraco, cuyo aroma se pecibe desde lejos y el mortecino, que huele a lo mismo; el palo de arco, de flores blancas; lal cañafístola, alimento de los monos araguatos; el candelo, el leche miel, el guácimo, los laureles amarillos.

Y trata de identificar algunas palmas como la maizpepe, la güichira, la palma real, el cumare, el corneto, el palmiche, en una planicie ondulada sobre los lomos de la serranía que se ve desde el avión encharcada buena parte del año. De las palmas se sacan desde alimento hasta curación, fibra y vivienda.

Y entre las palmas viven, por ejemplo, los murciélagos. Una gran variedad: hay uno de alas blancas; otro, especialista en comer polillas, otros que se alimentan solamente de frutas y polen. Otro que caza ranas. Y hay por lo menos diez clases de monos: el tutamono o mico de noche, el macaco, el tití.

Todavía sobreviven allí el oso hormiguero, el oso negro, el tejón y a la orilla de los ríos el perro de agua; en la parte baja, el puma; en clima medio, las ardillas; al lado de los charcos el chigüiro y la danta y en los rincones menos tupidos, el venado. Y más arriba de los árboles vuelan cuatrocientas veinte especies de aves. Es decir, una tercera parte de la avifauna de Colombia.

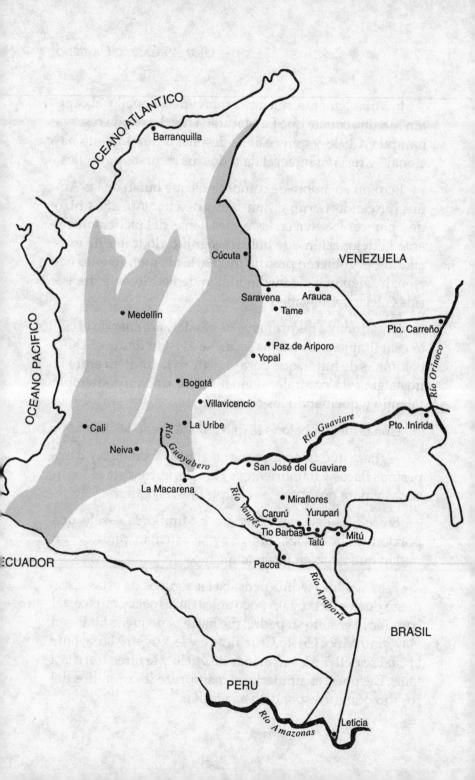

Invariablemente, mientras sobrevuela aquello, el capitán Medina cuenta que La Macarena fue decretada reserva natural en 1948 y quince años después, "monumento nacional" y reserva integral de todos los recursos naturales.

Pero un enjambre de campesinos que huían de los Andes buscando tierra, en un lapso de cuarenta años hizo desaparecer la selva en las partes llanas del piedemonte y ante la detonación que hubiera significado tratar de evacuarlos, el gobierno prefirió mutilarle al "monumento nacional", algo más de medio millón de hectáreas, entre los ríos Güejar y Guayabero.

Hoy, durante los primeros meses del año, cuando el cielo está limpio y las tierras secas, se avistan desde el DC-3 columnas de humo que para él marcan la frontera entre la nostalgia y la naturaleza: el enjambre trepa incontenible talando y quemando los contrafuertes.

Una tarde, un colono le dijo allí a Alfredo Molano:

—¿Para qué queremos micos gordos y bonitos y campesinos flacos y hambrientos? Para los micos está el Amazonas y para nosotros, los campesinos, esta tierra.

Entre San José del Guaviare y Miraflores —sólo una porción de la Amazonía—, hoy se asientan cerca de un millón que también dicen lo mismo.

Ese sábado, Medina pensaba en algunas de estas cosas luego de despertar y un poco antes de las seis y quince, tal como se lo enseñó su padre, fue hasta el pequeño altar con el Divino Niño, Cristo Crucificado y la Virgen María, ante el cual se detiene las mañanas de vuelo y le ofreció el día a Dios. Después, escapulario en mano, rezó los misterios del rosario que correspondían a la fecha.

"En ese sitio tengo también unas flores y un vaso con agua. Mi padre decía que notara cómo a veces el vaso tiene algo, no sé qué será, pero yo también lo percibo: es una especie de energía que convierte el agua en algo tan especial que algunas veces cura ciertos malestares. Si hay una pequeña herida, te la untas y te sana. De golpe te sirve para tranquilizarte si la bebes. Es un agua que no se daña. Se va secando y uno va rebosando el vaso periódicamente. Y con mucho respeto, desde cuando murió mi padre, le pido permiso a Dios para dedicarle mis vuelos a él. Yo pienso que eso tuvo que ver algo en la emergencia de ayer, porque hay ocasiones en que tú haces las cosas bien pero no salen bien. Ese día se hicieron las cosas bien y salieron perfectas".

Antes de las siete de la mañana, vio por encima de la torre de control del aeropuerto el sol anaranjado y pensó que el día iba a ser magnífico para volar.

El aire del hangar estaba tibio y el Veinticuatro Noventa y Siete, un DC-3, brillaba con el reflejo de la luz.

Aquel avión había volado antes con Líneas Aéreas Petroleras, que lo compró usado en los Estados Unidos en 1980.

Cuatro años más tarde se le apagaron los dos motores saliendo de Bogotá —un caso inaudito— y haciendo alarde de capacidad, el coronel Fidel Darío Zapata burló los picos de los Andes y aterrizó de barriga en un campo de labranza, en inmediaciones de Anapoima, pueblo cercano a Bogotá. (Dos hijos suyos, también pilotos, murieron al accidentarse un DC-3 militar).

Seis meses después lo compró el capitán Jimeno González por ochocientos dólares de hoy, para repararlo y ponerlo a volar en Transamazónica.

Como siempre, le quitaron las alas, los motores y el tren de aterrizaje y lo acomodaron en un camión. González recuerda que partieron de Anapoima la tarde de un miércoles y la mañana siguiente entraron a Bogotá escoltados por una patrulla de la Policía Vial, avanzaron ciento veinte calles en medio de la sorpresa de la gente —un avión circulando por la ciudad— y en el cruce de dos avenidas, la parte superior de la cola se enredó con los cables de los buses eléctricos, reventó algunos y se paralizó parte del servicio, justamente en una hora de gran congestión.

Cruzar la ciudad fue lento, resultó complicado y apenas a las tres de la tarde de ese jueves lograron tomar la vía que conduce a Villavicencio, pero cuando habían avanzado un kilómetro se dañó el cabezote del camión y solo pudieron reiniciar la marcha a las tres de la tarde del día siguiente, viernes, en vísperas de un fin de semana, con tráfico muy nutrido.

Pero, oh desgracia. A mitad de camino, el travesaño de un puente los detuvo. Nuevamente, la altura de la cola les impedía cruzar. Cosa de centímetros. Entonces desinflaron las llantas del camión y avanzaron otro trecho. Pero —nuevamente un pero— al llegar a un pueblito llamado Chipaque, en una curva cerrada que llaman La Herradura, hubo problemas con los amarres y el avión estuvo a punto de caer.

A las ocho de la noche solucionaron el problema, pero... aburridos con los contratiempos, los policías que los escoltaban se fueron a dormir y debieron continuar sin señales de prevención el resto del camino, hasta que, por fin, a las siete de la mañana del sábado entraron a los hangares de Transamazónica.

*Capitán Ricardo Medina*

"La reparación del Veinticuatro Noventa y Siete duró un año. Fue nuestro avión insignia, nunca tuvo la menor falla y lo vendimos dos años después", dice Jimeno González.

Aunque la víspera el capitán Ricardo Medina había volado el mismo avión y lo dejó "en perfectas condiciones", ese sábado por la mañana el rigor decía que debía realizar primero una vuelta en torno a la nave —le dicen un tres-sesenta— en compañía del copiloto. Comenzaron frente a la puerta y caminando en el sentido de las manecillas del reloj llegaron al plano izquierdo, lo miraron bien, luego revisaron el borde delantero (borde de ataque), y de allí se dirigieron al motor y observaron lo que está a la vista: el radiador de aceite, en la parte de abajo, similar a una gota de acero saliendo de la máquina.

Pasaron los ojos por las faldillas —cortinas pequeñas en lámina—, hicieron girar tres veces la hélice para cerciorarse de que no estuviera pegado alguno de los pistones y se metieron bajo el tórax del avión, amplio y plano y abrieron cuatro grifos pequeños (correspondientes a filtros de gasolina), que afloran sobre los pectorales y dejaron escapar el poquito de agua almacenada por la condensación durante la noche.

En la parte trasera de los planos ojearon las aletas y más tarde las piernas y los pies del avión y vieron que los tacos de los frenos estaban correctamente presentados, los discos rectos y las llantas con la presión requerida.

Los tubos pitot, dos bayonetas en ele que descuelgan bajo la papada, estaban limpios, lo que indicaba que durante el vuelo serían penetrados líbremente por el aire que, gracias a la presión, pone a funcionar algunos instrumentos.

Diez minutos después subió a la cabina, miró por la ventanilla y vió que al mover la cabrilla se movían los alerones. Accionó los pedales, asomó un poco más la cabeza y comprobó que el timón de dirección respondía.

Encendió las luces de las puntas de las alas y la del techo, prendió los motores, los chequeó y verificó que estaban trabajando bien. Solicitó permiso a la torre para trasladarse a la plataforma principal y antes de hacer las pruebas de potencia de los motores, durante el recorrido entre el hangar y la plataforma, examinó frenos, timón de dirección, aletas y luego los dos motores, comenzando por el izquierdo, para lo cual lo elevó a mil revoluciones —que es la velocidad para carretearlo en tierra— y luego le colocó mil setecientas.

Con esas revoluciones se verifica que las hélices cambien su posición de palas que se enfrentan al viento, a cuchillas que lo cortan, pues en caso de emergencia, con el motor detenido, no van a ofrecer resistencia.

Chequeó los generadores de corriente, los calentadores que contrarrestan la formación de hielo sobre los tubos pitot cuando se vuela con mal tiempo o a grandes alturas, volvió a probar las aletas, los frenos, el timón de dirección, le puso más potencia al motor izquierdo y al subir las revoluciones, observó el trabajo de los magnetos.

Una vez que llegó a la plataforma, apagó el avión y el despachador le comentó que iban diecisiete pasajeros, entre ellos tres niños contados como adultos. Quería decir que llevaba una pequeña ventaja en peso. Habitualmente se calculan ochenta kilos por persona, "porque por estos lados el equipaje es diferente al de la ciudad: aquí no embarcan grandes maletas. La gente viaja con una cajita pequeña, con un maletincito, con lo mínimo".

A las siete y media escuchó que llamaban a los pasajeros. Estaba de pie, bajo el plano y cuando la gente comenzó a ocupar el avión, la fue saludando. "Eso hace que suba confiada. Es agradable para ellos y para mí". Simultáneamente llegó un inspector de la Aeronáutica Civil y pidió el libro del avión, preguntó si había reportes de daños del día anterior y como no halló nada anormal, subió al avión.

El capitán se despidió del dueño del DC-3, del despachador, trepó a la cabina de pasajeros y vio a los niños que había anunciado Edgard. A una pequeña le acarició la cabeza:

—Hija, acomódate bien... Buen viaje.

Cuando fue a ocupar su sitio, vio que el inspector aún no abandonaba el avión y el copiloto le preguntó:

—¿Qué será lo que quiere ahora?

"Me puse de pie en son de pelea porque estaba demorándonos; los pasajeros ya se hallaban a bordo y el sol empezaba a cansarlos y desde la puerta de la cabina de mando le pregunté qué sucedía:

—Hombre, capi —respondió—. Disculpe que no lo deje decolar hasta cuando despejen las ventanillas de emergencia.

"Al acomodarse, los pasajeros habían colocado algunas cajas frente a ellas y le presenté excusas: 'Usted tiene toda la razón. Vamos a corregir eso' y luego le dije al copiloto:

—Ni que nos fuéramos a caer.

Cerraron la puerta, apareció un cuadrillero al frente del avión y levantó el dedo pulgar.

—Libre, el dos.

El dos es el motor derecho, contrario a la puerta y por seguridad se le da encendido primero. Luego prendió el uno, abajo dijeron que no había obstáculos y solicitó permiso a la torre para deslizarse hasta el punto de espera, no lejos de la cabecera Cero Cuatro, que está al sur y de allí le respondieron:

—Hotel Kilo Dos Cuatro Nueve Siete, autorizado a punto de espera. Cielo despejado, visibilidad mayor de diez kilómetros —"o sea, ilimitada. Se veía la cordillera, se veía el Llano, se veía hacia todas partes, un sol esplendoroso, el cielo azul"—Viento en calma. La hora: uno-tres-dos-ocho, (ocho y veintiocho minutos: técnicamente la torre de control le suma cinco). "Una hora óptima para salir porque aquí el aire aún es tibio: unos veintiocho grados".

El avión rodó hacia el punto de espera, desde donde se produjo una nueva comunicación con la torre:

—Hotel Kilo Dos Cuatro Nueve Siete, en el sitio de espera, listo para decolar. Esperamos instrucciones de vuelo.

"No dijeron que hubiera aeronaves en nuestro espacio y anuncié que volaría visual puesto que no hay mucho tráfico hacia la Serranía de La Macarena. Yo era el único que iba para ese punto.

—Autorizado a ingresar a pista y autorizado a decolar —dijeron.

Movió lentamente el avión hasta ocupar la cabecera y realizó un nuevo chequeo, pero antes aplicó los frenos de parqueo, se volteó y, como acostumbra hacer siempre, dijo al copiloto y al mecánico:

—Cualquier falla, yo controlo.

Luego le recordó al copiloto:

—Me cantas velocidades: VMC, 72 nudos, V-1 ochenta, V-2 ochenta y dos nudos.

Y al mecánico:

—Por favor, vigile presiones y temperaturas de los dos motores... Cualquier falla, yo controlo. Ustedes me avisan qué motor puede molestar y a qué se debe la posible falla. ¿Okey?

Lo hace siempre. En todos los decolajes. En todos. Luego procedió a realizar el penúltimo chequeo con la ayuda del copiloto:

—Controles:

—Libres.

—Aletas:

—Arriba y neutral.

—Giro direccional:

—Ajustado.

—Tanque principal derecho:

—Seleccionado.

—Izquierdo:

—Seleccionado.

—Bombas auxiliares:

—Funcionando.

—Paso:

—Bajo.

—Mezcla:

—Rica.

—Faldillas:

—Libres.

—Luces de decolaje:

—Encendidas.

Y, lo último, como se lo enseñó su padre:

—Señor, te ofrezco este día. Permíteme ofrecerle también este vuelo al alma de mi padre... Hasta cuando regresemos, Señor.

"Me santigüé, solté los frenos y empezamos a colocar potencia, muy suave, muy suave, muy suave, hasta cuando llegamos al tope con los aceleradores. El avión rodaba y alcanzamos treinta nudos de velocidad. A la altura de la torre, llevaba la cola levantada: sesenta nudos. Ochocientos metros:

—V-2 —dijo luego el copiloto y empezamos a elevarnos.

"El día era esplendoroso, el avión estaba bien, la gente del aeropuerto había amanecido de buen genio, los pasajeros se veían tranquilos: esa mañana sentía gusto por volar"

El avión levantó ruedas y él le pidió al mecánico que subiera el tren, éste lo subió y ya en ascenso inició un chequeo visual para después del decolaje:

—Subió la rueda izquierda:

—OK.

—Subió la derecha:

—Perfecto.

—Fuera, luces de decolaje:

—Apagadas.

"Empecé a hacer el viraje. Pensaba en traer pescadito de La Macarena porque se nos venía la Semana Santa y allá se consigue muy bueno y muy barato. Comenzábamos a tomar altura, con el avión limpio, sus ruedas en los nidos, sus alas brillando con el sol.

"Estaba virando sobre la derecha y antes de terminar el chequeo —que se hace más o menos a unos doscientos metros sobre el suelo—, el motor izquierdo pegó una explosión que hizo vibrar el avión y luego otra y otra y otra: cuatro. Violentas. Parecía que querían descuajar el plano y sentí inmediatamente el tirón porque, claro, el motor redujo su potencia y el derecho —que funcionaba normalmente— trataba de halarnos hacia la izquierda.

—Mío, mío, mío el avión. ¡Yo controlo! ¿Qué sucede?—, les grité.

Vigilaban los instrumentos y comenzaron a anunciar que la temperatura subía continuamente. En ese instante ya estaba mirando dónde caer, pero empecé a tratar de regresar suavemente, suavemente, tratando de no inclinarlo, sino trabajarlo a base de timón de cola, porque si lo banqueaba, es decir, si lo inclinaba, caeríamos como una piedra. El motor que nos hacía flotar —el derecho—, es casualmente el que menos ayuda a sustentar un DC-3 en el aire.

"En este avión, el motor crítico es el que se nos fue y esto significaba una desgracia, porque el otro prácticamente no ayudaba con su torque —la espiral que forma el viento se desliza por debajo del ala y sostiene una mayor área del avión—, mientras que el derecho iba lanzando su torque hacia afuera. Y al perder aquel motor, inmediatamente el avión no sólo perdió más de la mitad de su sustentación en el aire, sino que redujo la velocidad. Eso fue lo grave de la falla.

"Me hice el bobo y traté de dejar que el avión por sí solo fuera marcando el viraje. Si me hubiera dedicado a pelear con él, habríamos caído allí mismo. En cambio, le aumenté potencia al motor bueno y al que fallaba traté de exigirlo, pero no: respondía con explosiones y lo reduje. En ese instante sentí que desarrollaba algo de fuerza y la aproveché para que me ayudara un poquito en el viraje y así lográramos colocarnos nuevamente de frente a la pista que estaba a la derecha. Nivelé el avión sin pelear con él, para que el mismo avioncito se fuera a buscar el aeropuerto.

A estas alturas habíamos alcanzado noventa nudos de velocidad y así volamos unos segundos:

—Noventa nudos.

—Noventa nudos.

—Noventa nudos iba cantando el copiloto.

Luego dijo:

—Pendiente para mandar el tren de aterrizaje abajo y yo le grité:

—¡Quieto!

"En ese momento creíamos poder llegar a la pista, pero yo no descartaba la posibilidad de realizar un barrigazo y en ese caso, las ruedas del avión abajo pueden significar la muerte. Volamos así otros segundos y el copiloto cambió repentinamente:

—Ochenta.

—Ochenta.

—Ochenta nudos.

"Perdimos velocidad. No íbamos a llegar a la pista porque a esa rata, el avión cargado difícilmente se sostiene con un motor. Y efectivamente: dió un bajonazo increíble. Sentí que el izquierdo claudicó. Lo aceleré, puse todo el control hacia adelante a ver si respondía algo, a ver si estallaba, pero ya no dio más y coloqué las palas de las hélices de perfil al viento y lo reduje completamente.

"Creo que en ese momento no traíamos setenta metros de altura sobre el terreno y una velocidad tan pobre que ya no nos estaba sustentando, de manera que empecé a buscar un potrero sobre el cual caer. Y mire y mire y cuál sería mi dicha cuando veo a la izquierda uno recién arado: tierra parda, blanda, plana, sin obstáculos.

"Viré hacia allá y logré ponerlo de frente. Coloqué las alas a nivel y él voló unas décimas de segundo más. Como tenía la nariz baja, compensé una gota con el timón de profundidad para que agachara la colita —con esa velocidad tan precaria no podía abusar porque nos desplomábamos— y él respingó la nariz ligeramente y logramos acomodarnos un poco mejor en el aire.

"Todo fue suave. Mire: es que ese avión es muy noble. Aparte del tiempo de servicio que tiene el DC-3 encima, parece que con los años se volviera sabio. El señorío, la nobleza, la dulzura que tiene ese avión: es como un animal, que si uno lo trata bien, él lo quiere a uno y le responde.

"Bajamos, bajamos y empezamos a cruzarnos muy cerca con el verde de un campo y con las copas de los árboles. Yo estaba tranquilo y le pedía a Dios que me ayudara a llegar, pero el avión trataba de vibrar porque perdía velo-

cidad y se acercaba cada vez más al suelo. En ese momento estaba sobre árboles: veía, ahí adelante, no muy lejos, el
terreno recién arado y sin obstáculos, pero perdía altura y
velocidad, altura y velocidad y creía que no lo iba a alcanzar y el copiloto dijo:

—Capitán, no llegamos.

—Calmado, tranquilo, vamos a llegar, le respondí, aunque de verdad creía en lo que él me estaba diciendo.

"Cuando íbamos a salvar el último lote de árboles, ya
prácticamente sobre la tierra recién arada, el avión se incli-
nó y metió el plano izquierdo contra el suelo, bruscamente. Le dí un cabrillazo a la derecha, también brusco,
ordinario, como nunca lo había hecho y le hundí todo el
pedal derecho: era el último esfuerzo para evitar que la
cabina se estrellara contra el suelo. Y el avión respondió
con la misma nobleza que cuando lo trato con cariño: quedó con los planos nivelados y esperé el golpe, porque ya
definitivamente no volábamos.

"Y mire esto: llevábamos el motor derecho con toda la
potencia y eso hace mucho ruido, pero no sé qué sucedió
en ese momento porque dejé de oírlo y empecé a escuchar
solamente el silbido del viento: "sssssss", se oía solamente el viento, el viento, el viento. Y luego las ramas: escuchaba cómo íbamos desmochando ramas y unas milésimas
de segundo después lo que oí fue "chac, chac, chac". Des-
cendíamos porque ahora estábamos rompiendo los troncos, lo percibía perfectamente. Pero no sentía el motor
bramando. Parecía que estuviera volando en un planea-
dor. ¿Qué sucedió en ese momento con mi cerebro? Dos
horas después, un mecánico que pasó por una emergencia
similar, pero con tragedia, me dijo:

—Capitán, ése es el silencio de la muerte.

"Bueno. Algunas décimas de segundo después y unos centímetros más abajo, corté la batería y cesó el fluido eléctrico para evitar incendio. Sentí que iba a tocar el piso y halé la cabrilla hacia atrás. El avión subió la nariz suavemente y cayó también suavemente: un golpe seco pero suave, sin nubes de tierra porque el terreno estaba húmedo. Nos arrastramos veinticinco o treinta metros, porque veníamos cayendo casi a plomo y cuando terminó de recorrer esa distancia, el avión dio un viraje violento de ciento ochenta grados: el ala izquierda había chocado contra unas piedras que nos hicieron detener bruscamente y le arrancaron la rueda que se hallaba acomodada entre su nido. Quedamos mirando hacia atrás.

"Ahí sentí que el mecánico abría la puerta y que la gente empezaba a evacuar. Inmediatamente hice chequeo de aterrizaje: le corté la mezcla de gasolina al motor derecho, retrocedí los aceleradores y cuando dejé el avión como si hubiera aterrizado normalmente, le dije a Raúl: 'Vamos, vamos, vamos', esperando que se desatara un incendio pero él se había enredado en el cinturón de seguridad y yo le decía: 'Suéltelo, tranquilo, suéltelo'.

"Traté de auxiliarlo pero escuché que lloraba una niña: 'Ayúdenme, ayúdenme'. Me imaginé lo peor. Pensé que se encontraba en mal estado, dejé a Raúl y me fui a la cabina de pasajeros que ya se hallaba vacía: era la niña de unos seis años que había saludado cuando subí al avión, atrapada ahora entre unas cajas. La desatoré y la alcé pensando que tuviera alguna fractura y allí mismo encontré a otra de unos ocho añitos, llorando sin levantar la voz, pálida, casi desmayada por el susto.

—¿Puedes caminar? le pregunté, y me respondió temblorosa, con la voz casi apagada:

—Sí señor. Sí capitán.

"La tomé de la mano y les dije: 'Vamos, para afuera, corramos'. Ganamos la puerta y vimos a los pasajeros al frente, pero no suficientemente lejos del avión, y les grité que se alejaran más, mucho más, porque el motor izquierdo estaba expulsando humo. Avanzamos algunos pasos y pregunté de quién eran las niñas. Por allá una señora dijo: 'Mías'. Llevaba un niño más pequeño entre los brazos y en ese momento —uno no sabe cómo reacciona cada persona—, tal vez pensó en salvar al que no se podía defender y dejó a las más grandecitas en las manos de su propia suerte.

—Quédese allá, le grité—, solté a las niñas y les dije que corrieran para donde la mamá.

"Luego ví más cerca a los pasajeros y cuando trataron de venir a abrazarme, les dije que se alejaran. Podía haber fuego y ellos corrieron. No había sangre, no había heridos. Estábamos ilesos.

"En aquel momento, allí, solo, parado en esa tierra que parecía harina, levanté la cara al cielo, un cielo azul, despejado, brillante y le mandé un beso al de arriba: al dueño de la vida".

Entre la primera explosión del motor y el golpe contra el suelo había transcurrido un tiempo eterno: dos minutos y veintisiete segundos.

Dos años antes, un viernes de mayo a las ocho y veintiún minutos de la mañana, se posó sobre la misma cabecera un avión blanco con veintisiete almas a bordo. Pidió
permiso para iniciar vuelo hacia Puerto Carreño, y un poco
después, a las ocho y veintidós minutos, recibió autoriza-
ción para decolar.

Era el HK Veintidós Trece, un DC-3 de Transoriente al
mando del comandante Jaime Medina, padre de Ricardo.

Esa mañana el comandante no debía ocupar el asiento
izquierdo, pero como el piloto titular había sufrido un accidente de avioneta y quien tenía que sustituirlo se hallaba
ausente, fue llamado para que volara en su remplazo.

Ricardo recibió el mensaje pero sólo pudo entregárselo
dos días después, cuando apareció en la puerta de su casa
con una botella de champaña y una torta, cantándole el
"Feliz cumpleaños, hijo".

"Como amaba su trabajo" recuerda Ricardo, "la noticia lo puso feliz y temprano, al día siguiente, estaba parado frente a su altar ofreciéndole el día a Dios, listo para volar de extremo a extremo sobre esa inmensidad de tierra plana que se nos abre a partir de Villavicencio".

En el vuelo a Carreño los pilotos del Llano encuentran un desafío en las corrientes de viento que barren los cielos durante el verano. Son ráfagas que vienen del norte, soplando a treinta y cuarenta kilómetros por hora, pero llegan a crecer hasta setenta, siempre entrando por el frente del avión: vientos a fil de roda los llaman los marineros y según sea su intensidad el DC-3 emplea en el viaje de ida entre tres horas y tres horas veinte minutos, tiempo durante el cual el piloto debe fajarse con su avión para luchar contra la brisa. Eso se llama nortear: pelear por conservar el rumbo o, en términos llaneros, repicarle la alpargata para que le agarre bien el ritmo al zumbaquezumba.

En cambio durante el vuelo de regreso, cuando se navega hacia el poniente, los ramalazos empujan al avión: vientos de cola o "a un largo", que son los mejores y entonces se gastan unas dos horas y media en el mismo trayecto.

Las brisas del Norte los sorprenden algunas veces porque en lugar de amainar, mudan de camino, pero siempre en contra, de manera que durante el vuelo las naves están al rigor de aires amargos, frente a los cuales se necesitan mucha máquina y mucho piloto.

Hay épocas del año en que no se puede aterrizar en ciertos puntos del Llano por los vientos cruzados que sacan los aviones de las pistas y los estrellan. Y hay otras que sólo pueden ser operadas entre las seis de la mañana y más o menos las nueve y media. A partir de esa hora, los vientos son huracanados y comienzan a apaciguarse a media tarde. En ese lapso, desde arriba se ven levantarse las polvaredas en las playas de los ríos y el oleaje agitado y espeso.

"Entrar a esas pistas a las once de la mañana, a la una, a las dos, es mortal porque uno va aterrizando normalmente y de pronto le cambia la ráfaga y lo saca, especialmente si el avión, —como sucede con el DC-3—, tiene rueda de cola. Que, entre otras cosas, es el ideal para tocar pistas malas", decía el comandante.

Los vientos de verano empiezan con una brisa fresca y agradable de cinco o seis nudos, pero a medida que avanza la mañana sube a veinte y al medio día se convierte en vendaval de aire seco y caliente.

Es algo así como la música llanera, vital, llena de fuerza y de sentimiento, salida de un arpa, de una especie de guitarra diminuta con cuatro cuerdas llamada "el cuatro" y de unas maracas pequeñas a las que les dicen "capachos". El arpa llanera tiene treinta y dos cuerdas con medida de octavas y cuatro escalas y media. Y las letras de las canciones están relacionadas con el desafío permanente entre el hombre y la naturaleza: el toro, el caballo, el río, la sabana, el tiempo y finalmente la misma muerte, porque en cada una de las faenas diarias el hombre de ese medio está enfrentando una cantidad de riesgos que pueden implicarla en cualquier momento. El llanero no le cantó a la mujer. Solamente ahora, en la música comercial, ha aparecido su figura.

Pero en estas sabanas, la música es al viento. Esa brisa fresca de la mañana tiene el susurro de la tonada que es un lamento, un sollozo que se dice quedo:

*Sabaniando, sabaniando, distraigo los males míos...*
*Viendo las aves volar... En las orillas del río...*

*Ayyyyy... Pita un toro en el palmaaar... La vaca*
*lleva aaal beceerro... Y yo nombro en mi cantar...*
*La negra que yo más quiero.*

Pero esa misma tonada interpretada más rápido, cobra
vitalidad como el viento de las diez de la mañana y entonces se llama un seis corrido, que rumba con tanta fuerza
como el pajarillo, salido de los tonos menores del arpa. Y
si el artista traslada la mano derecha a los tonos mayores y
digita más fuerte los bordones con la izquierda, logra el
aliento del huracán del medio día: un seis por derecho, que
es el rey del joropo.

A pesar de los vientos alisios, esta ruta le gustaba al
comandante en verano, porque él decía que tenía el atrac-
tivo de la variedad de nuestra naturaleza, traducida en ríos
caudalosos con sus islas, pantanos acolchados por pilas de
hierba que desde el avión se ve del color de la malva, bosques que siguen el curso de las aguas corrientes y
morichales sobre el rebalse de las crecientes. Dunas, serra-
nías, el verde iluminado del arroz en las vegas de algunos
ríos, los médanos y las sabanas aisladas, los esteros y las
lagunas en las regiones de banco bajo, las colinas amari-
llentas o aceituna y más adelante, extensas ganaderías cubiertas de humo a partir de noviembre, cuando el
campesino quema la pradera para que retoñe con el rocío
de las noches de verano y el ganado tenga pastos tiernos.
Pero el humo inunda el cielo y la navegación se vuelve un
calvario.

En adelante las praderas son onduladas y al llegar al
final, desde la cabina se distingue perfectamente una sucesión de raudales de espuma que forma el gran río al chocar contra bloques y gargantas de roca en las vecindades
de la aldea.

Puerto Carreño es un pueblo olvidado en los confines de la llanura, sobre la margen izquierda del río Orinoco, un gigante dos veces y media más grande que el Loira y el Elba, tres que el Tajo y el Sena, cuatro que el Po, cinco que el Hudson o seis que el Támesis.

El Veintidós Trece llegó a Colombia a finales de la década de los años setentas en busca de marihuana y fue capturado por las autoriades en una pista clandestina al norte del país. En una subasta pública fue adquirido por un comerciante que a su vez se lo vendió a un industrial, cuyo propósito era desbaratarlo y fundir las piezas, pero finalmente Fernando Estrada —un piloto—, cambió su destino por tres veces más de lo que había sido adjudicado y lo afilió a la compañía Selva.

"En ese momento era el mejor DC-3 que había aquí. Su estado era excelente", dice.

Cuando los dueños de Selva lo vendieron, seis años después, no ocultaron la nostalgia porque fue el que los sacó avante en una época difícil, pero Luis Cortés, piloto de Transoriente, se había enamorado de él a pesar de que tuviera el número trece y después de presionar a su compañía logró que esta lo adquiriera por cincuenta mil dólares.

Cortés, un llanero apasionado por la aviación, lo conoció catorce años antes cuando voló en él por primera vez como copiloto.

"El avión fue trasladado a Villavicencio y lo habían descuidado, tal vez porque le sentían miedo, y les dije: 'Yo lo vuelo, me gusta' y el quince de agosto del año ochenta me subí en él por primera vez como aprendiz de copiloto, al mando del capitán Luis Guillermo Bravo, que se mató luego, justamente después de sobrevolar la cabecera Dos Dos.

*El Veintidós Trece*
*(Archivo Capitán Cortés)*

"Ese día, mi primera sensación fue ser parte del avión: sentía que fluía por él y lo primero que le aprendí es que cuando uno prende los motores y escucha el ronroneo, sabe si le van a fallar. Ese avión había salido de la fábrica el 24 de junio de 1943. Cuando cumplía años yo le llevaba florecitas y se las colocaba en la cabina.

"Bueno, pues el día de mi estreno estaba molestando un motor por alta temperatura y baja presión y se nos fue el motor derecho, también sobre la cabecera Dos Dos. Logramos aterrizar luego de haber estado a punto de caer sobre la ciudad: primer vuelo en DC-3 y primera emergencia de mi vida.

"Después hice en él mis chequeos para copiloto, más tarde los chequeos para comandante y en él comencé como comandante. El avión se portaba bien conmigo y le fui tomando cariño, porque, por ejemplo, era magnífico capoteando el mal tiempo.

"En ese momento no usábamos radares y en esas tempestades tan violentas, siempre lográbamos salir adelante. Le sentía mucha confianza. Cuando el avión hace parte de uno mismo, pues uno no se hace daño y yo sabía que mi avión no me molestaba porque, digámoslo así: era mi vida. En cierta época atravesamos una racha de accidentes y yo llegué a tener la certeza de que iba a morir en él. Creo que también mi esposa que estaba esperando a la segunda hija, porque cuando salía de la casa se abrazaba a mí angustiada.

"Y, fíjese cómo es la cosa: cuando a ese avión se le subía otro piloto, él molestaba por un motor, por un magneto, tenían que tirar la carga en pleno vuelo, tenían que regresarse en los malos tiempos, cosas que no sucedían conmigo".

La casa del capitán Cortés es de techos altos y pisos brillantes por la cera y de las paredes cuelgan fotografías ampliadas del DC-3 en diferentes épocas de su vida. En en el vestíbulo aparece aterrizando sobre la pista de greda de San José del Guaviare. En la sala principal, volando en crucero sobre la llanura. En un pasillo aledaño, haciendo su aproximación a Miraflores. En el segundo piso, flotando sobre unos campos verdes. En algunas fotos está pintado con los colores de Selva y en otras con el blanco de Transoriente.

Cuando renunció a Selva, el capitán Cortés sintió que allí se quedaba algo de su vida y se fue a volar un DC-3 de Transoriente que también había caído en la Costa Atlántica con tres toneladas de marihuana y tripulación norteamericana, pero el recuerdo del Veintidós Trece lo amarraba a su antigua compañía.

"Pasaba por los hangares de Selva y lo veía sin un motor, alejado en un rincón y volvía a mirar para otro lado porque me parecía triste, me parecía que el avioncito me decía: 'Lucho, haga algo por mí'. Pero un día, el dueño de Transoriente dijo que quería comprar otro DC-3. Imagínese cuál le recomendé: pues mi avión, porque no había sido aporreado y se encontraba bien de estructuras.

"El primer vuelo con el color de Transoriente debía ejecutarlo Polo, un compañero mío y a mí me asignaron otro avión, el Treinta y Uno Siete Siete, pero cambiamos y después de decolar supe que Polo se había estrellado. Mi avión me salvó la vida, pero ocho días después, un domingo, me caí volando como pasajero en una avioneta, sufrí lesiones en el cuello y me incapacitaron para trabajar. En ese lapso de tiempo vino el comandante Medina a reemplazarme y supe que al Veintidós Trece le falló uno de los motores, quince minutos después de haber despegado de Villavicen-cio y que alcanzaron a regresar a la pista sin contratiem-pos. Eso fue un martes. El miércoles no pudieron terminar la reparación. El jueves Medina hizo el vuelo de prueba, encontró un desajuste y lo devolvió al hangar. Calcularon que el problema estaría corregido a la una de la tarde, pero esa hora no le permitía decolar para regresar el mismo día y resolvieron cancelar el vuelo.

"Mientras tanto, los pasajeros me llamaban a la casa pidiendo ayuda. A pesar de las dolencias, les dije que iba para el aeropuerto y, efectivamente, allá vi que la repara-ción era de cuidado y le expliqué a la gente que lo más prudente era esperar hasta el otro día.

"Cuando el avión salió del taller esa misma tarde, el comandante Medina intentó realizar un vuelo de prueba, pero llovió. Lo probaron en tierra, dio las potencias reque-ridas y dijeron: 'Por ahora está bien. Si mañana encontra-mos algo anormal en los chequeos previos, le hacemos vuelo de prueba'.

"Pero llegó el día y como todo funcionó bien en el aero-puerto, resolvieron decolar... Hombre, tan estricto como era el comandante Medina en estas cosas y ese día, no sé qué le sucedió porque dizque al llegar a la plataforma, dijo: 'No se necesitan más pruebas. Todo está bien. Vámonos'. Será que cuando a uno le toca...

"En ese vuelo iba mi hermana, Isabel Cortés. La víspe-ra habíamos tenido una diferencia y discutimos.

"Isabel fue mi niñera. Era prima, pero nos criamos jun-tos y yo la veía como a una hermana, la sentía como her-mana y le decía hermana. Total, que esa noche no pude dormir. Le echaba la culpa al cuello ortopédico, sentía que la cabeza se me iba a quemar y dormí muy mal. Más o menos a las ocho de la mañana sentí angustia y comencé a leer la Biblia para serenarme".

A las ocho y veintitrés el comandante Medina tuvo una nueva comunicacion por radio desde la cabecera de la pista. La torre dijo que el viento estaba en calma y la visibilidad ilimitada y el avión levantó sus ruedas, pero cuando apenas se había elevado diecisiete metros sobre el piso, el motor derecho eructó y empezó a gruñir.

La emergencia ocurrió sobre la misma cabecera por la cual salió Ricardo dos años más tarde, con cuatro minutos de diferencia en relación con la misma hora, en un avión similar, volando en el mismo sentido, pero cuando comenzó su calvario, aquél había alcanzado a elevarse ciento treinta metros sobre el terreno. Su padre estaba ahora a diecisiete y en esas condiciones ya no podía tratar de buscar nuevamente el aeropuerto. Le aplicó potencia al motor recién reparado, pero se desbocó y en esas condiciones no producía tracción sino resistencia y perdió parte de la poca velocidad que llevaba.

Un segundo más tarde, no tenía potencia, ni velocidad, es decir, nada con qué agarrarse y el plato metálico en que se había convertido el motor desbocado, además de frenarlo, lo hizo virar hacia la izquierda.

Según algunos sobrevivientes, él trató de corregir el problema pero el avión no respondía y lo oyeron decir: "No reacciona. No reacciona, Dios mío, no reacciona".

A partir de allí el comandante logró que la máquina volara unos pocos metros: sobrepasó un cementerio contiguo al aeropuerto, "buscando un terreno donde colocar el avión, pero, conociéndolo como lo conocíamos" —dicen sus hijos Ricardo y Rolando, también piloto— "sabemos que no se metió allí por respeto. Si lo hubiera hecho, el final sería distinto".

Continuó casi arrastrándose, buscando un sitio sin obstáculos, pero se le atravesó una fábrica de aceites y allí tomó su gran decisión: mato a la gente que trabaja allá, o me mato yo solo.

Entonces, se salió de su trayectoria y en lugar de halar el avión para intentar pasar por encima de la fábrica, trató de ganar una zona pequeña que la antecede y se inmoló protegiendo a los demás, porque en ese punto clavó el avión sobre la nariz y con el impulso, la cola pasó por encima de la construcción y cayó al otro lado.

Sobrevivieron veinte de veintisiete.

Según los investigadores, la emergencia duró treinta y tres segundos. El cuerpo del comandante quedó a mil ochocientos metros de donde se salvó su hijo Ricardo.

A las ocho y cuarenta, Luis Cortés escuchó la sirena del cuerpo de bomberos y gritó:

—Dios Santo, se cayó el avión.

"Y como no tenía equipo de sonido ni radio, empecé a pedir uno. Lo trajeron y cuando lo encendí escuché: 'se acaba de accidentar el avión de Transamazónica que iba para Puerto Carreño'. Entonces dije: 'Dios mío, esa noticia es falsa. El que se cayó fue mi avión con el comandante Medina. Qué Transamazónica ni qué nada'. Y claro, empezaron a leer la lista de pasajeros. Ahí estaba mi nombre y le dije a mi señora que me iba para el aeropuerto, pero ella se opuso:

—No, usted qué va a ir por allá, mijo. ¿No ve que está convalesciente?

*Comandante Jaime Medina*

—Lléveme a donde cayó el avión le insistí y ella, que no.

—Si usted no me lleva, yo me voy.

—No, yo lo llevo.

"Llegamos allá y mire: me dieron ganas de trasbocar. En ese momento sentía necesidad de llorar, sentía rabia. En ese momento se me moría algo. Mi avión estaba despedazado.

(La entrevista se suspende durante veinte segundos. El capitán Cortés llora).

"De verdad que a mí me da muy duro recordar esto... Cuando vi los cadáveres de los pilotos cubiertos con sábanas blancas, cuando vi todo aquello por el suelo, pregunté: '¿Cuántos muertos?' 'Hasta ahora cuatro, capitán. Menos mal que no explotaron los tanques, porque hubiera acabado con esa fábrica', explicó un bombero.

"Mi mujer vio que me descompuse en la forma más terrible. Yo siempre había evadido contarle a usted esta parte porque para mí es muy doloroso, especialmente por la muerte de mi hermana, de mis amigos, de mis compañeros... Y aún más: por el fin del avión. Es que todos creían que era mío, porque yo hablaba de 'mi avioncito'. Viendo mi señora que me había desencajado tanto, dijo: 'Vámonos para la casa', pero le pedí que me llevara al hospital.

"Había heridos en tres clínicas. En la primera estaban operando a mi hermana. Me sentí peor y Juan Carlos, uno de mis hermanos que es piloto, me dijo: 'Camine Luis, lo llevo'. 'Sí, vámonos porque me siento mal'.

"Y al venir, esas ambulancias con sus sirenas corriendo por todas las calles, la gente en las aceras, los comentarios, los gritos, cambié de parecer: Lléveme a la Clínica Meta.

*Capitán Luis Cortés*

Quién sabe cuántas víctimas más. Todos conocidos, todos amigos'.

"¡Jú! Entrando por urgencias encontré ese reguero de heridos quejándose: 'Comandante, mire lo que nos pasó'. Me parecía que el piso subía y yo me hundía y otra vez sentí deseos de trasbocar, me angustié mucho. 'Juan Carlos, lléveme, lléveme porque me voy a caer'.

"Llegué a la casa y escuché las emisoras de radio: 'Ese destartalado avión DC-3', decían y pensé, 'Hombre, gracias a esos destartalados aviones, como los llaman, es que nosotros estamos haciendo patria, porque a donde vamos, llevamos desde comida hasta la vida'. Trataban de buscar un culpable: que la tripulación iba borracha. Imagínese. Y luego intentaban sacar conclusiones inmediatas y dictaban sentencia antes de averiguar siquiera el número de la matrícula del avión.

"Luego llegó mi señora con la noticia de la muerte de mi hermana. Era un duelo muy grande, le repito: mi hermana y el avión, los amigos, la esposa del copiloto, una niña de unos veintidós años. Y uno con su dolor y esos 'por qué' de la gente. Pensé tirarme por el balcón. Me iba a lanzar. Y renegué:

—Señor, Tú eres injusto. Señor, Tú sabías cómo quería yo a ese avión.

"En el subconsciente sentía que ése iba a ser mi ataúd. Yo decía siempre: 'Si me mato, me mato en el avión que he volado durante diez años casi seguidos. Si tengo que morir en un accidente aéreo, que sea en mi avión'. Cosas que uno hace propias y claro:

—Dios, eres un egoísta —lo dije con rencor, con ira, con desmoralización— ¿Por qué me quitaste ese privilegio?

Tanto tiempo volando este avioncito y Tú me cuidabas siempre, ¿por qué me quitaste la prerrogativa de morir en él?

"Al día siguiente, durante el entierro, mi cabeza cambió: 'Los aviones son asesinos'. Yo no les tengo miedo a los aviones, pero en ese momento sentía rencor. Se habían muerto mis ilusiones, porque ya mi avión no existía y por tanto yo debía dejar de existir en la aviación y tomé la decisión de no volver a volar nunca. Me retiré.

"Sin embargo, pasó un año y la falta de dinero, deudas acumuladas, problemas económicos, hicieron que me preguntara: 'Y ¿ahora? Ahora, ¿qué hago?'

"Lo único que sabía hacer era volar. Y tuve que volver a volar".

El Avión que conducía el féretro con los restos del comandante Jaime Medina hacia Bogotá trazó una circunferencia sobre el aeropuerto de Villavicencio y sus hijos Rolando y Ricardo vieron dos centenares de pañuelos blancos vibrando sobre la plataforma y los aviones taxeados, con sus luces de decolaje encendidas.

La nave inició una espiral para alcanzar quince mil pies de altura y enfrentarse al paso de los Andes y cuando se hundió entre las nubes regresó la película y sus hijos, ahora al lado del cajón, se vieron cuando eran niños de diez y doce años, en Bogotá, la mañana de un sábado de diciembre, en una de las cafeterías del aeropuerto:

A pesar de sus edades, el comandante ingresó con ellos tomándolos de las manos y ocuparon una mesa cercana a los ventanales, les sirvieron café, huevos revueltos con tomate y salchichas picadas, queso, mermelada, mantequilla y unos panecillos tibios y como Rolando no tenía apetito, le aconsejó:

—Hijo, desayuna bien, cómete todo porque el día va a ser muy largo.

Y realmente comenzó largo, porque el Siete Siete Dos, un DC-3, era esperado en Villavicencio desde las ocho de la mañana, pero solamente pudo decolar a las once luego de presentar fallas en el encendido.

A partir de allí debía volar a Mitú, ya no sobre la llanura sino a través de la selva, utilizando una ruta conocida desde hacía muchos años por él.

Antes del mediodía tocaron pista en Villavicencio y luego de haber sido tanqueado el avión, el comandante les explicó la ruta que seguirían en adelante y partieron sobre la una de la tarde.

En días brillantes como ese sábado, él decolaba de Villavicencio, chequeaba el radiofaro de la Base Aérea de Apiay, colocaba un rumbo de 132 grados y a los veintitrés minutos de vuelo encontraba el río Manacacías, ancho, amarillo pálido. Mantenía la misma dirección durante veinticuatro minutos hasta cruzar sobre el río Guaviare, aún más ancho, caudaloso, color café con leche claro. Allí termina el llano y se inicia la selva.

Continuaba sin variar la brújula y a los veintidós minutos veía cómo aparecían sobre el tablero de instrumentos y a la derecha las crestas de los cerros del Inírida, dos montañas paralelas de donde los indios sacan la pusanga, un musgo que se adhiere a las piedras. Ellos lo recogen, lo mezclan con agua y un perfume natural que da la misma selva y del tratamiento resulta una leche verdosa que, según ellos, genera vigor sexual.

Por entre estos dos cerros se encajona el río Inírida, que trae unos quince metros de ancho y el espacio entre la mole tiene cinco metros: paredes de roca maciza por entre las cuales el río revienta con fuerza incontenible.

De allí volaba doce minutos hasta Caño de Aceite, de aguas oscuras y compactas, más angosto que los anteriores. En ese punto hay malocas de indígenas y se empieza a descender durante doce minutos hasta llegar al río Vaupés, que es necesario dominar con visual plena porque al otro lado de la pista —casi pegadas al caudal—, se asoman dos colinas que cruzan muy cerca de la nave.

El río no se divisa desde lejos porque corre perpendicular y no en el sentido que trae el avión, por lo cual había que localizarlo por cálculo de tiempo. Tan pronto como aparecía, él iniciaba un viraje sobre el motor izquierdo teniendo el río bajo las alas y una vez allí, describía otro y enfrentaba la cabecera de la pista.

Su secreto era tomar tiempos precisos desde el decolaje y al aproximarse a Mitú:

—Ojo al río, ojo al río, ojo al río.

En ese recorrido y a partir de San José del Guaviare se ve desde el avión una selva alta y tupida, rota por hilos de agua que son los caños y los ríos menores.

Adelante, ya sobre tierras un poco más altas, la vegetación es corpulenta, con mucho árbol de guayacán que se distingue por su flor amarilla y mucho caucho —allí le dicen siringa—que se conoce desde el aire por sus hojas verdes, pequeñas y sus flores moradas. La siringa es un palo delgadito, elegante, más alto que los demás.

También se distinguen desde el aire los ñambos por sus flores, de un morado más intenso que las de la siringa y las de acaricuara, una madera finísima.

La cantidad de vida que hay en ese trayecto puede apreciarse por la masa de bejucos y enredaderas que trepan hasta las copas de los árboles y se dejan ver desde el avión cuando el vuelo es rasante.

Rolando recordaba que aquella mañana de diciembre el comandante los tomó de la mano nuevamente, subieron al avión y, como lo hacían siempre que volaban con él, se ubicaron detrás de su silla:

"Nos sentíamos orgullosos mirando esas cuatro barras en el hombro de mi padre. Lo veíamos como un gigante de la aviación. Es que para nosotros fue realmente eso".

El Siete Siete Dos cruzó sobre el río Manacacías y cuando el comandante anunció que iban en busca del Guaviare, un muchacho de unos nueve años se acercó a Rolando y le tocó el hombro:

"Era un niño de la selva que durante todo el vuelo nos había mirado los zapatos, unos mocasines color uva con hebillas que nos compraron ese diciembre y él nos preguntó si eran hechos en Bogotá y si las hebillas venían con los zapatos o se compraban aparte. Estaba enamorado de ellos y los miraba".

Dejaron atrás el Guaviare y más o menos sobre Caño de Aceite, sintieron que el avión descendía y vieron que un muchacho que había subido en Villavicencio corrió hasta la cabina de mando y luego salió de allí sin color en la cara.

"Vimos revuelo dentro del avión. Mi papá impartía órdenes y una de ellas fue: 'Llévense a los muchachos atrás y amárrenlos'".

A esa hora el capitán Jimeno González volaba sobre la misma selva en otro avión, y escuchamos por la radio la voz del capitán Medina: había perdido un motor y por Caño de Aceite —que en esa ruta es el punto de no retorno porque allí uno se encuentra a sólo veinte minutos de Mitú— ya había perfilado un motor, pero tenía más problemas y estaban tirando alguna carga para aliviar el avión y, aunque preocupado, se le escuchaba dueño de la situación. Recuerdo que dijo: "Estamos perdiendo altura. Voy a tratar de colocar el avión en el río Vaupés, pero aún no lo divisamos".

En una grabación de archivo, el comandante registra que "la presión de aceite del motor izquierdo comenzó a caer. Sentí un fuerte olor a aceite quemado, volví a mirar el motor y efectivamente había un escape y procedí a perfilarlo que es lo que se debe hacer en esos casos. Se hizo todo el procedimiento de perfilamiento, se paró el motor y nos declaramos en emergencia".

"Él decía después" —cuenta Ricardo— "que en ese momento no se veía el río porque volábamos de frente a él y allí la selva es muy alta, de manera que lo primero que pensó fue en bajar tan suavemente como pudiera y ya con las copas de los árboles muy cerca, halarlo para que levantara la nariz y tratar de colocarlo sobre los árboles".

**Grabación de archivo** —Arborizar era una medida extrema y sólo pensé hacerla en un primer momento, puesto que todos los que la han intentado, realmente han perecido. Inclusive algunos con éxito como el de un avión de la Fuerza Aérea Colombiana que una noche se acercaba a Manaos y veía las luces de la ciudad allá al frente. Llevaba cincuenta soldados, se le dañó un motor y a los pocos segundos se le fue el otro. El piloto arborizó bien. No le sucedió nada a nadie. El avión quedó trepado en la copa de un árbol gigantesco (hay que mirar los árboles de abajo hacia arriba para saber los monstruos que hay en la selva) y cuando la gente empezó a moverse con pánico para tratar de evacuarlo, se desestabilizó, cayó y ahí se mataron la mitad. En su reporte el piloto había dicho: 'Veo las luces de la ciudad'. Empezaron a buscarlos y no los encontraban. Abajo, un suboficial herido auxiliaba a los enfermos, buscaba comida, trataba de curarlos y escuchaba los helicópteros de búsqueda. En ese momento los gallinazos habían bajado a ensañarse en los cadáveres y él dijo: 'La próxima vez que escuche helicópteros voy a disparar, pero no hacia el aire'. Efectivamente, sonó un helicóptero y él disparó a los gallinazos. Estos se espantaron y empezaron a volar. Por eso los localizaron. Pero de todas maneras, hubo un fracaso.

**Rolando** —El era consciente de que en esa operación se podían matar los que iban adelante y voló un poco más, pero no encontraba el Río Vaupés.

**Grabación** —Nosotros veíamos que no íbamos a llegar y que posiblemente nos íbamos a matar. Hay que reconocerlo. Entonces volví a mirar al copiloto y le dije: "Tobón, nos vamos a matar" y él me respondió: "Sí comandante, nos vamos a matar. Despidámonos". Nos despedimos de mano: "Adiós Tobón". "Adiós comandante". No hablamos más.

**Rolando** —El joven que recogieron en Villavicencio ahora andaba de la cabina de pilotos a la cola y de la cola a la cabina, sin detenerse, sin decir nada, alarmando a la gente y, desde luego, desbalanceando el avión y fue ahí cuando el motor derecho empezó a botar una humareda espesa que se coló entre el avión y oliendo ese humo y viendo el avión hacia abajo nos alcanzamos a dar cuenta de que ha-

*Capitán Rolando Medina*

bía emergencia y que podíamos matarnos y el joven seguía pasando.

**Grabacion** —No volvimos a hablar nada con Tobón, hasta diez minutos después, cuando renacieron todas nuestras esperanzas al encontrar el río porque ésta es una zona supremamente accidentada que nos obligó a hacer cantidad de maniobras con un solo motor, hasta que encontramos una recta en el río donde nuevamente vimos la posibilidad de salvarnos y procedimos a hacer el acuatizaje como cualquier aterrizaje normal.

**Rolando** —Cuando bajamos casi a ras del suelo, vi que cruzaba por la ventana una banda de tierra y pensé que estábamos tomando pista, pero luego me di cuenta que era la orilla de un caudal porque el avión empezó a seguir las curvas del río, buscando el sitio para acuatizar. Una maniobra increíble con un solo motor.

Los manuales y la experiencia enseñan que no hay que virar nunca sobre el motor muerto y mi papá lo estaba haciendo en ese momento, a baja altura. Parecía una motocicleta. Con esa maniobra él buscaba encontrar una recta. La encontró, midió las posibilidades del avión y siguió un poco adelante, porque entonces estaba buscando vida al lado del río: una maloca, un rancho, una casa. En cosa de segundos pensó que una vez se hubiera acuatizado en esas soledades, podría ahogarse mucha gente por falta de quién la rescatara. Entonces avanzó, avanzó y el motor le respondió ya con el río lamiéndole el pecho al avión, hasta cuando aparecieron, allá al frente, otra recta y al lado de la recta una maloca de indígenas. Y una vez consiguió todo esto, cargó el avión un poco hacia la banda izquierda del río, para que la orilla del lado de la puerta quedara más cercana y así facilitar la evacuación.

Unas décimas de segundo antes de acuatizar, recuerdo a un par de señoras que rezaban a nuestro lado:

—Padre nuestro que estás en ...Ave María... Brilla para ellas... Nos vamos a matar, ¡hijueputa!

Estaban bloqueadas por el pánico como el resto de la gente, pero en ese momento el mecánico pidió nuevamente que todo el mundo se sacara los estilógrafos, relojes, cosas de metal, se agachara y cubriera la nuca con las manos: posición de emergencia, la llaman.

**Grabación** —Nivelé mi avión, lo volé a nivel, reduje mi motor derecho que estaba operando, hasta que fue posando la cola muy suavemente en el agua y así mismo se posó el resto del avión.

Ya en el agua y debido al ringleteo de la hélice, que no se detuvo en el momento, la nave trazó un viraje de ciento ochenta grados. Eso fue lo único extraño que hizo el avión.

**Rolando** —En los últimos virajes vimos cómo el avión cortaba el agua con la punta de los planos y un segundo después tocó de lleno el río y trepidó con dureza... ¿Sabe cómo sonó? Rrrrrrrr, como la frenada brusca de un bus. Algo así. Y casi inmediatamente cambió de dirección: un viraje brusco, porque mi padre se metió en contra de la corriente para que ésta le ayudara a detener más rápidamente el avión y así protegerlo de la barrera de selva que nos debía estar esperando al frente.

Antes de que se hubiera detenido totalmente, dos personas que venían atrás abrieron la puerta y se lanzaron al agua y desde la cabina de mando vieron cómo la cola les pasaba por encima.

**Grabación** —El avión quedó completamente detenido dentro del agua, debido a que el tren de aterrizaje se había sacado después del acuatizaje para que las llantas hicieran el efecto de flotadores y a la vez para que ayudaran a anclarlo.

**Rolando** —Todavía con el motor izquierdo ringleteando, el muchacho que andaba para arriba y para abajo corrió hacia la cabina de mando, voló por encima del copiloto y se lanzó al río a través de la ventanillita que hay allí y empezó a nadar, a nadar hacia el centro.

Lo que siguió fue un segundo de silencio y luego la algarabía y la desorganización de la gente tratando de buscar la puerta.

En ese momento comenzó entrar agua dentro del avión y mi papá abandonó su asiento, se paró en la puerta de la cabina de mando y gritó: "Quietos todos". La gente se calló, volvió a mirar y él pidió calma en tono sereno.

**Grabación** —En la puerta de la cabina de mando, mi primera pregunta a los pasajeros es "¿Quiénes saben nadar y quiénes no?"

La reacción de ellos fue buscar sus equipajes, a lo que me opuse inmediatamente y entonces les di la orden de que descartaran totalmente eso y que se dividieran en dos grupos para evacuar el avión. Los que sabían nadar, por la puerta principal y los que no sabían, por la ventanilla de emergencia, que ya estaba abierta y que salieran hacia el plano izquierdo donde debían esperar la orden de abandonar el avión. Unos y otros debían agruparse por parejas. Más o menos la mitad sabían nadar y el resto no.

Los que sabían hacerlo salieron por la puerta, sin problema de altura porque el avión estaba al nivel del río... En ese momento el agua comenzaba a inundar el avión y la gente, de acuerdo con la orden que se le dio, se había aligerado de ropas y se había quitado sus zapatos, pero una vez más trató de recuperar su equipaje. Esto era una locura y finalmente todos aceptaron abandonarlo todo para salvar sus vidas y se lanzaron al agua.

**Rolando** —Cuando comenzamos a quitarnos los zapatos apareció el niño de la selva, los miró y dijo con un gesto de lástima: "¿Van a dejar los zapaticos?" Los tocó como para llevárselos, pero pronto cayó en la cuenta de que eran los zapatos o su vida y alejó la mano lentamente, los miró por última vez y se lanzó al agua.

Instantes después apareció un indígena —Julio Rioque— navegando en su potrillo y empezó a evacuar a la gente por parejas. Nosotros salimos entre los primeros y cuando volteamos a mirar hacia el río, el muchacho pálido que caminaba dentro del avión estaba llegando ya a la orilla lejana y como nos vio avanzando en sentido contrario, se devolvió. Pero unos metros adelante se debió cansar y sólo vimos que se hundió un par de veces y volvió a salir pero no pudo superar el tercer intento y entonces sacó un brazo, lo estiró y desapareció allí mismo. Se llamaba Carlos Aponte.

El avión se hundió, se hundió y él último que lo abandonó fue mi padre que en ese momento estaba encaramado en la cola, lo único que sobresalía del avión.

Una vez en la orilla, dijeron que nos contáramos. Cuando lo hicimos, faltaba por lo menos la mitad de los pasajeros. La tragedia. La tristeza. Iba un cura a bordo y cuando empezó a entrar la noche, alguien prendió una fogata. Luego el cura, en calzocillos como estábamos todos, rezó por sus almas pero en ese momento escuchamos gritos abajo: "Capitán, capitán". "¿Dónde están?" "Aquí, aquí". "¿Cuántos son?" "Tantos". Qué felicidad. Eran los que habían salido nadando.

Luego empezó la noche. La poca ropa que teníamos encima estaba húmeda y a la madrugada hizo frío. Y no teníamos un solo bocado. Pero ni un bocado.

A la mañana siguiente, allí, embarrados, descalzos pero vivos, vimos un espectáculo que nunca se nos olvidará porque nos mostró para siempre el contraste entre el valor de la vida y el valor material: los árboles estaban llenos de billetes, chequeras y libretas de ahorros de los sobrevivientes, puestos al sol para que se secaran.

Un poco después llegaron varias lanchas del obispo de Mitú que traían bolsas de polietileno y bultos de cal para preparar los cadáveres antes de iniciar el rescate.

Ese día, de verdad que fue muy largo.

Dos minutos antes de que Carlos Aponte se hundiera definitivamente bajo las aguas del Vaupés, Tacatá se lanzó desde la cola del avión tratando de salvarlo, pero cuando lo tuvo a unos treinta metros vio cómo el muchacho rendía sus fuerzas y le gritó que sacara el último aliento para tratar de sostenerse a flote: "¡Espéreme!"

Hoy él recuerda que esa tarde sintió pesadas las aguas del río "porque la corriente era tranquila y no ayudaba" y como precisamente estaba cruzándola, el remanso le impedía avanzar con mayor rapidez.

"No sé si Carlos me escuchó. En ese momento quién va a escuchar, ¿no es cierto? Yo creí poder echar mano y traer agarrado por las mechas, pero no. Se fue y se fue. Desapareció. Se lo sorbió Río Vaupés".

Tacatá es un indígena tucano que vuela como marinero en los aviones que cruzan la selva. Marinero es estibador, es cuadrillero, que carga y descarga aviones, que sabe de tempestades y de vientos, de balancear la carga y de interpretar los sonidos de los motores.

Tacatá hoy es millonario en horas de vuelo y sobreviviente de dos accidentes. Pero continúa aferrado a su trabajo, entre otras cosas porque nunca ha salido de hangares, pistas y bodegas desde cuando hace treinta y tres años decidió decirle a un piloto en Mitú: "Lléveme, quiero volar" y el piloto le respondió: "Suba, ¿qué equipaje lleva?" "Nada. Sólo camisa y pantalón que visto".

Y llegó a Villavicencio con lo que tenía puesto, vio aviones grandes y pequeños, conoció la luz eléctrica y escuchó por primera vez la música del arpa que es instrumento típico en el Llano. Se quedó para siempre

Antes que él habían hecho lo mismo Benedicto, Luis y Ricardo. Después Graciliano y después, Tomasito Caicedo.

Justamente Carlos Aponte, el ahogado, venía a cobrar unos pesos con los cuales el gobierno del Vaupés —esa porción de selva que tiene como epicentro a Mitú— ayudaba a pagar una parte de los estudios de aviación que adelantaba Tomasito.

Tomás Caicedo nació a orillas del río Papurí en la frontera con el Brasil y es hijo de un desano, José Caicedo, y de una tucana, Balbina Huertas, según los nombres que les pusieron unos misioneros monfortianos de origen holandés que hace varios años se aparecieron por esas selvas dispuestos a enseñar su religión.

José nació del lado del Brasil y Balbina, de la banda del río para acá. Le tocó llamarse colombiana. Se enamoraron. Podían organizar su hogar porque pertenecían a familias diferentes como lo enseñan sus costumbres. A eso los antropólogos le dicen exogamia, un rasgo de cultura sólida.

José se quedó a vivir con la tribu de su esposa.

—¿Qué sabes de Tomás?

—Muchas cosas dijo Darío Herrera y empezó a contar su historia en esta forma:

A lo que se puede llamar la plataforma de la pista de Mitú salen decenas de indígenas a mirar los aviones y algunos de ellos les decían a los pilotos: "¿Me-lleva?" "Sí, suba". Y aquí llegaban al aeropuerto de Vanguardia y dormían en las bodegas, en hamacas o en el suelo. Para ellos no era problema. Así vinieron dos, y de pronto tres y a lo último ya había diez, quince. Una vez se acomodaban en su respectiva bodega, el dueño del avión los ponía a trabajar a cambio de la comida y de una camisa, de un pantalón y de un par de zapatos de caucho que les daba, pero muy de tarde en tarde. Los indígenas cargaban y descargaban un avión en pocos minutos. Y además de descargar, los ponían como vigilantes, como bodegueros. A medida que hablaban un poquito más y conocían mejor el medio, los iban, ¿cómo se puede decir?... ascendiendo.

Entre ellos de pronto apareció Tomás Caicedo, que en ese momento no hablaba con solvencia el castellano. Llegó joven, como todos: tal vez catorce, quince años.

Una tarde, Lascario Arcón —un mecánico costeño— le dijo a Tomasito Caicedo que se quedara esa noche ayudándole porque debía reparar de urgencia un motor. El muchacho se quedó y Lascario tuvo que empezar, pues por donde se empieza: "Esto se llama llave. Lla-ve. Esta lla-ve es una nueve dieciséis. Esto es un destornillador. Des-tor-ni-lla-dor. Mírele la punta a éste. ¿La ve bien? Se llama destornillador de estrella. Es-tre-lla. Y ésta es una polea, y este..." Al muchacho le gustó y al día siguiente, dijo:

—Quiero seguir quedando todas noches p'a mí. Trabajar mecánico p'a mí.

—Bueno, quédese trabajando aquí.

Pues Tomasito se volvió ayudante de mecánica y se volvió un verraco. Un duro en todos los campos. Y a los pocos años ya no era un duro. Era el mejor. Por ejemplo, le gustó mucho entelar, que es un trabajo de cuidado y llegó a ser el mejor entelador... Entelar es cubrir con tela y luego con un esmalte especial ciertas superficies de los aviones. Un trabajo mal hecho puede provocar un accidente grave. Tomasito era el as.

Pasó el tiempo y una de esas tardes en que uno se reúne con la gente a tomarse una cervecita y a ver atardecer y a mirar el vuelo de los pájaros, Tomasito se acercó y dijo: "Yo también querer volar p'a mí. De pronto".

En ese momento aquí funcionaba una escuela de aviación que se llamaba Aerollanos, subsidiaria de La Urraca, que tenía unos avioncitos PA-18, La Mojarra o "Super Cup", que llaman. El gerente general era Jimeno González.

Cuando se fue Tomasito, nos pusimos a echarle cabeza al cuento. "Bueno y ¿Cómo hacemos?" Y de pronto Jimeno dijo: el muchacho dizque quiere volar. Hagamos una buena propaganda para La Urraca y para la escuela y démosle instrucción y pongámoslo a volar porque él es muy inteligente y muy capaz. Es que de bruto no tiene nada. Ha asimilado todo lo que le hemos enseñado... Yo pongo el avión de la escuela.

Algún instructor dijo: "Yo le doy unas horas de instrucción y no le cobro, qué carajo. Colaboro con él". ¿Y Darío?, me preguntaron: "Yo pongo la gasolina".

¿Y el mantenimiento de los avioncitos? Pues el mismo Tomás ayuda. ¿No ven que es un mecánico el macho?

Así fue. Tomás voló horitas y horitas, y horas y más horas, hasta que vino su primer vuelo, solo.

— Bueno, vamos a soltar a este hombre a ver si se mata o sale al otro lado, dijo una tarde Jimeno.

Por la mañana, todo el aeropuerto estaba pendiente. El decoló con su instructor, luego aterrizaron y sin apagar la máquina, el capitán Carlos Ortiz se bajó y le dijo:

—Bueno, este vuelito sí es suyo. Ahí verá si se caga en el avión. Usted vale mierda, pero el avioncito no se lo vaya a tirar.

—No, capitán. Tranquilo p'a mí. Yo volando.

Y hace ese decolaje tan lindo, ese indígena. Da un sobrepaso, se viene, pasa sobre Villavicencio, hace un rasanteo por toda la pista, bajito, pero como un caballero. Nada de picada, ni viraje, ni chandel, ni rollo, ni nada. Decentemente. Con limpieza. Pasó así, volvió a subir, hizo su procedimiento y aterrizó más tarde. Aterrizó muy bien. Divino. Divino. Bien puesto el avión sobre la pista, nada de brincar. Nada. Y cuando regresó, le dije:

—Pero Tomasito, usted debía haber hecho arriba una media vuelta, un rollo, alguna vaina rara— y me contestó:

—No. Patrón quita avión p'a mí y no volver dejar montar. Yo haciendo esto p'a mí.

Se graduó ese muchacho, pero como no había cursado bachillerato, no tenía derecho a licencia comercial que es la que da de comer. Le expidieron apenas la de piloto privado que lo limita a volar solo.

Tomás progresó y queriendo él como quiere a su región, un día le pregunté:

—Tomasito: ¿Cuál es el sueño suyo?

—Tener mi avión p'a mí y volar en Mitú.

Y ese sueño lo logró y lo realizó. Llegó a dominar la selva desde el aire y regresó a Mitú como capitán de aviación. Allá iba a cuanta pista existiera. Ya había adicionado su licencia como piloto comercial y trabajaba limpiamente. Un hombre muy honorable y en esas selvas un piloto muy apetecido por cuidadoso y responsable. Llegó a ser instructor de muchos blancos: les hacía chequeos y toda esa vaina. Y hoy en día sigue siendo un piloto responsable y bueno, con más de diez mil horas de vuelo como comandante.

Jimeno González, el dueño de la escuela de aviación recuerda que cuando Tomás comenzó su curso las cosas eran muy difíciles para él. Aquí, emprender esta carrera cuesta mucho dinero pero, por fortuna, "en ese momento era gobernador del Vaupés Narciso Matus Torres, un tipo muy interesante, abogado inclinado a la sociología, con sensibilidad social y sin ningún tinte de racismo, casado con una señora negra, culta, preparada, de grandes valores. Entonces cuando él se enteró de los problemas de Tomás, dijo que iba a sacar una partida oficial para becarlo. Y lo becó para que terminara el primer curso.

"Carlos Aponte, un muchacho de diecisiete años, era mi secretario en la escuela y un diciembre lo mandé a Mitú para que la gobernación girara el cheque de la ayudita que le daba al Aeroclub de los Llanos como parte de la beca de Tomás Caicedo. Carlos iba a eso. Este muchacho era buen nadador pero se dejó llevar por el pánico, se arrojó al río y, todos ya lo saben: se ahogó tontamente después del acuatizaje del Siete Siete Dos".

Hoy, a los cincuenta y cuatro años, Tomás Caicedo es representante a la Cámara. Un congresista pobre. Cuando hablé, primero con Sonia Eslava, su secretaria y luego con Marta Russi, su abogada asesora, dijeron que me podría recibir el martes siguiente a las diez de la mañana.

Diez minutos antes de la hora convenida y mientras él terminaba de hablar con alguien en el despacho, le eché una hojeada a su agenda de trabajo. Ese día había desayunado con un funcionario del Departamento Nacional de Planeación. A las once tenía cita con la ministra de educación, a las doce y media debía ver al director de la Aeronáutica Civil, a las dos, almuerzo con el viceministro del Medio Ambiente, a las cuatro y media, sesión de la Comisión de Asuntos Internacionales de la Cámara, a la cual pertenece y a las ocho, refrigerio de trabajo con una delegación de maestros que venía desde Villavicencio.

Un mes más tarde hablé por primera vez detenidamente con él y con Candy, su mujer, en Mitú, en el sopor y la humedad de la selva porque allí están engarzados los primeros recuerdos de su vida, una mezcla de nostalgia y orgullo que comienzan frente a una cachivera en el río Papurí. Tiene seis meses y queda huérfano de madre. Según la historia que le contaron luego, su papá se lo llevó para donde una señora que había tenido un bebé en esos días, buscando que lo amamantara y cuando esa señora se cansó, este hombre buscó otra y luego otra. Entonces un misionero le dijo: "Josesito, cásese para que una mujer propia le ayude a cuidar a su niño. Yo conozco a una que también es viuda y tiene un bebé y puede atenderlos y quererlos a los dos" y

José, que era un viejo sabio y pausado se casó con ella que era una indígena piratapuya, sosegada y sapiente como él.

El bebé de la señora falleció al poco tiempo y Tomás siguió viviendo esta vez al lado de Rosa, una tía que también murió y después fue a donde una prima y luego a donde otra.

Un poco antes de morir la tía, José lo llevó para que estudiara sus primeras letras en la escuelita de los misioneros, pero un año más tarde el papá tuvo que irse "a buscar vida", así que tomó su remo y su pequeña embarcación y se perdió río arriba, atravesó la selva y volvió a navegar unos dos meses hasta llegar a Dos Ríos, campamento de caucheros donde nace el río Apaporis.

Allí se sumergió en el mundo del endeude y del trabajo agotador con la siringa —como le dicen al látex que mana de los árboles— mientras Tomás padecía su sexta orfandad.

Hoy él mismo se recuerda como un niño silencioso, cuando su subconsciente alude a los sentimientos que generan la soledad y el abandono, pero su dignidad lo hala y prefiere quedarse en las cosas elementales y primitivas: "Ayudaba a traer leña, ayudaba a cocinar y pescaba con otros niños".

—¿Con trampa? ¿Con anzuelo?

—Con los dos. Según el pez. Según la época del año. Según el caño, el quebradón o el río. Eso depende... La trampa de pescar se hace con palma de patabá. Uno saca varitas, las teje como un matapí que es un embudo y el pescado llega allá, se mete y no vuelve a salir porque su cabeza queda atorada y no puede regresar para encontrar la salida. Ahí el pescado va bajando. Pero cuando el pescado va subiendo, las trampas son diferentes. Se llaman cacurí.

Cacurí es una casetica tapada por encima. Las trampas se arman siempre en un chorro del río—. Tomás habla hoy un buen castellano.

En Piracuara, como se llama la aldea, hacen borbollones el chorro Cuyu Cuyú y el Pato. Son raudales corrientosos que no admiten embarcación, pero los niños juegan entre ellos. Desafiando ¿qué? Desafiando nada. La vida es primitiva. Tan primitiva que no se conocen el robo, la mentira ni la envidia. Las gentes se mueren de viejas. Sí. De viejas. En su chinchorro. Y algunas comunidades las entierran en su propia casa, dentro de la gran maloca que es vivienda, escuela y templo. Todo a la vez. ¿Para qué sufrir la lejanía y las inclemencias del tiempo? Ahí está la lumbre que se lleva el frío de las madrugadas. Y está el cariño.

Tomás no recuerda los meses en la maloca. El se acuerda de una casita con techo de caraná, una palma parecida a la de moriche pero más pequeña y más durable, con postes de acaricuara que tiene el mismo color de la caoba. Se acuerda de una chagra con diferentes cultivos y de las palabras de los tíos abuelos que parecían un murmullo, zumbando toda la noche en torno de la vida y de los secretos para vivir en armonía. ¿Con quién? Con todo. Con la naturaleza. Con el hombre. "Por eso hay paz".

Pero José se demoró los primeros ocho meses que dura la temporada de extracción de caucho o fábrico y luego otra y otra y el padre Fortunato Bedoya, uno de los misioneros javerianos de Yarumal que habían remplazado a los monfortianos holandeses, resolvió traérselo para el internado en Mitú y allí estudió primaria, más cerca de Dios que de las ciencias.

Cuando nos encontramos, Tomás acababa de comprar una casa de madera en Mitú, con techos bajos, dos piezas pequeñas, una salita y una cocina que imitan la distribución de los apartamentos de nuestras ciudades de tierra fría. "Es lo que venden. Así las construyen", dice.

En contraste con las malocas de grandes dimensiones y techos elevados que se ven en el centro de la selva, buena parte tienen tejado de metal y poca respiración. Parece haber una relación con la manera de ver la vida.

Aun en comparación con las primeras casas levantadas en los costados de la plaza, las de ahora son tan pequeñas que se colocan de espaldas al descomunal espacio verde que rodea al poblado y en el cual lo único que no tenía precio era la tierra porque se trata de una selva baldía, rica en maderas y palmas.

Pero un mal día llegó el mestizo y comenzó a traer cemento en los aviones, a distribuirse la tierra más allá de la plaza, en lotes de escasos metros y a levantar paredes que sellan herméticamente sobre la cabeza con tejas de cinc, magnífico elemento para construir hornos y freir mentes. Y un mal día también, el indígena empezó a dejar la selva para imitar al mestizo —nos dicen "blancos"— permitió que le achicaran el seso y se metió también dentro de las casitas.

En este sentido, Mitú es una síntesis de esa Colombia contaminada con enanismo mental: casitas hacinadas unas contra las otras, sin una luz de por medio, alineadas sobre las calles, apretujadas angustiosamente, con puertitas, con ventanitas. ¿Para qué antejardines? Al fin y al cabo, algunos funcionarios que vienen del interior del país dejan como modelo construcciones oficiales mezquinas, diminutas, como respuesta a la inmensidad del medio que les dieron para administrar.

Mitú es un poblado de pocas calles por las que deambulan parte de las últimas generaciones de indígenas que se volvieron urbanas y no solamente se avergüenzan de su ancestro sino también de su lengua y de su música. Escuchan vallenato y dicen que no saben dónde están ubicados, por ejemplo, Mandí o Yaca Yacá, como en nuestras ciudades se escucha el rock y quien hable de Pasto o Tunja, "está en nada". Miami es la onda. Radiografía de un país que resolvió tirar por la borda su identificación y en ese momento se volvió pequeño.

Pero esa juventud trasplantada de la selva al poblado carece de cualquier tipo de formación y el escaso empleo que generan las dependencias oficiales está ocupado por gente que viene de fuera. Los jovenes ahora no quieren saber del chivé o de la chicha de pupuña —con los que se criaron— y cuando logran conseguir un cuartillo, beben cerveza enlatada, más cara que en el resto del país, pero aún así no llegan al nivel del "blanco". En eso estamos hombro a hombro, porque, por ejemplo, en algunas ciudades del país ahora se sirve a la hora de los postres el tradicional 'pumpkin pie' que, entre otras cosas es el plato típico del 'halloween', fiesta de eminente arraigo popular colombiano.

Es la constante: en nuestras ciudades las gentes miran asombradas, tratan de imitar, se visten, intentan hablar como los pobladores de los Estados Unidos, de España o de Francia, pero nunca llegan a ser norteamericanos, españoles o franceses. ¿Cómo? Por eso el chiste viejo dejó de ser chiste y se convirtió en sentencia: "En Colombia la oligarquía sueña con parecerse a los ingleses. La intelectualidad a los franceses. La clase media a los estadounidenses y la horda a los mejicanos". Por eso somos una nación insignificante.

Al lado de la casa de Tomás hay un espacio libre de cinco metros de frente y cuando lo visité, vi que había emprendido una ampliación con tablas. Son las bases de un salón en el cual aspira "a traer profesores y gente que le ayude a nuestra juventud a capacitarse porque aquí es donde está la riqueza. En las ciudades solamente hay miseria".

Pero visto más allá, Mitú es un paraíso, porque aún no ha perdido su condición de poblado tranquilo, sin narcotráfico o guerrilla. Se duerme con la puerta abierta. Cuando hay luz eléctrica, la quitan a las doce de la noche y si por casualidad usted se encuentra con alguien en las calles, pregunta y lo acompañan hasta el hotel. Y de día es silencioso como el río, a un costado de la plaza que aún conserva parte de sus casas de madera con balcones, con calles anchas de arena lisa, sin huecos, con árboles cónicos o ceibas grandes.

Y el tiempo es lento como en la floresta. Tal vez por eso la gente vive largo. Una tarde estaba viendo llover desde la mesa de una pequeña cafetería y me encontré con un indígena de cabellos largos, camisa, pantalón y medias blancas. Se llama Raimundo Sierra y lo pensionó el gobierno después de treinta y cinco años de cuidar la planta eléctrica del aeropuerto. Nunca le pregunté la edad pero creo que se acerca a los setenta, según su partida de bautismo y a los treinta dentro de su cabeza. Ha leído todo. Describe el diseño de las pastas de los libros, sus ilustraciones y luego los comenta. Te recomienda a Stefan Zweig y a Bartolomé de las Casas, lo apasionan Napoleón, Bolívar, Washington, Churchil y aunque dejó la literatura porque desde hace varios años se sumió en la historia y sus protagonistas, dice que ama a Roa Bastos, Vargas Llosa, Joyce,

Calderón de la Barca, Tolstoi, Carpentier, Balzac, García Márquez.

A la vez, Raimundo es el rescoldo de la cultura local. Parte de las últimas generaciones que hablan con propiedad de la simbiosis entre el hombre, la fauna y la selva, que parece llegar a su fin sin que hayamos tenido la oportunidad de conocerla.

En la Procuraduría Departamental hallé luego a Fabio Franco Niño, un abogado joven que se graduó en la capital y vino a parar por estos lados. "Me gusta la región", dice. "Mitú y todos estos contornos transmiten una energía vital, única". Al lado de su escritorio había un arpa. ¿Músico? No. "Apenas estudio el instrumento" ¿Estudio? Esa noche deslizó las yemas de los dedos por sobre las cuerdas y dejó escuchar a un concertino que, además, explica la música llanera, el sentimiento, la fuerza y el instinto que la generan, porque lo siente. Nació en las sabanas de Casanare.

La tarde del domingo, solitaria como en cualquier parte del mundo, me llevó en una pequeña moto a recorrer los alrededores del poblado: las casitas de madera y las calles de greda roja. Las observé y solamente hallé una, en la avenida que corre en el sentido del río y me pareció que guardaba armonía con el medio, no sólo por su arquitectura sino por la franja verde en sus contornos.

"Es la del único cirujano que hay en miles de kilómetros a la redonda. Un hombre que salva vidas y que yo creo que es bien feliz; el tipo llegó y se encontró con esto que parece ser lo suyo y cortó con la angustia de las ciudades, metió entre un avión un Land Rover viejo, una bicicleta, su instrumental y quién sabe cuántos kilos de libros, adquirió ese terreno y construyó la casa con techos de palma, horcones de acapú, vigas de maderas finas, pisos de flor morado. Ni un brochazo con barniz. Nada. Todo con materiales de la selva, menos un televisor y la cocina. Este hombre tiene una finquita sobre la única carretera que hay por aquí, un camino de treinta y cinco kilómetros y allá hizo otra casita de madera. La finca es selva y él la conserva así. ¿Sabe para qué dice que la tiene? Que para estar todavía más cerca de la naturaleza y descansar de la tranquilidad del pueblo", explicó Fabio mientras mirábamos el techo por encima de una hilera de maderos verticales que cierra el jardín.

Gustavo Mosquera, el médico, también tiene el pelo largo pero los ojos son claros y la fecha en su partida de bautismo más reciente que la de Raimundo. A las cinco de la tarde cruzó por la plaza en su bicicleta. Iba para el hospital: "una cirugía urgente". A las ocho y media nos invitó a su casa de dos pisos, techos altos, grandes espacios. Tal como la había descrito Fabio.

Gustavo nació en Popayán, una ciudad de poetas y caballeros castellanos y María Eugenia, su mujer, en Manizales, otra ciudad de gentes elegantes. Ella es enfermera graduada y comunicadora social. Ambos escriben y crearon "Carayurú", un centro que trabaja en torno a la cultura indígena, preocupado fundamentalmente por la salubridad y tienen dos hijos, Salomón Gustavo Eugenio, de cinco años y Urania María José, de tres, crecidos en este medio y criados para que tengan su propio peso específico.

Las vidas de Raimundo, Fabio y Gustavo con su tribu, son la tercera visión de Mitú.

Pero, nuevamente en casa de Tomás, la charla continuó engarzada en sus recuerdos de infancia:

"Los indígenas, hasta la generación de mi papá, dominaban la fuerza mental. Y las pocas veces que hubo guerra, no la hicieron con flechas ni con cervatanas. Esas eran para cazar animales.

"Escúcheme esto: antes de las guerras, los antiguos hacían tabacos envueltos en hojas de platanillo, los rezaban invocando no espíritus sino fuerzas que hay en el más allá. En eso duraban varios días y una vez rezado el tabaco sin haberlo prendido, lo lanzaban al aire y se iba por el aire y caía, póngale, a cien metros. Lo recuperaban. Rezaban una vez más y al día siguiente volvían a hacer lo mismo, pero cuando lo lanzaban, esta vez ya se alejaba y recorría grandes distancias —kilómetros y kilómetros— y llegaba hasta donde el pueblo enemigo y allá, digamos que explotaba: a los pocos días empezaban epidemias que diezmaban a la gente.

"Eso es algo similar a los misiles con virus que hoy han construido en el extranjero, pero los indios lo utilizaron cientos de años atrás.

"Los blancos creen que esto es mentira, pero yo sé que es verdad porque en la selva hay plantas con grandes poderes. Por ejemplo el yagé, una bebida que se saca de un bejuco. Los payés o jefes la beben y cuando actúa, ellos pueden mirar a muchos kilómetros de distancia o hablar mentalmente con gentes que están lejos. Antes de ir a cacería, el indígena le consulta dónde están los animales y el payé bebe, mira con su mente y le dice dónde los puede localizar. Va allá y los encuentra"

En 1923 el profesor Guillermo Fisher, de la Universidad Nacional de Colombia, realizó su tesis de grado sobre algunas particularidades del yagé comprobando que activa la memoria y amplifica el intelecto. Un experimento consitió en ponerse con seis alumnos suyos bajo el efecto de la planta. En esas condiciones, él leía mentalmente apartes de un texto de anatomía y los alumnos lo repetían con gran precisión.

En la década de los años setentas, el profesor Richard Evans, etnobotánico de la Universidad de Harvard, realizó nuevas investigaciones con el zumo del bejuco. Luego vino el doctor Melvin Bristol y posteriormente el doctor Timothy Plowman, también de Harvard, con el fin de complementar los estudios de su maestro. Emplearon una década en sus comprobaciones.

Una de las experiencias publicadas por el profesor Bristol consistió en darles de beber yagé —a la misma hora— a dos indígenas, distantes ciento cincuenta kilómetros uno del otro. El se quedó al lado del primero y envió a un asistente suyo a donde el segundo. Lograron establecer que se habían comunicado mentalmente.

El lunes 29 de julio de 1996, el investigador Jaime Cristancho Gómez publicó en la página 1B del diario El Tiempo de Bogotá:

"El yagé, una sustancia curativa de uso secular de los indígenas de la cuenca amazónica, fue patentada por una empresa estadounidense.

"Esa compañía se va a lucrar de la investigación y del conocimiento que han acumulado por siglos las comunidades amazónicas sobre la planta 'ayahuasta', que produce el yagé".

Posteriormente la Coordinadora de Comunidades Indígenas de la Cuenca Amazónica confirmó a través del correo electrónico que la patente es de propiedad de Loren Miller, gerente de International Plant Medicyne Corporation bajo el registro 5751 de los Estados Unidos.

En septiembre de 1996 la revista 'Seedling' informó que la firma Shaman Pharmaceutical de los Estados Unidos había patentado otra planta amazónica conocida como Sangre de Drago y por tanto estaba usufructuando las ganancias obtenidas por las ventas de sus derivados en varios países. Según la Shaman, esta planta contiene sustancias que curan, entre otros, virus del tracto respiratorio, herpes e inflamaciones en general.

Para Tomás, el ejemplo más reciente y doloroso del potencial de estas selvas está en la elaboración que hace el blanco con la hoja de coca, en torno a la cual se ha desarrollado el negocio más fabuloso del siglo.

Pero yendo atrás, está el caso del añil —otra planta autóctona— que con su coloración azul enriqueció a la industria textilera inglesa. Luego el de la quina, que permitió atenuar los efectos de la malaria y apoyar el crecimiento del imperio inglés mediante la invasión de sus posesiones de ultramar. Y a finales del siglo pasado y comienzos del presente, el caucho. Estas son apenas una muestra del tesoro que guardan estos bosques que hoy destruímos, aun antes de conocer el potencial de su biodiversidad o variedad de especies vegetales y animales.

Las tierras amazónicas no tienen vocación agrícola, debido a su pobreza. Eso ha determinado el nomadismo durante miles de siglos de existencia de las comunidades indígenas.

Luego de destruir la selva, las tierras solamente generan dos cosechas sustentadas por el manto de humus que han formado los vegetales y los animales muertos sobre el piso a través del tiempo.

Según han establecido los científicos, las plantas se alimentan allí mediante la transformación de la energía solar y la simbiosis con animales y hongos y sus enseñanzas apuntan a que la selva puede ser explotada sin tumbar los árboles.

En la década de los años sesentas, el profesor Jesús Idrobo, botánico de la Universidad Nacional de Colombia, encabezó una investigación con científicos holandeses y luego de tres años concluyó que la explotación técnica de una treintava parte de la Amazonía colombiana, podría dar margen para exportar materias químicas, farmacéuticas, cosméticas, de colorantes y alimentos, por una suma diez veces superior a las ventas de café que efectuaba el país en ese momento.

Pero, luego de catorce lustros de investigaciones que comprueban apenas una parte de la sabiduría indígena, nuestros dirigentes ignoran la información y continúan hablando de fomentar la siembra de plátanos en aquellas latitudes y de crear microempresas para enseñar a las indígenas a coser vestidos.

Por este motivo, antes de hablar del saqueo de nuestra biodiversidad por parte de los países industrializados es necesario calificar la estupidez de quienes han manejado el sector público y el sector privado de Colombia durante el presente siglo.

"Todo este conocimiento", dice Tomás, "empezó a acabarse con la llegada de los misioneros que enterraron las creencias y hoy nadie sabe nada, porque el indígena nunca escribió sino que fue haciendo pasar su saber de generación en generación a base de contarles los padres a sus hijos.

"Los sacerdotes que nos educaron interpretaban que el indígena al dominar la mente, veía a los espíritus malos y a los diablos, pero eso no era así. Nunca fue así. Ellos utilizaban otras cosas diferentes: piense, por ejemplo, en la energía que nos manda el Sol, en el poder de la luz de la Luna, en las fuerzas que hacen que las cosas caigan al suelo. Usaban otras cosas diferentes a lo que imaginaban los misioneros, utilizando su fuerza síquica que era poderosa.

"En esta forma, por ejemplo, podían saber parte de lo que ocurriría uno o dos días después. Aquí en Mitú vive Francisco, un indígena barazano del lado del Brasil que estuvo conmigo en el internado de los misioneros cuando éramos niños, y a él le dicen, por ejemplo:

—Francisco, dígame si mañana llega Nepomuceno.

—Bueno, ¿cuánto me paga?

—Tanto.

—Esta tarde le voy a decir.

"Regresa por la tarde y dice: 'llega mañana'. Y llega al día siguiente".

Esa semana, Candy tuvo un accidente con su moto y sufrió una herida pequeña en una pierna. Por la noche, un hermano de Tomás la visitó y cuando vio la lesión, colocó la mano sobre ella. "Déjese que yo le voy a transmitir mi energía porque a usted se le quiere quedar la sangre acumulada en ese sitio", le dijo. Al día siguiente la piel se puso negra, es decir, fue circulando la sangre y comenzó a curarse.

"Mi papá —cuenta Tomás—, curaba el asma. El murió y nosotros no acatamos a aprenderle nada de eso. El decía que para curar el asma es suficiente pensar en el enfermo e invocar las plantas que sanan el mal.

"Me acuerdo que yo de niño preguntaba por qué había tantas lenguas y ellos me explicaban la reencarnación. La mayoría de los indígenas creen o creían en ella. Decían que las almas vivieron en mundos lejanos y que en cada uno de ellos había una lengua y al llegar a estas selvas, las trajeron. Pero que lo que llegó aquí fueron sus espíritus y empezaron a buscar la manera de encarnarse para vivir como seres de carne y hueso, pero duraron millones de años y no lo pudieron lograr, hasta que los tucanos fueron capaces de encarnarse en un pájaro que se llama así: tucano y los desanos, como yo, se encarnaron en un desano, que es un pájaro pequeñito, azul, parecido al colibrí.

"Y los piratapuyos, en un pescado. Pira es pescado.

"Los guananos salieron del agua.

"Los barasanos de la tierra.

"Cubeos, curripacos... todos tienen una historia similar.

"Hay versiones según cada tribu. Unos dicen que aquí abajo, por este mismo río, en un raudal que se llama Panuré, está la cuna en que nacieron los indígenas. Ahí hay una gran roca y en ella un pie grabado. Llegaron y allí encarnaron cada uno en lo suyo. Pero no había embarcación y entonces se encontraron con un güío, que es una culebra de agua y se montaron en él y empezaron a subir por el río y el güío decía: 'Usted es tucano, usted es desano y según su lengua los iba dejando en diferentes lugares. Así se poblaron estas tierras.

"Ya siendo piloto, recuerdo que en Puerto Gaitán había una laguna rodeada por palmas de moriche. Cuando dormía allá me bañaba por las tardes y una vez un tipo me dijo: 'Capitán, no se bañe ahí porque hay güío' y no volví más. Con el tiempo me dijeron que habían matado al güío de la laguna y después la laguna se secó. Eso es cierto y la explicación es sencilla:

"El güío y la babilla, un caimán pequeño, se entierran y buscan los canales de agua subterráneos y en esa forma conectan los lagos con los ríos o con los manantiales que hay debajo de la tierra y cuando muere el animal se taponan los canales y deja de llegar el agua. Esos animales son los topos del barro".

La especie de estos ofidios es la boa constrictor, en tierra. Y en el agua, el güío negro o anaconda. Un animal bravo.

La conversación sigue en torno al güío, figura destaca-da dentro de la mitología indígena que, al parecer, Tomás recuerda solamente en ciertas ocasiones.

"Después de que los indios tuvieron sus sitio sobre la tierra —continúa narrando con voz pausada—, bajó un dios y él fue quien enseñó todo: cómo se trabaja, cómo se reza, cómo se canta y se baila, para qué servía la coca, pero no la cocaína de los viciosos, sino la planta que mambea el in-dio, sin procesar con químicos como la del blanco. La coca que consume el indio, que es la hoja de la planta, sirve para pensar, para imaginar, para calmar el cansancio.

"Bueno. Pues ese dios tuvo una mujer de la tierra y esa indígena fue infiel con él y el dios sabía que le estaba ju-gando sucio con un güío, porque era sabio. Ella llegaba a la orilla del río, volteaba la totuma y golpeaba sobre ella. Salía el güío a la superficie, hasta que la embarazó y dios la dejó por infiel.

"La mujer quedó sola. No había quién le trajera comi-da ni quién la cuidara y una mañanita ella llevó un balai, una especie de canasto para pescar camarones debajo de las ramas de los árboles que crecen en la orilla del río. Estando en eso, le cayó entre el balai una pepa de juansoco —una palma— y ella dijo: '¿Quién la lanzaría?' Miró hacia arriba y al estirar el cuello oyó una voz que le habló desde el fondo del vientre: 'Yo fui, mamá' y salió por la boca. Lo escupió con fuerza. Ella se aterró al verlo: tenía la cola de la culebra y decidió abandonarlo. Pero antes cogió una hoja, hizo un jícoro o embudo y escupió, escupió y escupió allá adentro hasta que el embudo se llenó de ese líquido que era tibio como el líquido en que había vivido el feto, colocó al hijo allí y mientras él creía que permanecía en el vientre, se estuvo quieto y ella se lanzó al agua para huir. Pero el hijo reaccionó y la siguió, la siguió y ella se convirtió en maja-huai, un pescado amarillo pintado. Por esta razón, los indígenas no comen maja-huai y la placenta es un jícoro.

"La figura de la placenta lo lleva a uno a entender muchas cosas de la vida".

Esa noche también llovió. Tomás hablaba como si fuera uno de los antiguos y su mujer y su hijo tomaron la actitud de las gentes en la maloca, o sea, concentrarse, callar y escuchar. Escuchar bien. Aprender.

Después del güío era obligatorio el tema de la aviación y luego de cavilar un segundo, continuó hablando como con un susurro y palabra por palabra:

"Yo nunca conocí avión. Me vine para Mitú con el padre Fortunato Bedoya y hermano Carlos Barrientos en canoa con motor de cinco caballos. Gastamos cuatro días. En el varador de Caño Yí, duramos dos días arrastrando la canoa. Me trajeron, me dejaron en el internado.

"Aquí vi el primer avión de mi vida, un DC-3 de Avianca que piloteaba, también me acuerdo, el capitán Pacho

Series. Fui a mirar el avión. Lo vi, me pareció extraño porque yo no los conocía, pero no me impresionó. Ni conocía los automóviles, tampoco. Tendría unos diez años.

"Es que nosotros ya teníamos concepción de los aviones. A nosotros, los antiguos ya nos habían contado eso. Fue una señora del Caño Macucú, arriba de Teresita, nacida en cuna de indígenas piratapuyos, que le dijo a los abuelos de los abuelos de nuestros abuelos, antes de las caucherías... mucho antes, ella dijo:

—Con el tiempo va a llegar un ave que quema. Un pájaro volando que va a quemar y va a traer gente. Y esa gente va a transitar en eso.

"Entonces nosotros ya sabíamos que iba a venir gente por el aire, que iban a venir seres humanos, que iban a llegar blancos. Y que con el tiempo los indígenas se irían acabando. Pero los abuelos refregaban mucho que la cultura no había que olvidarla, que la cultura tenía que seguir porque era parte de njícoro. Parte de la vida. Y si se olvida, decía el abuelo, los indígenas quedarán totalmente destruidos. Eso lo dijeron antes de las caucherías.

"Yo de niño se lo escuché a mi padre. Los indígenas trabajan de día. Por la tarde se bañan, hacen su manicuera, preparan su pescado, comen. Por la noche, como hace tanto calor, salen afuera a contar las historias que van pasando por miles de miles de años y así los niños van escuchando, van aprendiendo. Como no tienen escrito, el abuelo dice todo lo que es y el niño aprende. Ellos van contando que eso fue así, que hace muchos años pasó esto en antigua. Y se va estudiando sobre eso.

"La inteligencia de los indígenas es igual a la inteligencia de un gringo. Saben todo, desde cuando fue el princi-

pio, sin grabadoras y así sacan la inteligencia que ellos tienen: su pensamiento lo van diciendo. Otras noches, cuando
hace frío, se prende hoguera para calentarse, se acurrucan
alrededor y el más antiguo empieza a traer a recuerdo todo
eso. El que habla, comienza diciendo: mi padre me dijo
que dijera esto a ustedes. Ustedes díganlo a sus hijos y los
hijos de los hijos lo tienen que decir a los hijos de ellos".

"Esa misma señora contó una noche que iban a llegar
una especie de payés —quería decir misioneros— a enseñar otras creencias y que había que sembrar, había que
cultivar, había que trabajar porque con ellos llegaría tal vez
hambre y que se iba a acabar todo lo que nosotros sabíamos: la historia pasada de nuestros abuelos sería destruída
y con tiempos largos, los indígenas se iban a ir acabando
hasta convertirse en blancos. Pero que iban a sufrir. Que
eso se demoraba, pero que se iban a acabar.

"Según contaba mi papá, después de que ella dijo eso,
hizo una cruz de palo de acaricuara y en los días siguientes
bajaron indígenas de todas partes a ver esa cruz. Eso fue
muchísimos años antes de la llegada de los misioneros".

Luego de comprobar la existencia del avión, Tomás se
puso su primer par de zapatos de cuero, pero tuvo que
ganárselos trabajando. Tendría catorce años y hasta el momento había calzado los tenis con que lo dotaba el internado, que solamente podía utilizar los domingos para ir a
misa, pero al salir de la capilla debía quitárselos, limpiarlos y guardarlos para que duraran.

"Ese primer dinero me lo gané cargando piedras. El padre Pérez era el director del internado. Entonces, en las vacaciones él nos hacía trabajar. Acarreabamos piedras sacadas de la cachivera de Mitú, en el centro del río, frente al pueblo. Sacábamos la piedra a mano y uno iba haciendo su montón en la orilla. Luego la cargábamos al hombro hasta el internado. El padre pagaba por kilo que se transportaba y nosotros lo tomábamos como un juego. Entonces, en lugar de estar corriendo la calle, uno prefería llevar las piedras y venderlas. Imagínese: yo me gané como diez pesos en las primeras vacaciones y con eso compré una camisa que valía dos pesos, un par de zapatos, como tres pesos y una navaja. No más.

"Después trabajaba llevando aguamasa para los cerdos con los que nos alimentaban. Pagaban semanalmente como un peso. En vacaciones uno trabajaba para tener lo del año siguiente: para comprar su ropita, sus cositas personales. Pero eso me sirvió para ver cómo se sufre si no se tiene una preparación intelectual. Por eso, siendo todavía niño, empecé a pensar en un futuro distinto y en lo que tenía que convertir mi vida. No más cargada de piedras o aguamasa para los marranos. Quería otro futuro.

"Yo terminé mi primaria en el internado y como no había bachillerato, me vine para Villavicencio en el avión del capitán Fernando Henao, quien nos trajo con la condición de que trabajáramos en una finca suya. En ese vuelo nos embarcamos Benedicto Holguín, un joven desano, Luis Turbay, piratapuyo, Ricardo Pérez, un tuyuca, y yo.

"Donde Fernando Henao me tocó como ayudante de construcción en la piscina de su finca, cargando piedra, balastro, arena. No sabía ni qué era una plomada, pero aprendí y terminé colocando baldosas.

"Trabajar como ayudante en construcción es durísimo. Tenía que cargar los materiales: levántelos, écheselos al hombro, corra, mezcle.

"Terminamos de hacer la piscina y me mandaron a limpiar potreros. En el sol. Me picaban las avispas, me mordían arañas, me mordían hormigas, me arañaba con espinas... Trabajaba todo el día y llegaba a acostarme cansado y yo pensaba por las noches: 'ésa no es vida para una persona joven. Pero, ¿con qué sabiduría voy a exigir otro trabajo?' Y dije: 'tengo que seguir estudiando'. Quería ser otro. Pero uno nunca tenía apoyo de dinero. Solamente uno portaba inteligencia. Entonces, aburrido, me vine nuevamente para Mitú".

Transcurrió lo que llaman verano en la selva, llegó la estación de mayores lluvias y ocho meses más tarde, cuando el sol comenzaba a quemar, un hombre joven cruzó la Avenida Jiménez de Bogotá —a mil kilómetros del Vaupés—, subió al décimo piso de un edificio y en la oficina de unos agentes de seguros dijo que quería comprar el avión que permanecía sumergido en el río.

—¿Usted está seguro? le preguntó una mujer que no parecía salir de la sorpresa, pero él repitió:

—Quiero-comprar-el avión-hundido.

La encargada de siniestros aéreos de aquella compañía jamás había escuchado algo "tan tenaz" y luego de mirarlo con detenimiento le confesó al gerente que se encontraba ante algo "muy insólito":

—En mi oficina tengo a un tipo tan exótico, que quiere comprar el avión aquel que se hundió hace cerca de un año en el río Vaupés. ¿Qué hago?

—¡Véndaselo!

Volando, el Siete Siete Dos, costaba cuatro millones de pesos, pero el negocio se hizo por treinta mil, a nombre de Giovanni Bordé, de profesión piloto y empresario de aviación, 25 años de edad, bogotano; lugar de residencia, Villavicencio. Sitio de trabajo, "el cielo". .

En esa época, Bordé y su padre eran dueños de una empresa con un solo avión, llamada Laos, pero la Dirección de Aeronáutica Civil de Colombia determinó que, en adelante, para poder constituirse en firma comercial las aerolíneas debían poseer como mínimo dos aviones.

Ellos no tenían dinero para cumplir con los reglamentos, pero Giovanni no tuvo ningún problema en mandarlo pintar de dos colores: verde por un lado y amarillo por el otro y así desde la torre de control empezaron a ver aterrizar un DC-3 verde y decolar uno amarillo.

Un mes más tarde lo pararon.

"Esa tarde en Bogotá", dice Giovanni, "fui el feliz comprador de un avión en el sitio donde se encontraba: veinte metros debajo de un río, en plena selva".

La mañana siguiente visitó el Cuerpo de Bomberos y preguntó por los buzos. Se los presentaron y logró contratar "por unos pocos pesos y la gran aventura que significaba eso", a cinco de ellos, encabezados por Raúl Antonio Pinzón, un hombre macizo y de baja estatura que sólo conocía las aguas yertas y contaminadas que corren cerca de la capital.

Pero, ¿la selva? Hombre, él solamente la había visto primero en las películas de Tarzán y cuando fue un poco más muchacho, lo impresionaron "African Queen" con el flaco ese, ¿cómo se llamaba? Ah: Humprey Bogart y un filme de un man que se fue para el Amazonas y allá conoció a una vieja buenísima, hija del cacique de una tribu y, claro, se la cuadró y se quedó a vivir con ellos. ¿Cómo era que se llamaba esa tal película?... Ni idea.

Y tenía noticias de la selva por lo que contaba la gente que regresaba de allá: que si los tigres y que si los caimanes y las culebras y que si los micos y los güíos que se tragan a un ternero sin sacudirlo. Pero no más. Eso era todo.

La ilusión por conocer, de pronto, a la hija de un cacique y desde luego, pensando en llegar a ser el mejor buzo —lo que logró más tarde—, Raúl Antonio convenció a Jairo Suárez, Adonaí Puing, a un pastuso de apellido Arteaga y al teniente Bejarano (¿cómo es el nombre?... Ni idea), para que armaran su propio "Amazon Queen" y luego de las fiestas de diciembre se embarcaron en un camión llevando algo más de setecientos kilos de equipos, entre cilindros de aire comprimido, aletas, vestidos de goma, reguladores, visores, cuchillos, cables, manilas y cinturones de lastre y llegaron a Villavicencio donde Giovanni los empacó al día siguiente en un DC-3 que transportaba gente, perros, gallinas, dos marranos y víveres con destino a Mitú. Los pacientes se acomodaban en unas sillas de lona instaladas a lo largo del costado derecho del avión y la carga y los animales al frente. Las sillas no tenían cinturones de seguridad.

A las siete, la mañana estaba cubierta por nubes bajas y brillantes, pero diez minutos después de elevarse se encontraron entre un cielo profundamente azul y la capa de nubes extendida como algodón que les impidió divisar la llanura y más tarde la selva.

El vuelo fue apacible y más o menos una hora y cincuenta minutos más tarde Raúl escuchó que el piloto decía: "Listos. Bajémonos ya". El DC-3 clavó la nariz y perforó el manto de nubes: ahí estaba la selva, húmeda e inmensa y parecía que el avión se iba a acaballar sobre los árboles. Volaban a ras y nuevamente escuchó que el comandante decía: "Ojo al río, hay que pegarle al río".

Tres minutos después lo encontraron y volaron sobre él, siguiendo sus curvas, pero ahora la orden del piloto era: "Ojo al pueblo, ojo al pueblo". Flotaron un minuto más y no apareció. Entonces trazaron un círculo y rasantearon en sentido contrario, también siguiendo el curso del río, hasta cuando alguien gritó: "El pueblo, el pueblo".

El avión pasó muy bajo sobre una pista de tierra rojiza para indicarle a la gente que caminaba por ella, que debía despejarla. La gente corrió hacia el bosque. Muy bien, metámonos, dijeron en la cabina de pilotos.

Después de aterrizar, Raúl miró a través de la ventana y vio que el avión se deslizaba a gran velocidad a pesar de que las ruedas estaban quietas, estáticas, resbalando sobre la pista. ¿Lisa? Claro. Un jabón. El avión avanzó, hombre, cincuenta, sesenta metros y cuando el DC-3 empezó a acercarse a los árboles de la cabecera, escuchó que el piloto gritaba:

—¡Caballito! ¡Caballito! ¡Caballito!

Dicho eso, ahogó el motor izquierdo, hizo bramar el derecho, frenó con brusquedad la rueda izquierda y la nave volteó la cola con la misma violencia del motorazo, trazó media circunferencia y quedó allí quieta, plantada entre la greda y los pasajeros con los marranos y parte de la carga sobre el pecho.

—Buen aterrizaje, sólo un tipo golpeado, pero no hay sangre —le dijo el mecánico al copiloto cuando abandonaban el avión.

En Mitú los esperaban unos misioneros y al día siguiente acomodaron en un bote grande, arroz, sal, aceite, azúcar, chocolate, café, enlatados, cincuenta neumáticos de aquellos que se inflan para rellenar las llantas de los tractores y a media tarde partieron por el Vaupés, aguas arriba. Cuando comenzó a atardecer arrimaron a una barraca de caucheros sobre la banda derecha y allí les dieron comida y posada y al tercer día madrugaron y continuaron su viaje. Llegaron al sitio sobre las once y media de la mañana.

Al Vaupés lo forman dos caños: el Itilla y el Unilla, a la altura de un pueblo de paludismo llamado Calamar donde sus aguas se ven de un verde profundo en verano y así se mantienen por centenares de kilómetros, pero al desembocar en una masa de rocas que forman un raudal imponente que se llama Yuruparí —el demonio— comienzan a purificarse, por el choque contra los farallones y la sucesión de caídas y chorros y marejada intensa y toma un color claro porque se va volviendo más y más cristalina a medida que revienta. Un kilómetro abajo del raudal, el río vuelve a correr lento. Aguas dormidas que toman el color de la selva reflejada.

El Siete Siete Dos quedó varias horas en bote abajo de Yuruparí y durante el viaje, buscando aquel punto, los buzos veían en las riberas árboles medianos y manigua cerrada porque los palos están apretados de enredaderas que tejen una masa de kilómetros sin permitir un agujero, auncuando en las vegas crece bosque pobre —selva de arrabal—, si se le compara con otros lugares de la Amazonía. Parte de aquella zona es inundable en invierno.

Preguntaron qué había más adentro y el indígena que los acompañaba como proero les dijo: "Pantano y tierra más alta". "¿Y en la tierra más alta?" Ah, en los vegones hay árboles más grandes. Hicieron un alto y penetraron dos kilómetros por un caño de pocas aguas y empezaron a familiarizarse con otra vegetación, la de los grandes palos cubiertos por una capa de musgo o de helechos pequeños y hongos como manchas blancas, rosadas, verdes, rojas, parásitas con flores inverosímiles y nombres tan nuevos como la arquitectura de esos árboles: yacayacá, mirapiranga, guacapú, sasafrás, dinde, caimo, juansoco, palmas de canangucho, mirití, patavá, pupuña, ibacabe.

De regreso al río entraron en el territorio de un pájaro llamado martín pescador, de un color atornasolado con un copete especial.

Se veían playas anchas pero no de arena sino de fango y más arriba, en un raudal ruidoso, aparecieron las águilas pescadoras que se clavan en picada y descienden con tal ligereza que apenas se ve un punto que baja acompañado por el silbido causado por la velocidad. Zambullen como balas y salen nuevamente del agua con un pescado en las garras, pero al ascender lo orientan con la cabeza hacia adelante y la cola debajo de su propia cola, buscando mantener una línea aerodinámica para vencer en el vuelo la resistencia del viento.

Pero así como corre tranquilo en buena parte de su trayectoria, el río tiene pasos de mucha borrasca que llaman cachiveras. Las cachiveras son cordones de rocas y piedras grandísimas que atraviesan el cauce de orilla a orilla y cuando salen a flor de agua, se ven cubiertas por lama verde biche.

Cuando baja el nivel, el río toma en aquellos puntos una corriente violenta. Pero violenta. Y como las rocas forman una pendiente larga, diga usted de una o dos cuadras, es difícil atravesarlas.

El mes en que ocurrió esta historia, el caudal del Vaupés estaba en la mitad y antes de enfrentar las cachiveras el proero se acaballaba en la punta del bote. Iba estudiando el oleaje. Iba esculcando con la mirada las piedras del centro: el choque del agua produce una marecilla, un agitar de la corriente, de manera que él localizaba los canales y señalaba con el brazo el rumbo que debía seguir la embarcación y el motorista iba calculando la velocidad que traía el torbellino y le iba poniendo o quitando máquina, según la repulsa del caudal.

En las cachiveras la corriente alcanzaba a frenar el bote y trataba de voltearlo, pero el motorista se aguantaba hasta que volvían a avanzar un poquito y otro poquito y así hasta subir a la parte alta del arrecife. Si el chorro llega a ganar, la embarcación da un vuelco y se produce el naufragio sobre los remolinos que forma el río al salir de cada turbión.

Entre el pueblo y el lugar que buscaban, atravesaron, primero la cachivera de Mitú —nombre de un pájaro— que se encuentra a medio kilómetro del embarcadero. Luego la de Yuruparí Mirí, demonio pequeño. Más arriba la de Mirití, como le dicen a la palma de moriche. Después la de Yacayacá, un árbol y finalmente la de Mandí, más agresiva que las anteriores.

Arriba de Mandí, en un territorio llamado Bocas del Tatú, porque desemboca un caño con este nombre, hallaron una recta. El motorista dio una circunferencia a media marcha y dijo: "Miren p'abajo". En el fondo se veía perfectamente el avión, gris, con sus alas extendidas, con sus motores y sus hélices quietas, con la cola en perfecto estado. Como estaban en verano, el agua bajaba cristalina.

El sitio donde cayó el Siete Siete Dos es un recostadero del río bastante ancho. Calcularon que el aparato estaba a media cuadra de la banda izquierda, aguas abajo y a una de la derecha. Continuaron dando vueltas y después el hombre arrimó a la orilla más lejana. Los esperaban cuatro policías sucios y barbados y un par de indígenas, uno con taparrabo y el otro con pantalón y camisa, pero cuando amarraron el bote y saltaron, aparecieron cuatro o cinco más. Callados. No decían nada. Apenas los miraban. Raúl los saludó y sonrieron. Los policías preguntaron si se iban a quedar y les dijeron que sí, pero que el bote regresaba a Mitú. Al parecer, estaban hacía bastante tiempo enterrados en ese sitio y le dijeron al motorista que los llevara.

Más o menos a media cuadra de la orilla del río hay una maloca de indígenas tucanos. Descargaron el bote y ellos les ayudaron a trasladar la carga y cuando arribaron, vieron que las mujeres y los niños salían corriendo a esconderse en la selva.

Las mujeres. Ni parecidas a las que encontró ese man de la película. Pequeñas, con las piernas cortas. Nada que ver, hermano.

El más viejo les dijo que podían acomodarse donde estaban los policías, o sea, por el sur de la maloca, al lado derecho. En ese rancho vivían diez indios con sus mujeres y sus hijos y un par de abuelos y algunas viejitas. Nada que ver.

La maloca es una enramada grande, con un techo tejido en palma de caraná sobre varas de naranjillo y postes de acapú. No tiene paredes y llega hasta el suelo. El piso es de tierra lisa y bien barrida, donde los indios duermen y cocinan. Cada pareja tiene un fogoncito que siempre está prendido. Colgaron las hamacas y los toldillos en el sitio que les señalaron y mientras ponían en orden los equipos y la comida, escucharon que el bote arrancaba río abajo con los policías. En ese momento comenzaron a salir los niños de a dos, de a tres y detrás de ellos las indias y todos se quedaron mirándolos con desconfianza, pero al poco tiempo se les comenzaron a acercar los niños y los jóvenes y se dedicaron a tocarlos y a mirarlos de arriba abajo. Les llamaba la atención que estuvieran vestidos de negro y luego alguien les dijo que querían saber cómo eran ellos, de qué material estaban hechos, porque la marandúa, es decir, el chisme del motorista fue que se llamaban buzos y que los buzos eran hombres que vivían debajo del agua.

Después comenzó la chacota más verraca, organizada por los jóvenes que se colocaban detrás de los postes de la casa y cuando alguno se descuidaba, le llegaban muy cerca, le gritaban ¡buzo! y salían corriendo. Los demás respondían con una carcajada general.

El jueguito duró quince minutos pero como los buzos les siguieron el ritmo con más sonrisas, los mocosos dejaron la burla y así comenzaron a intergrarse unos con otros.

En los alrededores de la maloca la selva es desahogada, con muchos caminos hacia adentro y cuelgan de los árboles centenares de nidos tejidos por un pájaro. Son arrendajos, dijo Puing, y un indio dijo no, siendo ñosúa y otro dijo no, siendo cáyuri. Bueno, por fin qué carajo: ¿ñosúa? o cáyuri. De las dos formas. Cáyuri es en cubeo y ñosúa en tucano. Empatados.

Los arrendajos comenzaron a llegar al final de la tarde en bandadas que volaban rasantes sobre el techo de la selva. Parecen pedradas, hermano. Pues claro, con esa velocidad y esa manera de volar, recogidos, compactos.

Son negros con la cola y parte de las alas amarillas y el pico cónico y buscan el palo más alto hasta donde ningún animal pueda subir y de allí cuelgan los nidos, unos talegos parecidos a los bates de béisbol. Generalmente se refugian en las palmas de cumare y moriche que son corpulentas y con troncos lisos o en las ramas de las pachúas, que tienen espinas y hormigas en el tronco. Los indígenas saben que donde hay arrendajos, hay avispas porque pájaros e insectos son amigos y se cuidan mutuamente de animales como la lagartija caripiare, las culebras arborícolas y los micos que se tragan los huevos.

Los buzos le pusieron al lugar, "Puerto Cáyuri".

Cuando Raúl y los demás comenzaron a acomodar su equipaje, vieron que la comida era para tripita de misionero. Solamente Raúl cuando está en su estación en Bogotá y las emergencias dan tiempo, se apura al desayuno una perola con diez huevos revueltos, tocino y dos tasas de chocolate y mire usted lo que vinieron a acomodar en el bote: seis kilitos de arroz, unas pocas latas, panecito, ocho panelitas. Sal sí hay en cantidad. Y azúcar también.

Terminado el inventario, se calaron sus pantalonetas y pusieron a calentar agua para preparar arroz. ¿Hay cebolla? No hay cebolla. ¿Hay ajo? No hay ajo. ¿Hay aceite? Sí hay aceite. Es éste. Un frasquito de dos botellas. Ni para una semana.

Secó el arroz, abrieron las primeras latas de salchichas y después de comer le dijeron a un indio que los llevara al centro del río para observar bien y planear el trabajo. Pero aquéllos tienen unas canoas pequeñas que llaman potrillos —caben sólo dos personas— y navegar en ellas es difícil porque, por lo estrechas, son celosas y a medio movimiento se voltean. Hombre al agua. Eso les sucedió a los buzos más de diez veces esa tarde, pero de todas maneras fueron, uno por uno, hasta el sitio.

Al parecer, el avión bajó y se posó tranquilo en el fondo. Estaba con la trompa hacia arriba, o sea en contra de la corriente y un poco sesgado hacia el lado derecho. Lo primero que debían construir era una balsa que hiciera las veces de plataforma fija para trabajar desde allí y uno de los indios dijo que cerca de la maloca, entre unos árboles, había varias canecas desocupadas. Encontraron diez de cincuenta y cinco galones cada una y como navegar en aquellos potrillos resultaba un dolor de cabeza, utilizando una botella de aire comprimido inflaron un bote de goma que permitía cupo para diez personas y empezaron a moverse en él.

Canecas. Necesitamos armar la plataforma. Clemente Quinto es un indígena. Oiga hermano Clemen, ¿por qué no nos hace el favor de conseguirnos madera que flote para hacer una balsa y ponerla en centro de río? Sí. Consiguiendo pachúa.

Le indicaron de qué tamaño la necesitaban y le dijeron que se llevara el Zodiac. ¿Zodiac? Sí. Zodiac: bote grande, verraco, de buzos, pero ser también de Clemente Quinto y de Agripino y de Bartolomé... ¿y usted cómo se llama hermano? Juan Bautista. Bueno, de Juan Bautista también.

Los cuatro partieron para la selva y trajeron las primeras varas de pachúa consistentes pero livianas, de ocho metros de largo y cuarenta centímetros de diámetro, y trajeron también bejucos delgaditos y fuertes (bejuco yaré) y la cáscara de la misma pachúa, con la cual hacen unas sogas magníficas. Atardeció y dijeron que al día siguiente, muy temprano, terminarían el trabajo.

A las siete de la mañana habían armado un cuadro y los indios aparecieron con el primer viaje, pero ya no eran varas tan gruesas, pues se trataba de colocarlas una contra otra sobre el cuadro e ir sujetándolas. A media tarde la balsa quedó liviana y resistente.

Una vez armada, trajeron las canecas vacías y sin amarrarlas, colocaron tres a un lado y tres al otro, debajo de la balsa. Encajaron perfectamente y levantaron la plataforma a la altura que la necesitaban los buzos.

Por la noche se bañaron en una quebradita que corre cerca de la maloca y cocinaron en los mismos fogones de los indios. Nuevamente arroz, galletas, húmedas por el ambiente, salchichas enlatadas y unos sorbos de chicha de chontaduro que les ofreció Clemente Quinto.

Aquella chicha es amarilla y espesa, pero los buzos no le sintieron repulsión porque alguno de ellos la vio preparar la tarde que llegaron. Ese día unas mujeres se hallaban cociendo unas frutas de chontaduro grandísimas, tal vez del tamaño de una manzana —les dicen pupuñas— y luego de cocinarlas, las pelaron, les sacaron la pepa y metieron entre un tubo de madera —un pilón— la pasta de harina que le da consistencia a la fruta. Una vez allí, la machacaron con un palo largo y redondo en la punta y cuando la pasta estuvo suave y harinosa, la revolvieron con agua y la colocaron dentro de una serie de ollas de barro, las taparon y las enterraron bajo el piso de la maloca.

A los dos o tres días comienza a chitearse la capa de tierra que cubre la tapa de la olla como aviso de que la chicha está en el punto preciso de fermentación. Una bomba. Entonces sacan esa vaina y se la toman: grasa vegetal. Usted mira bien la superficie de la olla y, como dice Raúl, hermanito, le flotan unos ojos como de manteca de cerdo, gruesos y grandes, ¿oiga?

Al tercer día mañaniaron y acordaron que se irían tres buzos al centro del río, en compañía del teniente Bejarano que no se metía al agua pero estaba al frente de la operación y que quedaría en tierra Jairo Suárez con la misión de cocinar y hacer buenas relaciones con los indios.

Acomodaron en el Zodiac sogas y cables, cilindros de aire comprimido, visores, una piedra grande... mejor dicho, todo el equipo disponible, tomaron cafecito y se vistieron de buzos.

A las ocho de la mañana ya se sentía calor y los trajes se volvieron sofocantes porque son térmicos para utilización en las aguas frías de Bogotá, pero la temperatura de la selva puede llegar fácilmente a los treinta y ocho grados en la estación de verano.

Sin embargo, esa sensación de baño sauna no molestaba porque los buzos tenían miedo y el traje de goma parecía darles la impresión de seguridad y se sentían protegidos por una especie de armadura. Es que cuando llegaron a Mitú, los indígenas les dijeron que dentro del avión se había anidado un güío muy grande y muy fuerte. El güío es una gran culebra de agua que aprisiona la presa, la rodea con su cuerpo y con la enorme fuerza que posee, la tritura y luego se la engulle lentamente. Y si lo dijeron los indios, que son los que saben...

A las nueve aseguraron la balsa al Zodiac y la llevaron hasta el punto de trabajo. Una vez allí, ataron una piedra grande que había en la maloca y la bajaron con un cable hasta el fondo del río. La plataforma quedó anclada.

Se miraron unos a otros y Raúl dijo, "Ahora"; pero Puing pareció dudar y Raúl repitió: "¡Ahora! Los visores, las aletas y los tanques". Luego se ataron con cuerdas de seguridad alrededor de la cintura y las fijaron al brazo derecho, de manera que cuando zambulleran, la cuerda subiría por allí y un compañero sobre la balsa sostendría la otra punta. La finalidad es que si el buzo sufre un percance, mueve el brazo con fuerza y de arriba lo halan para sacarlo, o quien está de reserva se sumerge y acude en su ayuda.

Listos. ¿Quién baja a explorar? Silencio. Luego dijo Adonaí Puing:

—Voy yo—. Y Raúl le dijo:

—No. Pues bajemos en pareja. Vámonos los dos.

Bajaron. El agua era transparente. En la superficie y hasta los diez metros, tibia. Luego venía una zona de unos cinco metros en la que se sentía fría, y abajo, entre los quince y los veinte metros, nuevamente tibia y el lecho del río, firme: greda consistente. La visibilidad era buena. Ellos volteaban la cabeza y veían arriba las siluetas de la balsa y del Zodiac en medio de una superficie verde clara y las copas de los árboles de la orilla más cercana, grandes y oscuros, inclinadas sobre el río. No vieron peces. No vieron ningún animal. No circulaban por allí troncos ni ramas y la corriente era suave. El río parecía dormido en ese punto.

El sabor del agua del Vaupés les pareció dulce, con gusto a plantas diluídas, "como a agua aromática" si se lo compara con el de los ríos y lagunas cercanas a Bogotá, ácidas, algunas veces saladas por la contaminación y otras amargas y pastosas.

El descenso fue lento. Abajo dieron varias vueltas alrededor del avión y todo les pareció normal, quieto, pero en una quietud y en un silencio largos y tensos y finalmente llegaron frente a la puerta y se miraron las caras. Se veían grandísimas por el efecto de lupa que ejerce el agua. En ese momento dudaron un segundo porque adentro la visibilidad era cero. Puing abrió bien los ojos, se llevó la mano derecha a la pierna y sacó el cuchillo y Raúl hizo lo mismo. "Daba miedo entrar, pero tocaba hacerlo". Puing levantó la mano izquierda, dejó ver el dedo pulgar arriba, Raúl le contestó y con la cabeza le indicó que entraran al mismo tiempo. Hombro a hombro. Cuchillos por delante, líneas de seguridad revisadas, pulmones tensos, corazón retumbando como un timbal.

El vientre del avión estaba oscuro. ¿Linternas? Qué carajo. Habían llevado tres, pequeñas y de mala calidad y como de lo único que les iban a servir era de obstáculo, las dejaron en la maloca.

Otra mirada, otro dedo pulgar arriba. La panza del avión tiene unos nueve metros de atrás hacia adelante. Luego está la cabeza con las sillas de los pilotos y los mandos. ¡Nueve metros!

Comenzaron a penetrar. Cuando habían introducido medio cuerpo, Raúl estiró la mano izquierda y sintió algo que flotaba y le salía al paso. Pegó un zambullón y retrocedió. No puede ser. No puede ser. Sorbió una bocanada grande de aire para recuperarse y volvió a estirar la mano, ahora con mayor decisión y tacto fino, pero sin agarrar: era uno de los cojines del avión. Lo sacó de allí y siguió avanzando con calma y chocó con más cojines, cobijas, almohadas pequeñas, cosas que flotaban dentro. Los indios de Mitú debían estar hablando mierda.

De la mitad para abajo, chocó contra las sillas, pero a medida que avanzaban, con el movimiento de las aletas iban agitando una capa de barro muy fina que se había posado sobre el piso y el agua se rebotaba. Menos visibilidad.

Cuando llegó más o menos a los siete metros distinguió la cabina de pilotos y se dirigió hacia allá, nadando cada vez con mayor suavidad para no rebullir tanto el sedimento del piso y de un momento a otro vio un resplandor. Se fue hacia él y a medida que avanzaba, veía más luz y más luz y en medio de la luz algo que brillaba. Otra brazada. Qué estaba viendo: un Cristo que parecía absorber los rayos que penetraban por la escotilla abierta en el techo y los proyectaba en un haz brillante. Un Cristo en aquel sitio, bajo el agua, lejos de todo, en ese mundo de oscuridad y de silencio. Y de pánico.

¡Bendito seas!

El Cristo era del comandante Medina, que se lo recomendó el día que llegaron a Mitú: "Es algo muy importante en mi vida", le había dicho.

Puing estuvo a punto de herir a un indio porque, como ellos estaban impresionados con el tiempo que permanecían los buzos bajo el río, querían explicarse de dónde sacaban tanto aliento y el muchacho bajó los veinte metros a pulmón libre —"unos monstruos para el agua"—, llegó hasta cerca de donde se encontraba el buzo y lo agarró desprevenido. Adonaí pensó que se trataba del güío y cuando estaba a punto de lanzarle la cuchillada, volvió la cabeza y se encontró con la cara inmensa del indio mirando fijamente las burbujas que salían del regulador aprisionado entre sus dientes. En adelante, los indígenas siguieron bajando hasta el fondo.

La operación duró más o menos veinte minutos. Calcularon que a esa profundidad cada tanque con aire debería durarles una hora y hecho el reconocimiento, ascendieron en tres minutos. A partir de ahí, acordaron bajar en dos minutos, trabajar en el avión media hora, ascender en tres minutos y descansar en la plataforma más o menos una hora y media, porque a partir de allí descendería uno por turno.

Lo primero que debían hacer era desocupar el avión para hacerlo liviano y empezaron por rescatar lo que flotaba. Sacaron cojines, cobijas, almohadas, utensilios que se hallaban a mano, los colocaban fuera del vientre del avión y regresaban a la oscuridad. El trabajo debía ejecutarse al tacto. Esa es parte de su especialidad y el más diestro para romper, atar, desatornillar cosas, era Raúl, quien además de buzo es latonero y pintor. Bajo el agua, él ha logrado aguzar el tino.

Descender fue lento, difícil y como se demoraron mucho más de lo que habían calculado, esa noche acordaron bajar tan rápido como fuera posible, pero para eso necesitaban piedras de más o menos seis kilos de peso cada una. Pero allí las piedras son escasas. Hablaron con los indios y ellos les dijeron que para conseguirlas habría que subir en los potrillos hasta el raudal de Yuruparí, arrancárselas al río, llevarlas hasta un caminito que hay por los lados de la catarata y de allí, transportarlas al hombro hasta donde muere el torrente y se acaba la violencia de las aguas y luego cargarlas en las embarcaciones y venirse a remo.

—¿Cuánto tarda todo eso?, preguntaron y Clemente Quinto pensó un poco:

—Cinco días.

—¿Cinco días?

—Sí, apurando trabajo.

—¿Y ustedes nos las pueden traer?

—Sí... Nosotros trayendo.

Problema solucionado por el momento. Para señalarles el tamaño de las piedras que se necesitaban, Raúl se puso de pie, recorrió la maloca y frente a uno de los fogones encontró una vasija de barro, se la mostró y el hombre movió la cabeza. Que sí.

A la madrugada salieron aguas arriba Clemente Quinto, Juan Bautista, Bartolomé, Agripino y Santiago, en cinco canoas. Remaban con fuerza y ritmo, sin producir un solo chisguete al sacar y volver a hundir el remo. Los buzos los vieron avanzar lentamente hasta cuando se perdieron en la primera curva, conservando una fila perfecta que se reflejaba en las aguas tranquilas del Vaupés. A esa hora estaba el sol salido y ellos se sentaron en sus hamacas o cruzaron los brazos y se pusieron a esperar el regreso de la gente. Cinco días.

Al cuarto se les acabaron las provisiones y no hallaron solución diferente a la de pedir comida a los indios, "porque estábamos pasando hambre de faquir". Los indios dijeron que sí.

Las relaciones con ellos eran buenas. Por ejemplo, los buzos les regalaban cuanto iban sacando del avión, carga-

*Raúl Pinzón, el buzo.*

do con algunos cacharros que aún se conservaban más o menos en buen estado. La emergencia había sido un diecinueve de diciembre y los pasajeros llevaban regalos de Navidad o mercancías para vender en Mitú y de aquella caja de Pandora salían pequeños estuches con herramientas para carpintería y mecánica, telas de colores, ropa de hombre y de mujer, zapatos de caucho, algunos juguetes de pasta, machetes, unas cuantas hachas, ollas de aluminio, tasas y platos esmaltados. Estaban felices porque todo les era útil.

"Me acuerdo que esa tarde estaba chirriando del hambre", cuenta Raúl "y los vi que estaban preparando una sopa buenísima: colocaban entre una olla pescado, yuca, plátano y en lugar de sal, bastantes pepas de ají picante. Un ají redondo, con estrías, brillante, pequeño, que por más cierto llaman yuquitania. Cuando estuvo lista la sopa me acerqué y ellos me preguntaron si quería comer. Imagínese la preguntica. Alcancé una tasa de peltre, me sirvieron, soplé el caldo, soplé, soplé y cuando lo sentí tibio agarré un sorbo grande con todo el gusto que usted se imagine y, ¡carajo! sentí como si me hubieran metido un soplete encendido entre la jeta. Yo solté esa tasa y casi sin respiración, arranqué p'al río a sorber buchecitos de agua porque me quería incendiar. ¡Para qué tomé de esa vaina! Para qué, dije en ese momento, porque los jediondos indios —que ya sabían lo que me iba a suceder— estaban aguardando y tan pronto voló la tasa y prendí a correr, soltaron la carcajada en coro y se rieron de mí toda la noche.

"Yo no soy malo para comer picante, pero con esas hambres tan tenaces que sentía, poco a poco me fui acostumbrando a comer quiñapira, como le dicen a esa sopa, y a los pocos días estaba tan habituado a ella que me hacía falta. Es de muy buen sabor. El ají remplaza a la sal porque ellos no la tienen.

"Sólo hacíamos una comida al día, por ahí a las cuatro de la tarde, cuando salíamos del río, porque por la mañana nos arreglábamos con unos lulos grandísimos o una taza de agua de panela o frutas que a veces nos daban los indios. Lo único que nos había quedado era un bulto de sal y un poco de azúcar y empezamos a compartirlos con ellos.

"La comida indígena es buenísima: cuando no nos daban quiñapira, nos ponían en las tazas una sopa de pescado más simple, sin picante, que se llama muñica, a la que ellos le dan cuerpo espesándola con torta de casabe.

"Otras veces comíamos carne de churuco, un mono de unos sesenta centímetros de alto. Al comienzo sentía impresión porque, una vez le han quitado el cuero, uno cree ver allí el cadáver de un ser humano: la formación de los músculos de los brazos, del abdomen, de las piernas. Impresionante al comienzo. Ellos agarran ese mono y lo colocan encima de una especie de parrilla alta de madera y debajo de ella, diga a un metro, prenden candela sin provocar llama alta y lo dejan chupando humo varios días hasta que la carne pierde su color rojo. ¿Me entiende?, hermano. Queda de un sabor bacanísimo. Claro que es dura y melcochuda, pero con esos hambrerones.

"A la carne ahumada —esa sí es la verraquera— le dicen carne muquiada. Por ejemplo, ellos sacan pescado y lo colocan sobre la parrilla, cogen los cachirres, unos caimanes pequeños, y colocan la carne allá mismo: carne blanca, con un sabor cheverísimo. Yo comí allá, mico, babilla... güío. (Mire quiénes fuimos los que nos vinimos a tragar al jijuepuerca güío).

"Oiga: cazaban unos güíos de diez, doce, quince metros de largo y un diámetro entre veinticinco y cuarenta centímetros. Una vez muerto el animal, lo cortan en rodajas y esas rodajas las trepan allá arriba: es, ni más ni menos, como ver trozos de bagre, ese pescado de nuestros ríos. Pero es como ver bagre: con su espina dorsal, su cuero, su grasa, su carne entre blanca y gris y además de todo, tiene el mismo sabor.

"Y comí danta, un animal grande y grasoso que ellos cazan por las noches en los salados. Los salados son nacimientos de agua con un sabor a salitre, el agua del Río Bogotá, ni más ni menos, y cuando atardece se llenan de animales que vienen a chupar por la necesidad de la sal...

"Y comíamos zaínos, unos cerdos de monte, gordos también, con mucha grasa y una trompa larga por la que salen dos colmillos bien afilados. Para cazar zaíno, ellos mataban con sus flechas a los que cerraban las manadas porque si le dan su flechazo a los de adelante, se meten en la jijueparriba porque ahí mismo se devuelven cuarenta, cincuenta, noventa fieras de esas y matan al cazador. Así de fácil: lo matan.

"Y comimos —como en el chiste— carne de lora. Buen sabor. Dura. Carajo, comimos, ahí sí es cierto: ¡hasta mico!

"Después de que se agotaron las provisiones, se nos acabaron los cigarrillos. Problema para los fumadores.

"Una noche Jairo Suárez le dijo a un muchacho llamado Pío Nono que quería fumar y el hombre se fue para la selva y regresó como a las dos horas con unas hojas de tabaco secas y un pedazo de palo. Ahí mismo empezó a destorcer el palo y a medida que destorcía, iba convirtiéndolo en una especie de papel, más delgado y más fino que el de los cigarrillos, blanco, limpio. Se llama tabarí.

"Cuando Viejopío terminó de alistar su papel, cogió las hojas de tabaco y las fue acomodando con una maestría bárbara hasta hacer un rollo, largo pero tan grueso como un tabaco y después lo envolvió con el tabarí, lo prendió y empezamos a fumar entre todos como si fuera una pipa de la paz. De ahí para adelante, todas las tardes después de comer nos sentábamos con los indios a chupar tabaco.

Cinco días. Al atardecer regresaron los indígenas en sus potrillos reforzados a lado y lado con troncos de una palma que flota —buchona— y sobrecargados con piedras del tamaño que les habían indicado. Descargaron la mayoría en la orilla y el resto lo acomodaron sobre la balsa.

Gracias a las piedras, el descenso de los buzos hasta el fondo del río se convirtió en una operación veloz. Ellos se equipaban con visor, aletas y tanque, entraban al agua, les alcanzaban el pedazo de roca y con ella entre los brazos, bajaban como balas.

Desocupado el avión de todo lo que flotaba adentro, vieron la necesidad de construir una especie de torre para sujetarlo en el momento de subirlo.

"A ver si me hago entender, hermano. Se trataba de clavar dentro del río cuatro vigas las verracas de largas: dos detrás de la cola y dos adelante de las alas. Cada pareja separada unos cuatro o cinco metros entre sí. Esas vigas debían ser aseguradas en el fondo del río y luego las teníamos que juntar y amarrar muy bien en la parte de arrriba, afuera del agua, de manera que quedaran formando una especie de pirámide. Perfecto. Como idea, perfecta. Pero, realícela.

"Muy fácil: se lo explicamos a Clemente Quinto y su combo, haciendo una gráfica en un papel y ellos que son más inteligentes que uno, se la pescaron antes de que hubiera terminado de rasguñar el papel. Se necesitaba una madera que fuera como la piedra, tanto de dura como de pesada. No hay problema: "Nosotros consiguiendo madera como piedra", dijo Viejoclemen.

—Pero, si es como piedra, ¿cómo la vamos a movilizar hasta el sitio?

—Ja, ja: flotando.

—Una piedra... ¿flotando?

—Sí. Una piedra, flotando.

"Se fueron estos hombres para el monte y como a las siete horas aparecieron en la orilla del río con la primera viga de guacapú, sin corteza, pulidita, recta: una viga muy fuerte, de unos ochenta centímetros de gruesa en la base y de ahí para arriba un poco más delgada. Y de verdad que parecía, no una piedra sino un poste de hierro. Impresionante la solidez de esa madera, ¿me entiende? La colocaron en la playa, paralela al río, mientras llegaron Pío Nono y los demás como a los quince minutos con los troncos de más palmas buchonas, gruesísimas y en forma de botella y Clemente Quinto nos dijo:

—Ahora piedra va a flotar.

"Pues claro: amarraron una palma en cada uno de los extremos de la viga, la empujaron con dos palancas entre el río y piedra flotó verracamente. Pero verracamente.

"Así hicieron con cada viga hasta que las tuvimos todas cerca del avión. Cuando fuimos a colocar la primera, los indios nos preguntaron en qué punto exacto debíamos clavarla en el fondo del río. Les dije y contestaron en son de jodetería:

—Buzo queriendo punta de piedra aquí. Aquí poniendo.

"Entró Juan Bautista al agua y nadando muy suavemente colocó la parte gruesa de la viga donde le dijimos y allí le zafó el buché, como se le dice al cono de palma que la hacía flotar, y el palo se hundió verticalmente. Bajé a mirar y la base estaba colocada exactamente donde le dijimos a Viejojuán. Así hicimos con los otros tres soportes.

"Cuando quedaron fijos en el fondo, lo más fácil fue unirlos arriba, encima del avión. Y una vez unidos, tomamos una cuerda y la preparamos como para enlazar un caballo, lanzamos y la colocamos allá arriba y Agripino que era el más livianito de los muchachos, trepó los quince metros que había desde la superficie del río hasta la punta de las varas y amarró esa vaina con cables de seguridad y la tal torre quedó firme como un jijuepucha.

"Hecha la torre, buzo bajando a río y amarrando avión por la barriga. Yo bajando".

Efectivamente, Raúl rodeó el avión con una manila gruesa y larga. Sacó a la superficie la que sobró y quienes estaban allí la encaramaron entre la unión de las vigas, de manera que volviera a descender y quedara corrediza, como si se deslizara a través de una polea. En esa forma —calcularon— podrían halar hacia abajo, la manila se apoyaría en la punta de la torre y a medida que cobraban cable iban a lograr que el avión subiera y a la vez lo mantendrían sujeto, ante el impulso de la corriente.

Pero la operación obedecía a una razón más poderosa: durante las noches, por el frío, los neumáticos iban a perder presión y de todas maneras quedarían escapes. Si esto sucedía, el avión se hundiría nuevamente y había que evitarlo.

Terminada la torre, introdujeron los neumáticos en el vientre del avión, escogieron las botellas de aire comprimido ya utilizadas y con los residuos fueron inflándolos uno a uno. Terminada la faena esperaron un tiempo prudencial, pero nada. Nada, hermano. Ni miércoles. ¿Me entiende? No ejercían la presión suficiente para vencer el peso del DC-3.

Piense y piense. Aquí lo único que queda es restarle fuerza al avión. Pero ¿cómo? Ya sé. Quitémosle toda la silletería que está armada sobre bases de metal. Pero no pudieron, porque no conocían el sistema mediante el cual estaba sujeta al piso. Se suspendió el trabajo y empezó a correr el reloj de la selva que no mide el tiempo en horas, ni en minutos, sino en semanas, meses y muchas veces en años.

Así pasaron diez días y una tarde se miraron las caras de tristeza algunos, de soledad otros y de aburrimiento, todos. Estaban con las manos cruzadas sintiendo que se los tragaban los zancudos y entonces a Juan Bautista se le ocurrió decirles que río abajo, navegando hacia la cachivera de Mandí —más o menos un cuarto de camino entre la maloca y Mitú—, vivía Simón Pedro, un indígena cubeo que contaba con buen bote y motor. Busquémoslo. ¿Cómo? Que alguien baje.

Acordaron que irían tres de ellos con Clemente Quinto, Pío Nono y Agripino en el Zodiac para tratar de que Simón Pedro los llevara al pueblo, donde buscarían la manera de que alguien subiera por Raúl y el pastuso Arteaga, que quedaban en la maloca.

El día once, muy de mañana, acomodaron agua para beber, un canastico con lulos, su ropa y se bajaron con los indígenas porque en las partes anchas del río las aguas son mansas y por tanto pesadas y toca trabajar intensamente con los remos. Los indígenas son campeones para ese ejercicio.

Después de su partida, el tiempo pareció correr aún más lentamente. Transcurrieron cinco días y diez días y quince días y dieciséis y diciesiete y no llegaba nadie.

"Juan Bautista y su combo eran compañía, pero a la vez no la eran porque estábamos muy lejos de ellos en idioma, en las costumbres, en el conocimiento de la selva, de manera que uno pudiera decir, vámonos hoy a cazar. No. Y esa soledad es cada vez más tenaz, en una selva que uno ni conoce ni domina, —porque si, por ejemplo, da veinte pasos solo, de para adentro, se pierde—. A todo eso súmele que de mirar tanto verde por todo lado, uno empieza a sentir tensión. Y los zancudos que son una tortura. Y sin radio y sin luz eléctrica, sin una noticia, uno que nació y se crió en la ciudad, pues, carajo, se va impacientando, hermano.

"Como a los diez días de haberse ido aquéllos, el compañero que se quedó conmigo estalló. Mejor dicho, se puso a caminar y a caminar por los alrededores de esa maloca, sin hablar con nadie y por la tarde le dio la chiripiorca y se puso a llorar: que nos habían dejado allí abandonados, que su familia, que nos íbamos a quedar en esa selva para siempre, que nos podíamos morir. A ratos lloraba, a ratos rezaba, llamaba a Dios, a la Virgen. Y así esa tarde y esa noche y prácticamente toda la semana siguiente.

"Pensé que no había cómo calmarlo del todo, pero entre los consejos y la tranquilidad que me tocaba fingir para subirle la moral, trataba de inventarme cómo matar el tiempo y entonces le dábamos vueltas al avión por las mañanas, luego nadábamos un poco, entrábamos a la selva a acompañar a los indios a traer su coca, su ají, su yuca de las huertas y el resto del día y parte de la noche nos dejábamos tragar de los zancudos.

"Yo creo que la selva sin zancudos sería el paraíso, porque es que además de volar como nubes, los vergajos se turnan para picar: por la mañana aparecía uno pequeñito y transparente, completamente transparente porque se le sentaba a uno sobre la piel y uno no lo veía. Cuando me daba cuenta era que miraba el puntico donde estuvo picando y la piel inflada.

"Al medio día les correspondía el turno a unos más grandes que parecían presidiarios: negros con rayitas blancas. Y por la noche salían unos verracotes, negros. Esos eran los peores porque tenían un aguijón largo que traspasaba el toldillo con que se cubre la hamaca, la hamaca que es gruesa, la cobija que uno usa para el frío tan jijuepucha que hace a la madrugada, el pantalón de dril y los calzoncillos. Y para penetrar, sacaban tanta fueza que levantaban el toldillo que uno había asegurado muy bien contra los bordes de la hamaca... Yo creo que esos verracos tenían acople en la jeta... ¿Sabe qué es acople? La extensión que se le pone a algunas herramientas para alargarlas.

"P'a Dios que tenían acople".

"En esas soledades sí que tiene uno tiempo para pensar. Yo me acordaba, por ejemplo, de mi padre a quien todavía ando buscando. Me acuerdo que cuando era pequeñito me llevaron a conocerlo y ese día me regaló un conejo, blanco con negro —no se me ha olvidado nunca— y me dijo algún par de cosas. Es todo lo que me acuerdo de él, porque no lo volví a ver nunca. Pero nunca. Él se llama Arturo Valencia, un campesino nacido en Chinchiná y yo he ido varias veces a Manizales y al mismo Chinchiná a buscarlo para hablar con él, para saber cómo es... Pensaba también que debo tener más hermanos o tías y quiero saber cómo son, si mi papá vive todavía o ya murió. Y pensaba que me gustaría, por lo menos, saber dónde está enterrado para ir hasta la tumba y decirle un par de palabras.

"Las veces que he ido, pregunto por una tía en especial, que según me cuenta mi mamá, era la que defendía a mi papá: una mujer grandota y fuerte, capaz de agarrar por la cola a un novillo y sostenerlo, y que cuando el viejo se agarraba a golpes con los compañeros ella sacaba la cara por él.

"Y pensaba que se me ha ido la vida salvándole la vida a los demás. Pero eso me gusta. Eso es lo que se debe hacer, ¿me entiende?, hermano. Como además de buzo soy bombero, pues uno se la juega a cada rato. Siempre me gustó ser bombero. ¿Por qué? Ni lo sé ahora. Afición. Amor a esta profesión era la única respuesta que se me ocurría en esa selva. Allá yo me ponía a recordar jodas y a veces terminaba riéndome solo y los indios se quedaban mirándome. No les podía explicar. Y si les explicaba, no me lo entendían. Por ejemplo, uno de los últimos incendios, en el norte de Bogotá, donde vive la gente de caché: llegamos un viernes a un apartamento el verraco de elegante y las llamas ya estaban avanzando con alguna fuerza y nosotros, pues, hermano, échele agüita a esa vaina y échele agüita para apagar antes de que se extendieran y, hombre, en medio del humo y de los gritos de la vieja y de las órdenes de mi comandante y la vaina, sale el dueño, un viejo coloradito, cachetón, con cara de loca y se nos encara. Verraco, gritando y dispuesto a pegarnos: que no le dañáramos sus tapetes porque eran persas.

"Y las inundaciones en tiempo de lluvias, cuando quedan con el agua al cuello los barrios que están a bajo nivel..."

Dieciocho, diecinueve, veinte. El día veintiuno, a media mañana, los indios dijeron, "motor subiendo por río", pero Raúl no escuchó nada. Están burlándose otra vez de mí. Miró después el reloj y vio que habían transcurrido quince minutos y, nada. Y veinte... nada. A la media hora vino a oír el run, run, de un fuera de borda y, claro, apareció el bote de los misioneros con dos personas a bordo: Emilio y el proero.

El viaje de regreso fue más rápido: ocho horas hasta Mitú, pero esta vez la travesía de las cachiveras se sintió menos violenta porque, auncuando el río tenía menos caudal, navegaban aguas abajo.

El primer intento de Tomás Caicedo por acomodarse dentro del mundo de los mestizos en Villavicencio fue desgraciado, porque no entendía bien las costumbres de una ciudad ni sabía hacer algo definido para poder defenderse en un medio tan nuevo para él. Eso y el racismo del colombiano, le cerraron las puertas. Ni más ni menos que la reproducción de la experiencia que padecen las gentes de nuestras ciudades cuando emigran hacia países industrializados y terminan lavando platos o aseando baños, pero con el Inri de indios suramericanos.

Total, que la dignidad no le hizo concesiones a la humillación y prefirió regresar a la selva donde pensaba tomar un segundo aire, pero en Mitú no había trabajo. Las oportunidades estaban al fondo de la manigua y resolvió buscarlas.

En esos días andaba por allí Parmenio Sánchez, un cauchero que le dijo, "Compadre, ¿quiere ir a rayar siringa y ganar muy buen dinero?" Tomás sabía que lo de "muy buen" no era cierto, pero no había más. A través de su padre tenía noticias de que el trabajo con Sánchez era duro. Durísimo. Que indio que se internaba en la selva buscando los árboles de caucho, salía un año más tarde debiéndole dinero al patrón y entonces tenía que permancer durante otro fábrico para pagar la deuda. Pero entonces debía más, se quedaba y temporada tras temporada, veía crecer la deuda.

Con lo que no contaba Sánchez era con que Tomás y los cinco jóvenes que se subieron una mañana en su bote rumbo a Dos Ríos sabían sumar, restar, multiplicar y dividir mejor que él y que gracias a sus estudios en el internado misional y a su contacto con el poblado ya no se deslumbraban con una linterna ni sucumbían ante el sonido de una grabadora.

Mejor dicho, el gran Sánchez no iba a tener la menor oportunidad de, por ejemplo, cambiarles la linterna por el equivalente a tres meses de trabajo, ni de enjaretarles cada cuatro días las pilas por veinte veces más de lo que valían.

Ese era su negocio, pero con el indígena que no entendía lo que garrapateaba el cauchero en su libro de endeude, como aún se le conoce, de manera que Tomás y sus amigos treparon al bote seguros de regresar con algunos pesos en la bolsa "y para saber qué era 'trabajo duro' en la selva".

Decir en Mitú, voy para Dos Ríos por tierra, se conversa, a menos que uno tenga ciertos intereses. Y se piensa antes un par de veces, si quien lo lleva es un tipo como Sánchez que se apareció a la madrugada en el embarcadero con un bote grande y un motorcito de apenas dos caballos de potencia. "Tenía más fuerza un asmático", dice Tomás para explicar que en los ríos grandes se considera un buen motor el que tenga de veinticinco caballos para arriba. Pero como Sánchez era buen cauchero, "ahorraba hasta el aire". No obstante, una vez abandonaran el Vaupés deberían meterse por caños pandos y escasos de aguas y en ellos es decisivo el motor pequeño.

Navegando por el río grande, entre Mitú y Miraflores gastaron tres días de sol y dos noches con buena luna, que para el indígena que sabe caminar en la oscuridad es mejor que un reflector. Sin detenerse. Sin bajarse a descansar. En Miraflores, Tomás le dijo a Sánchez que no estaría mal darse una vuelta por la oficina del corregidor y firmar en su presencia un contrato de trabajo por un año. Desde luego, al gran Sánchez la idea no le hizo ninguna gracia, pero como necesitaba esos doce brazos para exprimir siringa y ya no se podía devolver y en Miraflores no había fuerza laboral, carajo, respondió que... Que sí.

De Miraflores arrancaron rumbo al río Itilla, menos caudaloso, para navegar otros dos días, dejar allí el bote y los remos escondidos entre la selva e internarse por una pica o camino tan angosto que sólo los expertos logran descubrir. Veintiocho kilómetros a pata de indígena, con una bolsa a cuestas dentro de la cual cada uno llevaba su hamaca, algunos útiles de aseo, como decían ellos por haber sido estudiantes, y dos pantalonetas. El motor se transportaba sobre las espaldas de todos, menos de las del gran Sánchez porque él era el patrón y los patrones no cargan nada diferente a un revólver y una escopeta. La de Sánchez era un chis-pún. ¿Qué es eso? Pues un arma hecha con un pedazo de tubo y un palo a medio tallar.

En la primera jornada caminaron entre las cinco de la mañana y las cuatro de la tarde, hora en que encontraron una mitasaba o rancho de vara en tierra y techo de palma de caraná donde colgaron hamacas, buscaron algo de comer porque venían en ayunas y cerraron el ojo hasta la madrugada del día siguiente cuando reemprendieron la marcha.

Por la tardecita estaban saliendo a la banda del río Macaya, buscaron entre la maleza y hallaron otro bote, le limpiaron el musgo y los hongos blancos y anaranjados que se habían adherido a la quilla y una hora más tarde llegaron a Dos Ríos, un campamento donde el cauchero concentraba hasta cincuenta indígenas en varios barracones similares a la mitasaba pero más grandes.

Cuando llegaron, encontraron jóvenes y adultos desanos, tucanos, piratapuyos, guananos, cubeos y curripacos y sin perder tiempo se agruparon según lo ordenaba Sánchez y partieron en tres botes hasta un punto que distaba de allí dos leguas, unos once kilómetros, en el cual confluían algo así como cien caminos que salían de la selva. Sendas de cauchero que conducen al indígena hasta donde está la siringa.

Como el bosque tropical es heterogéneo, el caucho no crece en una zona determinada sino que es necesario avanzar un trecho y localizar una comunidad más o menos reducida de árboles. Mil, mil quinuientos metros más adelante, se aglomera otra. A los ochocientos, otra. Cuando el indígena llega al final del camino, no regresa. Avanza y explora, va marcando la ruta con retoños y ramas quebradas hasta hallar nuevas agrupaciones de plantas de la misma especie y cuando cree que los nuevos frentes de trabajo son suficientes, regresa a donde comenzó.

Antes de partir, el cauchero asigna tres caminos por trabajador y en ellos se empieza a rayar el tronco, haciendo que las incisiones converjan en la parte inferior y allí fijan con una espina un embudo armado con hojas de plantas, que llaman tiyelina, en el cual recogen el látex. Una vez rayado, las heridas del árbol empiezan a llorar y la savia baja, gota a gota. Labor lenta y de paciencia. Terminado un palo, se hace lo mismo en el siguiente y en el siguiente.

Cada día el indígena se interna por un camino, revisa permanentemente sus árboles y cuando las tiyelinas están llenas, vierte el contenido dentro de un saco llamado tula que no es más que una bolsa de tela o de fique a la cual se le ha embadurnado previamente caucho virgen para hacerla impermeable

En el tiempo libre, el trabajador debe tumbar selva y preparar la tierra para sembrar yuca, plátano, ají picante, y mariscar, o sea irse de caza y pescar para su propio consumo, puesto que el cauchero solamente les lleva una que otra comida enlatada, dulces, sal o galletas a precio de caviar, porque el resto lo debe producir la misma tierra.

"Y ropa, ¿para qué utilizar? Uno vivía en pantaloneta y descalzo. Uno sale corriendo descalzo y no pasa nada. Como si tuviera zapatos. El pie se pone duro como una suela. En cambio ahora no puedo salir corriendo, porque me acostumbré a los zapatos. Se me ablandaron los pies".

Avanza el fábrico. Transcurren las semanas y el indígena va llenando sus tulas, hace bultos de a cincuenta kilos, se va cargando al hombro uno por uno y deshace su camino hasta llegar al sitio por donde entró.

"Teníamos que recorrer el varador que va del Gavilán al río Itilla que tiene ocho kilómetros: siete horas cargados. Y devuélvase otras tres horas, descargados... Nosotros salíamos a las seis de la mañana con un bulto y llegábamos al Itilla a la una de la tarde. Dejábamos el bulto, regresábamos y cuando llegábamos allá eran las cuatro de la tarde. De una vez a bañarnos, a comer y a dormir. Y al otro día, lo mismo. Yo saqué ocho bultos y llegó un Catalina, acuatizó en el Apaporis y se llevó el resto", dice Tomás.

El primer fábrico duró ocho meses de sudor, hambre y soledad en la selva y a la hora del pago Sánchez ya olfateaba que Tomás y sus compañeros conocían algo de letras, algo de números o que, por lo menos, no eran bobos, porque durante la temporada no le pidieron pilas, ni radios, ni sardinas enlatadas, ni espejos, ni peinillas. Sospechoso. Sospechoso y malo como negocio, porque, indio que no se endeuda... ¡Carajo!

Luego de sumas, restas y alguna multiplicación, Sánchez debió aceptar que le debía seiscientos siete pesos a Tomás... Pero, hombre, qué mala suerte: al desembolsillar, le faltó el saldo. No hay dinero menudo. Y en esta selva... Le tumbó los siete pesos.

"Y me debió tumbar más porque, a pesar de todo, uno estaba joven y no manejaba bien esa relación entre trabajo y dinero y dinero y kilo. En fin..."

Pensando en salir por segunda vez a la ciudad y probar suerte, "porque yo no estaba derrotado", Tomás decidió quedarse otro año. Tenía que producir más en el segundo fábrico y ahorrar otros pesos. Desde luego, le fue mejor esta vez: veinte bultos en ocho meses. Casi dos mil pesos en dos años.

"Cuando recuerdo estas cosas", dice hoy, "pienso que uno debería dejar trabajar y sufrir un poco a los muchachos para que valoren las cosas. Los jóvenes hoy cuentan con todo. No tienen idea de lo que es sacrificarse, no se imaginan cómo es la cosa en una selva, en un campo. Si la gente supiera lo que cuesta llegar a un destino, amaría más la vida".

Nuevamente en Mitú fue reclutado por las Fuerzas Armadas para que prestara su servicio militar obligatorio en la Base Aérea de Madrid, cerca de Bogotá y luego de un entrenamiento inicial fue trasladado a otra base, la de Apiay en Villavicencio, pero en todo este periodo su contacto con los aviones era cuando, como soldado, debía barrer y asear los hangares.

En cambio fue escogido como alfabetizador de los mestizos que no sabían leer ni escribir:

"Eran muchos los analfabetas y yo les dictaba matemáticas, español, clases de religión y por lo que había aprendido en el internado hacía también de acólito en la capilla de la base".

Candy dice que si hoy le preguntan a Tomás qué le dejó el servicio militar, él tiene muy presente la manera como el blanco enseña violencia. Con mal trato, con castigos físicos, con humillación. "Él esperó que la vida militar lo enriqueciera, pero no, porque allí vio que los preparan para la agresión. Por eso hoy no tiene un recuerdo grato de esa parte de su vida. Es que, mire una cosa: Tomás no nació para mandar con fuerza sino con inteligencia. Él cuenta, por ejemplo, que allá oyó las primeras groserías de su vida y nos explica que en el pueblo, en el internado, en la selva donde es tan duro el trabajo, no se decían groserías. Que en la cauchería no se escuchaban insultos de los indios, porque allá los indígenas se trataban con cariño y con respeto, que fue lo que les enseñaron desde niños.

"Y, segunda cosa que aprendió allá: que los blancos no eran superiores a los indios, porque él era quien los sacaba del analfabetismo".

Dos años más tarde Tomás dejó el casco y el fusil y buscó al capitán Álvaro Henao, dueño de La Urraca, a quien había conocido desde cuando era niño aterrizando en Mitú y le pidió que le ayudara para comprar un pasaje y regresar a su pueblo, pero Henao le dijo que prefería ofrecerle trabajo.

Lo acomodaron en un avión que salía para Monterrey, en los Llanos, donde tuvo que descargar tres toneladas de alambre de púas y esa tarde dijo una vez más para sus adentros:

"Yo tengo que estudiar".

Estudiar, ¿dónde? ¿Con qué dinero? Era necesario trazar otra etapa y quemar años. Aceptó quedarse como cuadrillero en La Urraca. Ganaba apenas para comer, pero sintió que avanzaba porque ya manejaba la ciudad y dominaba el idioma y varios meses después, un martes al medio día, se le acercó Lascario Arcón y le preguntó si quería trabajar como ayudante de mecánica.

Ese era un camino y la oportunidad que estaba esperando y aunque no sabía qué era un tornillo, le dijo que sí. Si había llegado a aprender lo que enseñaban los libros, porque leía lo poco que caía en sus manos, cómo no iba a poder reconocer unas piezas de hierro que no significaban nada. Sí.

¿Qué hay que hacer? Le entregaron un balde con gasolina y le dijeron que limpiara la grasa a unas piezas. ¿Qué son? Cilindros. ¿De qué avión? De ese B-18.

Al día siguiente el cubo estaba acompañado de un cepillo, un trapo y una escoba. Se trataba de asear la cabina de otro avión. Al día siguiente más gasolina y después escoba y jabón, pero entonces fue preguntando cómo se llamaba cada sección y pronto aprendió qué era el anidamiento de las aletas y terminó hablando del empenaje y de los timones de profundidad y del borde de ataque de los planos. Preguntaba mucho y escuchaba el doble. Y al finalizar la semana siguiente, ya no sólo desengrasaba partes sino que le entregaron un juego de llaves para desarmar algo y como no se limitaba a hacer solamente lo que le ordenaban, se esforzó por reconocer una a una las herramientas, según sus dimensiones y su aplicación: una llave corriente de un cuarto, una de siete dieciseisavos, una llave de boca, una de uña, una para tuerca de cúpula de tantos milímetros... ésta es para válvula distribuidora y esa otra, para tuerca retenedora de la hélice.

Al poco tiempo, Lascario no tenía que pedirle una herramienta porque él estaba a su lado y antes de que abriera la boca, ya se la estaba alcanzando y a la vuelta de algunos meses era capaz de cambiar magnetos, bombas hidráulicas.

Era una época en la cual, para evitar que sus ayudantes aprendieran demasiado, los mecánicos se cubrían con una tela en el momento de realizar alguna operación de cuidado, así la temperatura fuera achicharrante. Pero como Tomás tenía los ojos en el cerebro, se dedicaba por las noches a estudiar los manuales y los boletines expedidos por el fabricante del avión.

"Dormía pocas horas porque lo que tenía que hacer era aprender de aviones y cada vez buscaba, allá mismo, más libros y más folletos. Casi todo lo de los B-18 y los DC-3 llegaba en español. Me lo leía todo y lo memorizaba todo. Al día siguiente miraba en el taller y entonces encontraba fácilmente qué era cada cosa, cómo trabajaban las piezas y la forma como unas alimentaban a las otras. Así, hasta que le descubrí el secreto a casi todo. El asunto es preguntar siempre: ¿Por qué? Como hacen los niños. Y si no le responden, uno busca en los libros.

"Todavía no tenía ni siquiera una cama. Vivía en los hangares. Unas veces dormía en hamaca y otras sobre bultos de mercancía y tomaba la alimentación allá, al otro lado de la pista, donde están esos árboles. ¿Los ve? Donde Anita.

A los dos años era el mejor, "porque tenía una capacidad de concentración sorprendente y una memoria y una inteligencia que, le cuento, se ve en muy pocos operarios. Y aquí uno trata con gente inteligente, así usted los vea untados de grasa, ¿oiga? Pero además, Tomasito siempre ha sido un señor", dice Óscar Arenas, el mecánico de estructuras más importante que se conoce en este medio.

Se necesitaba un entelador especializado porque cuando era necesario realizar esta clase de reparaciones, las empresas debían traer un especialista de Bogotá y un día Álvaro Henao les pidió candidatos a sus mecánicos:

"Todos estuvieron de acuerdo con que fuera Tomasito, porque era el tigre para las cosas de riesgo y de cuidado" dice Darío Herrera

Y Tomás recuerda que "Una mañana me llamaron. Que me tenía que poner al lado de un técnico que llegaba de Bogotá, porque ése era su último viaje y que de ahí en adelante yo debía seguir entelando. Eso me gustaba. El hombre me dio entrenamiento. Yo aprendí rápido y empecé a hacer ese trabajo con mucho cuidado porque si, por ejemplo, se entela mal alguna superficie, durante el vuelo se acumula aire, se forman bolsas y puede caerse el avión. Es un trabajo delicado. La lona se pega a cierta temperatura, pero no debe estar ni muy húmeda, ni muy seca. Se le dan luego entre catorce y veinte manos de un esmalte llamado dope: una para un lado y otra para el otro, en trama y al final usted consigue una consistencia como la del aluminio. El Dope es muy inflamable".

El capitán Jimeno González, que entonces era directivo de La Urraca, parece emocionarse cuando le pregunto por aquella época y antes de que termine, irrumpe para decir que Tomás fue un éxito en todos los campos de la mecánica, gracias a su deseo de superación. "Es que los indígenas tienen una enorme capacidad, no sólo de aprender rápido y bien, sino de mejorar las cosas. Al fin y al cabo son orientales. Entelar es un arte. Una superficie mal entelada es más peligrosa de lo que uno pueda pensar. Y Tomás, no sólo lo logró sino que se volvió el número uno, porque a él siempre le ha gustado buscar la excelencia. En todo".

Tú excelente, tú el mejor. Pero, ¿el dinero? El dinero no se veía por ningún lado y aunque la fama corría de taller en taller y de compañía en compañía, "el número uno" ganaba lo justo para pagar el alquiler de una pequeña pieza y el plato de comida diaria donde Anita.

A los tres años le ofrecieron trasladarlo a Bogotá porque La Urraca había traído aviones Vicker Viscount y eso le permitiría dar el salto, de motores a pistón, a turbohélice. Una nueva oportunidad. Aceptó. "En Bogotá el mundo era más grande".

Pero, si bien el progreso seguía golpeándole en el hombro, las nuevas condiciones de trabajo resultaban fatigantes porque debía trabajar en lo que ya sabía y al mismo tiempo realizar cursos intensivos sobre el nuevo sistema.

"Difícil el paso de un motor a otro. El turbohélice tiene mucha electrónica, mucha electricidad y mucha hidráulica. Pero a los tres meses, cuando ya conocía un poco la ciudad y manejaba las rutas de los buses y me movía por todos lados, mejor dicho: cuando la ciudad ya no me comía, un amigo al que yo le contaba mis planes me dijo que había un colegio, el Colombo Alemán, donde podía estudiar bachillerato nocturno y me fui para allá. El rector se llamaba, o se llama, el doctor Álvaro Casasbuenas y le conté que yo era de Mitú y que quería aprender y él me dijo: "Yo lo puedo ayudar". Me ayudó bastante ese señor.

"Ahí quedé estudiando a la vez, motores turbohélice, bachillerato y trabajando en mecánica de aviación. A los tres meses se acabó el curso de turbo y seguí como ayudante, pero con una calificación alta.

"Yo recuerdo que trabajaba y estudiaba a toda hora. Me preocupaba perder mi estudio. En el colegio no era el mejor alumno, pero tampoco uno de los malos. Vivía supremamente cansado, pero ganaba mis cursos, hasta que por fin terminé bachillerato. Seis años. Y lo que es el destino: de un momento a otro, se cayeron los Vickers: uno en Valledupar y otro en Bogotá. Dos tragedias seguidas. Muertos y escándalo en prensa y la compañía se volvió para Villavicencio.

"Al poco tiempo de regresar, Jimeno González, que tenía una escuela de aviación, el Aeroclub del Llano, me dijo: 'Tomás, ¿por qué no me entela los PA-18?' Eran tres avioncitos de instrucción totalmente de lona y le dije que lo iba a hacer en los ratos que me quedaban libres en Urraca. Terminé, fui a cobrar y él me contestó cosas que no entendí. Él estaba con Darío Herrera".

**Darío** —"Tomasito le cobró y Jimeno que es un tipo fino y leído, muy bogotano en sus ademanes y en su charla, le respondió así como habla él normalmente:

"—Ala, mi chino querido, se me cae la cara de vergüenza pero es que en este momento carezco de liquidez.

"—Que ¿qué?, le preguntó Tomasito bastante confundido porque en ese momento ya hablaba un buen español pero no entendía. Y Jimeno se la cambió a ver si se explicaba mejor:

"—Querido Tommy: que hoy me encuentro a un paso del púrpura en el banco... Pero, se me ocurre una idea chusquísima: ¿Quieres emprender un curso de piloto? ¿Quieres ser caballero del aire? El asiento izquierdo se hizo para tipos emprendedores como tú... En esa forma, caray, te puedo saldar la obligación contraída. Un canje. Hagamos un canje, chato querido".

**Tomás** —"Entendí lo del curso y le dije que sí. Curso de piloto era demasiado, porque con lo que yo ganaba y con lo que me debía Jimeno, apenas podría pagar unas pocas horitas de vuelo.

"Yo sabía darle encendido a un avión, moverlo por la plataforma, sabía qué era una estructura, cómo era un motor por dentro y por fuera, un tren de aterrizaje armado y desarmado, sabía cómo se cargan para que queden bien balanceados antes de un decolaje, me sabía algo de los códigos de radio para entrar y salir de una pista: Nordo, no comunicación y no recepción. Q-A-K, lo que viene en contra. Q-A-I, en el mismo sentido. Q-S-A, cómo me escuchan. Q-T-H, déme su posición. Pero ¿curso? Yo estaba pobre y eso costaba mucho. ¡Ah!, le dije que sí. ¿Cómo lo iba a pagar? Quién sabe, pero que sí. Que estaba listo.

Tomás ingresó a la escuela de tierra un lunes luego de limpiarse la grasa de las manos y asearse lo mejor que pudo. A su lado emprendían el mismo camino otros diecinueve jóvenes y la introducción consistió en conocer el aparato que iban a volar, sus instrumentos, velocidades, procedimientos de emergencia, algo sobre nubes, tempestades, vientos y luego las primeras seis horas de vuelo con un instructor a su lado, pero se acabó el dinero cuando empezaba a familiarizarse con el avión, a tratar de dominarlo en el aire, a hacer virajes a nivel, a mantenerlo nivelado, a realizar un ascenso sin desviarse de rumbo.

Si antes había trabajado incansablemente, ahora él piensa que en esta época duplicó su esfuerzo para conseguir peso por peso, desayunando y no cenando, o lo contrario. Cuando tuvo algo más, regresó al aire.

Esta vez lo llevaron a la pista a intentar despegues y aterrizajes en serie. Se llaman 'aterrrizajes corridos, haciendo tráfico permanente con el aeródromo', es decir, dando una vuelta y regresando.

Ya dominaba el avión y controlaba la pista, tanto en despegue como en aterrizaje, pero fue necesario otro receso largo. Tomás no tenía con qué pagar las horas de vuelo siguientes.

Más trabajo, más ansiedad. Ahorre. Pero ahorre hasta el último centavo. Ahora no desayunaba. Al medio día se alejaba de las cafeterías para no sentir el olor de los alimentos. A la media noche o a la madrugada, cuando abandonaba los talleres y las tripas no daban espera, se comía un pedazo de carne, algo caliente y se iba a dormir. Así, un día y otro. Y otro.

Regresó al aire y en más de una ocasión pareció perder el equilibrio de su propio cuerpo, porque le faltaban fuerzas "precisamente cuando necesitaba mayor concentración que nunca, porque el instructor se esforzaba por crear situaciones artificiales de emergencia para ver cómo reaccionaba yo: me acuerdo que iba concentrado en algo y mientras tanto él apagaba el motor del avión, o le reducía la potencia al mínimo. Yo tenía que identificar la falla inmediatamente: ¿gasolina? ¿Sistema eléctrico?"

Pero así, con su debilidad física y la humillación sistemática a que lo sometía el instructor, Tomás superó uno a uno los obstáculos. A pesar de Ortiz y del agobio económico.

Algunos de sus compañeros dicen que en esta fase su temperamento y su capacidad de respuesta comprobaron la serenidad que lo acompañaba en los momentos de emergencia. Tenía nervio de piloto.

**Jimeno** —En ese momento, en Colombia el piloto era, de verdad, el caballero del aire. Cuando los escogían, debían tener una estatura determinada y una posición social importante. Desde luego, debía tener la piel clara y jugar golf, si era posible. Y cuando supieron esto, los pilotos se rasgaron las vestiduras. Lo de Tomás conllevó que nos mandaran cartas violentas. Recuerdo una en la que un comandante de alcurnia, me decía: 'Vamos a mandarle a un carnicero para que le enseñe a volar. ¿Cómo se le ocurre meter en su escuela a un indio?' La aviación del momento se vio mancillada porque Tomás Caicedo era alumno de nuestra escuela.

"Por esos días vino a Villavicencio el profesor Reichel Dolmatoff, uno de los más grandes antropólogos de Colombia y le hablamos de Tomás. Recuerdo que el profesor escuchó aquello y me dijo: 'Hombre, ustedes le van a hacer un mal a ese joven, porque están desarraigándolo de un medio sano, sin los problemas que tiene la sociedad.

Pero él nunca se va a poder integrar del todo. Él no va a ser asimilado, porque no se lo van a permitir'. Y realmente, por lo menos el comienzo de su carrera fue muy duro".

El primer vuelo que efectúa un estudiante solo es un acontecimiento inolvidable y un domingo, después de unos minutos en el aire, sorpresivamente el instructor aterrizó, se bajó del pequeño avión y le dijo:

—Bueno. Este vuelito sí es suyo. Ahí verá si se caga en el avión. Usted vale mierda, pero el avioncito no se lo vaya a tirar.

Y lo dejó en la plataforma con el motor prendido. En ese momento se paralizó Vanguardia, porque la gente se asomó a ver la manera como iba a "soliar" Tomás en el Dos Tres Dos, uno de los P-18, señalado con la letra I de instrucción, pero que en el lenguaje de la aviación se identifica como "India".

"Fue una sorpresa. Así se acostumbra, pero en ese momento me temblaban las piernas", dice Tomás.

Candy, su esposa, escribió un par de líneas recordando ese momento:

"El domingo 20 de septiembre de 1970, efectuó tres tráficos a las diez de la mañana. Realmente todo el aeropuerto se paralizó ante ese bello espectáculo que brindó Tomás. Allí desde los emboladores, aseadoras, marineros, navegantes, gerentes, secretarias, pilotos veteranos estuvieron a la expectativa, junto con la emisora Voz del Llano y los corresponsales de los principales periódicos del país que trabajan en Villavicencio. Alguien entre la multitud, dijo: "¿Ese no era el indígena que lavaba tornillos?"

Tomás cerró la puerta del avión, respiró profundamente un par de veces y pensó en las aguas del río Papurí que cuando era niño le comunicaban una enorme tranquilidad a pesar de sus cachiveras, se ubicó por unos segundos al pie de una trampa de pescar y capturó la espuma del raudal. Cosa de milésimas de segundo. Luego accionó la radio:

—Vanguardia, listo para solear el HK Dos Tres Dos, India. Solicito autorizacion para ir a punto de espera.

—Autorizado a punto de espera. Q-M-H de treinta y treinta y nueve —ajuste de la presión atmosférica—, pendiente. Hay un DC-3 en final —a punto de aterrizar—. Posterior al avión en final, ingrese a cabecera y mantenga, le respondieron.

Miró su lista de chequeo para despegar, revisó uno a uno los sistemas del avión, vio que el DC-3 tocaba pista y escuchó la voz gangosa de la torre de control:

—HK Dos Tres Dos, India. Autorizado a despegar. Viento de los noventa grados con seis nudos—. Un viento cruzado pero suave, ingresando por el lado derecho que para él era barlovento.

Puso toda la potencia del motor y cuando empezó a rodar, concentró su alma en la pista y en el horizonte natural que formaban al fondo la llanura y un cielo limpio y unos metros adelante clavó los ojos en el tablero y esperó a que éste le indicara la velocidad apropiada para llevar el avión al aire.

"V-2", cantó mentalmente cuando una aguja le indicó los nudos requeridos y haló suavemente la cabrilla. El PA-

18 levantó la nariz y el vidrio delantero fue copado por el azul del cielo y la circunferencia gris que trazaba la hélice en su rotación. Uno, dos, tres, varios segundos. Una vez en el aire logró un vuelo perfecto sobre el final de la pista y lo alargó hasta cuando estuvo seguro de hallarse arriba. Fue su primera gran sensación de capacidad, su primera dicha, pero a la vez otro desafío porque, auncuando haría miles de decolajes posteriores, en éste sentía que no había marcha atrás y que en unos minutos tendría que caer nuevamente. Era el clímax del reto: ("Usted vale m...")

En pocos segundos dejó atrás la pista e inició un primer viraje de noventa grados y quince de banqueo —inclinación— para ubicarse a favor del viento, pero guiándose por el horizonte natural: Llano y cielo. Experimentó entonces una tranquilidad casi total: "Ya es mío. Soy piloto", pensó y efectuó su primera llamada desde el aire:

—Okey, el HK Dos Tres Dos, India. Inicio tramo a favor del viento.

—Perfecto, Dos Tres Dos, India. Notifique tramo básico —es decir, cuando esté de frente a la cabecera de la pista por la cual inició el decolaje.

En ese momento sintió que se sobrecogía una vez más, porque debía encarar otra de las situaciones difíciles de su nueva vida. La segunda sensación más fuerte que el decolaje: el primer aterrizaje.

Como es normal, hasta ese momento había trazado el recorrido alejándose del aeródromo y por tanto trató de hacer el tramo final lo más largo posible, mientras se acomodaba, mientras veía bien la pista y medía el sitio para colocar las ruedas. Calculó la altitud a la cual se encontraba, sintiendo que sus pies no eran sus pies sino las ruedas

*Tomás Caicedo recibe de manos de*
*María Victoria de González las alas de piloto privado.*
(Foto álbum Jimeno González)

del avión. Pero las nalgas eran de piedra ("Se aterriza con las nalgas", dicen algunos pilotos) y trató de aflojarse. Pensó nuevamente en la suavidad del agua y se comunicó con la torre:

—Perfecto, HK Dos Tres Dos, India. Estoy en tramo base.

—Bien. Llame a final corta —cuando esté muy cerca—. Se ubicó mejor y volvió a comunicarse cuando estuvo sobre los silos de Almaviva, un punto de referencia en el aeropuerto de Villavicencio:

—Dos Tres Dos, India. En el momento me encuentro en final corta.

—Capitán del Dos Tres Dos, India —por primera vez en su vida le decían capitán. Olinto Rueda, el controlador, le hizo el homenaje—. Está autorizado para aterrizar por la pista Cero Cuatro. Viento de los noventa grados con seis nudos. Precaución: DC-3 abandonando activa. (Trataba de plantearle algún problema para exigirlo. En este caso anunciaba que un avión grande se hallaba saliendo apenas de la pista principal, luego de aterrizar adelante de él). Tomás aguardó unos segundos y volvió a comunicarse:

—Perfecto, el Dos Tres Dos, India. Estamos autorizados para aterrizar, cero-cuatro, de los noventa con seis nudos. A la vista y controlado el DC-3.

Descendió, puso las ruedas sobre la pista y lo dejó que se deslizara, pero cuando redujo la velocidad volvió a ponerle potencia al motor e inició un nuevo decolaje. Volvía a ser dueño del aire y repitió la operación anterior, pero hizo ese segundo "tráfico" más cercano a la pista y tuvo una sensación de veteranía, de experiencia. Ahora estaba plenamente tranquilo porque tenía percepción del dominio y lo llenaba una alegría inmensa. Podía volar.

Luego del tercer viraje, se perfiló para aterrizar más corto: mayor confianza. Esta vez debía detener el avión y abandonar la pista.

—Perfecto, HK Dos Tres Dos, India. Abandone activa por Eco —una de las llaves de salida de la pista principal que conducen a la pista paralela— y siga a plataforma de la escuela.

Allí se había formado un enorme corrillo de alumnos, pilotos profesionales, mecánicos, ayudantes y despachadores esperándolo y tan pronto como apagó las luces y los radios colocó mezcla atrás, cortó magnetos y "master fuera", abrió la puerta del avión: abrazos, baño de aceite, golpes en las nalgas con una tabla, cortes de pelo.

"¿Champaña? Ay Dios. Lo que nos tomamos después fueron unas cervecitas en la tienda de Anita, pero por cuenta de ellos. Yo no pagué nada. ¿Con qué plata?", dice Tomás.

Dos meses después regresaron a la selva Raúl y el resto de los buzos con los mismos equipos de la primera vez y Adison Zúñiga reemplazó al pastuso Arteaga, pero esta vez en lugar de neumáticos para llanta de tractor iban tres colchones de caucho, cuadrados, de cuatro metros por lado cada uno, que el capitán Bordé consiguió prestados en la Armada Nacional y cincuenta botellas de aire comprimido —más del doble que antes— y en Mitú se les unieron dos mecánicos de aviación, cuyos nombres nunca recordaron Raúl ni Giovanni y otro pontífice de nombre Benedicto, indígena que trabajó muchos años como cuadrillero, mecánico y a la vez copiloto en aviones DC-3.

Los buzos volvieron a recibir botellita de aceite, kilito de arroz, panecito y latitas con salchichas, pero eso ahora carecía de importancia porque sus estómagos habían adquirido la dimensión de la carne muquiada de caimán y las rodajas de culebra, apanadas con fariña.

En el "sitio de maniobras" lo primero que hicieron fue tratar de convencer al jefe de los mecánicos para que bajara hasta el avión en compañía de Raúl y le indicara cómo se desaseguraban las sillas. "Pero" —dice Raúl— "por más que le prometí que yo lo cuidaba y que no le iba a suceder nada, el hombre se ranchó y que no y que no y que yo no sé respirar allá abajo. Lo que sucedía era que nadaba más una nevera que ese gordo y entonces empecé a trabajarle la moral al ayudante —un muchacho más joven— y ése sí me dio los pulmones a torcer".

Tan pronto como dijo "sí", los buzos pegaron un brinco, lo desnudaron, le clavaron un traje de goma y lo acabaron de disfrazar con aletas, capucha, su cuerda de seguridad, su cuchillo, su tanque con aire comprimido, cinturón con lastre ("caminaba tieso como un robot, apretando el pompis, como dice Amparo Grisales, y estirando las piernas"), le acomodaron su respectiva piedra entre los brazos y, "los que zambullen, hermano".

Ya en el fondo, penetraron en el avión y tal como le había indicado en la balsa, el ayudante agarró la mano de Raúl y con ella recorrió los rieles que se hallan debajo de las sillas y luego le puso los dedos sobre cada uno de los tornillos que era necesario zafar para desasegurar cada silla.

Terminada la faena, el buzo subió al muchacho, volvió a bajar y comenzó la nueva fase de la operación.

Una vez libre cada silla, la sacaban a la puerta del avión, era atada a una cuerda sumergida con ese fin y de arriba izaban. Los indígenas la trepaban al Zodiac y pasaba a la orilla del río.

Trabajaban desde las ocho de la mañana hasta las cuatro de la tarde todos los días, porque, además, no sabían cuándo era sábado ni cuándo domingo. Y aunque lo supieran, en la selva una hora de ocio es una eternidad durante la cual la cabeza trabaja y la lejanía se hace más lejana. ("Para nosotros, todos los días eran lunes").

Después de las sillas removieron partes pesadas que trabajaban como lastre dentro de la nave. Los mecánicos les iban explicando sobre un plano y los buzos bajaban, las desaseguraban y se las enviaban, "vía cable". Primero las cuatro baterías, grandes y pesadas. Las cubiertas de los motores que se desaseguran fácilmente con un destornillador, otras latas, las sillas de los pilotos...

Cuando el vientre del avión quedó despejado, comenzaron a trabajar con los colchones neumáticos que eran pesadísimos. Para moverlos hasta el Zodiac fue necesario emplear cuatro personas por viaje. Raúl calcula que cada uno tenía alrededor de setenta kilos.

Al día siguiente llevaron el primero y una vez en el sitio, calculando la vertical de la puerta, lo dejaron caer en el río. Un buzo bajó con él. Luego zambulló otro y entre los dos lo metieron dentro del avión y lo colocaron adelante, pegado a la cabina de mando. Solamente situando ése, emplearon dos días.

Después, lógicamente acomodaron el segundo en el centro —ya en menos tiempo porque aprovecharon la práctica— y el tercero atrás. Una vez en sus sitios, venga: a inflar. Tome botellas de aire comprimido, acóplelas a una manguera y ésta a los miples de los colchones, listo.

"¿Listo? Qué carajo. Los tales colchones tenían agujeros. Estaban pinchados. Imagínese el trabajo tan jijuepucha que suponía desinflarlos, sacarlos, subirlos, buscar los huecos y repararlos. Y otra vez bájelos, métalos, ínflelos. Ahí se nos fueron varios días.

"Por fortuna nos habíamos llevado unas prensitas pequeñas, de atornillar, en las que se colocaban unos bloques de goma llamados 'cincominutos'. A esos se les aplicaba un fósforo y empezaban a quemar. Y cuando habían quemado totalmente, aparecían pegados al caucho. Un parche".

Volvieron a bajar los colchones y a acomodarlos con paciencia dentro del avión, pero esta vez emplearon apenas cinco días en la faena.

Con los colchones en sus sitios acoplaban el extremo de una manguera larga al miple, subían el extremo contrario hasta la balsa y allí lo empataban a su respectiva botella de aire y esperaban más o menos una hora, mientras cada bolsa adquiría la presión requerida.

Pero en medio de todo este trajín el avión empezó a subir, empezó a desplazarse hacia la superficie y así como iba subiendo, indígenas y buzos recogían simultáneamente la manila a través de una polea diferencial que trajo Giovanni en este segundo viaje y lo colgaban de la torre construida con palos de acapú.

Lo primero que salió a la superficie fue un ala. Estaba ladeado y era necesario nivelarlo. ¿Con qué? Pues con parte de los cincuenta neumáticos que aún permanecían entre el vientre del avión. Sumérjase, acábelos de desinflar, recupérelos, llévelos y colóquelos debajo del ala que permanece bajo el agua, ínflelos nuevamente... El avión empezó a nivelarse.

"Mientras tanto le dijimos a Clemente Quinto y su combo que consiguieran más palmas de las que flotan y se fueron en carrera de marrano para esa selva y traiga palmas y traiga palmas y nosotros coloque y nivele, coloque y nivele.

"Cuando se puso horizontal, le metimos por debajo palmas, quitábamos unos neumáticos de un lado y se los colocábamos al otro, reforzábamos adelante o reforzábamos atrás, hasta que logramos sacarlo del agua como unos veinte centímetros arriba de su línea de flotación. Ahí nos paramos encima de las alas y el capitán Bordé que había subido en esos días hasta Tatú, dijo, 'Este jijuepucha ya no se va a llamar más DC-3, o Siete Siete Dos, sino Moisés salvado de las aguas".

Como ya no eran necesarios los colchones neumáticos, gastaron otros tres días desinflándolos, doblándolos y sacándolos a la superficie del río.

Benedicto recuerda que en ese momento desocuparon los tanques de gasolina y el avión se hundió un poco. Estaban descubriendo que el combustible etílico flota por ser más liviano que el agua y tuvieron que reforzar la estructura con buchés y troncos de pachúa y gracias a la fuerza que ejercía la polea, volvieron a colocarlo sobre la superficie del río.

Luego empezaron a lavar al Moisés por dentro, a retirar el sedimento acumulado en el piso y a desprender de su cuerpo y de la osamenta una capa espesa de lama y millones de caracoles, babosas grandes como sanguijuelas, lombrices, animalitos del barro, hojas de los árboles en vía de putrefacción adheridas a la piel de aluminio y sobre cada rincón y cada doblez de su estructura.

Esa tarde, dos de los buzos colgaron sus hamacas allí y empezaron a dormir dentro del avión, previendo cualquier desajuste de la manila o de la torre. Olía a barro, a humedad vieja, a herrumbre.

Unas horas después emprendieron lo más complicado, que era concebir una gran balsa debajo de la barriga del avión para ponerlo a flotar por sus propios medios. La idea era armar primero un cuadrilátero con tallos de pachúa, una leña resistente pero liviana, y asegurarlo por sus esquinas, tal como hicieron con la balsa que utilizaban de plataforma y luego ir tupiéndolo con varas livianas.

Los indígenas se internaron en la selva y dos días después tenían al lado del Moisés los primeros materiales, gracias a los cuales colocaron cuatro palos a lo largo: dos pegados al cuerpo, por cada lado y amarrados al avión, y otros dos afuera, a la altura de las puntas de las alas, asegurados a ellas.

En los extremos de aquéllos —adelante y atrás—, atravesaron cuatro y los amarraron al mismo avión con manilas de media pulgada: dos debajo de la trompa y dos debajo de la cola y luego sí unieron los extremos de todo el maderamen y dejaron lista la base. Otros dos días de trabajo.

Listo el marco, fueron colocando las varas más livianas en el cuadro del centro —el que iba del tabaco a la mitad del ala— y luego en el marco que se extendía del centro a la punta del ala. En el costado opuesto realizaron la misma operación. Las varas estaban tramadas a manera de reja, prácticamente tejidas unas con otras y aseguradas con cuerdas, cortezas y bejucos de yaré.

Una semana haciendo aquella balsa, pero aún no habían terminado: un momento. Faltaba asegurar la flotación con canecas.

Giovanni había ubicado en Tío Barbas —una pista arriba del raudal de Yuruparí— algo más de setenta canecas desocupadas de cincuenta y cinco galones cada una y los indios las bajaron flotando por el río antes de que los buzos arribaran por segunda vez y en ese momento se hallaban disponibles.

"Comenzamos a colocar canecas debajo de la balsa. Eso
fue un tropel el verraco porque, primero le metimos palmas, comenzando de adentro hacia afuera. Mejor dicho:
primero colocábamos las palmas a lo largo de las varas
fuertes —de adelante hacia atrás— pero comenzando por
el tabaco del avión. Y cuando eso estuvo listo, encajamos
las canecas debajo de las varas que corrían por fuera, a la
altura de las puntas de las alas. Y, listo. Avión a flote sobre
una balsa segura. Eso se lo digo ahora muy fácil, pero vaya
a ver el trabajo que nos dio hundir cada caneca, correrla,
acomodarla. Fue muy difícil, muy complicado por la fuerza del agua presionando para no dejar colocar las canecas.
Nos gastamos cuatro días.

"Y luego nos gastamos otros ocho días esperando a que
llegaran un par de botes con motores cuarenta y buena
gasolina y tal, y cuando Clemente Quinto dijo "Rumbando
dos motores río arriba" empezamos a ordenar nuestros
equipos, a recogerlo todo y a alistarnos a bajar por el río
con el avión navegando como si fuera una embarcación.

"Después de cargar y despedirnos de las señoras y de
algunos niños —porque los hombres dijeron que iban a
acompañarnos— fuimos hasta el avión, que se hallaba con
el pico hacia arriba y ladeado, apuntándole a la maloca y
le amarramos dos cables largos en los extremos delanteros
de la balsa que lo sostenía, para amarrarlo a la orilla del río
en cualquier momento. Esos cables, bien adujados, bien
enrollados y ordenados, los colocamos sobre la misma balsa, porque le habían quedado espacios grandes en los costados".

Lista la empresa, desataron la torre cortando las ataduras en la parte superior y los postes se fueron inclinando hasta sumergirse del todo.

En ese momento el avión comenzó a moverse lentamente. Salió de medio lado, pero las lanchas le colocaron la proa sobre el costado y lo empujaron con suavidad hasta enderezarlo, de manera que la trompa quedó hacia abajo, en el sentido de la corriente y partieron.

"Los indígenas estaban felices y nosotros tristes, porque la experiencia de vivir con ellos, una gente tan respetuosa, tan amable, tan dispuesta a servir sin ningún interés, nos había hecho que les agarráramos respeto y cariño. Las mujeres se quedaron en la orilla diciendo adiós y los hombres y unos niños se vinieron nadando y se subieron en la balsa".

La embarcación funcionaba bien a pesar del aguacero que cubría la selva y al ver tanta gente entre el avión, Giovanni protestó.

"Sacó una escopeta", dice Benedicto, "y nos encañonó y dijo que nos saliéramos de allí. Como yo era el que comandaba, le dije a mi gente: 'Vámonos de aquí. Ese avión es de él, pues que lo lleve'. Nos bajamos, agarramos lancha y nos fuimos hasta una maloca donde había una buena chicha y nos pusimos a beber. Ya por la tarde apareció el avión allá lejos y el capitán Bordé nos rogaba para que volviéramos. No quisimos. Seguimos tomando chicha, tocando carrizo y él tratando de convencernos, hasta que al fin le acepté, nos subimos a la balsa y seguimos".

Durante la navegación era necesario que el avión tomara el centro del río y para lograrlo, las lanchas iban escoltándolo y haciendo que mantuviera su posición sobre la corriente.

Navegaron todo el resto del día y cuando comenzó a atardecer, colgaron sus hamacas dentro del Moisés y establecieron turnos para dormir e ir relevándose —tanto buzos como lancheros— con el fin de gobernar la navegación.

Ese día cenaron con pescado ahumado que les habían preparado los indígenas para el viaje y con el agua de beber que colocaron en la balsa hicieron jugo de lulo y lo complementaron con sorbos de chicha de chontaduro. Así los cogió el atardecer.

Avanzaban despacio. Durante toda la noche las lanchas trabajaron encauzando el avión por el centro. Amaneció y transcurrieron ese día y seis más en la misma labor. Un martes a media mañana se adelantó una de las lanchas. Cuando regresó, dijo que se hallaban a media legua de la cachivera de Mandí.

Se trataba de seguir deslizándose kilómetro y medio y luego buscar la banda izquierda del río e ir recostándolo los últimos quinientos metros sobre la orilla, para finalmente dejarlo amarrado frente a la casa de Simón Pedro, el indígena del bote a motor.

Allí debía permanecer tal vez semanas, o meses, mientras comenzaba la temporada de lluvias mayores y el río llegaba al punto más alto de la creciente, puesto que en los niveles que presentaba en aquel momento la cachivera no iba a permitir su paso.

Cuatro horas después divisaron el sitio y las lanchas fueron arrimando el avión con paciencia, hasta que lo colocaron con la trompa mirando para la orilla. Saltaron y con las manilas que estaban enrolladas sobre la balsa, lo ataron a dos árboles corpulentos que se levantan sobre el barranco y allí quedó flotando, tranquilo, como las aguas del río en ese lugar.

En Mitú, la ilusión de regresar a la ciudad duró poco porque Simón Pedro, que había quedado al cuidado del *Moisés*, venía pisándoles los talones con su bote.

—Mala noticia, capitán —dijo agitado—. Avión está hundiéndose.

—Hundiéndose... ¿Cómo?

—Un ala. La metió otra vez debajo del río.

No había alternativa diferente a regresar hasta Mandí, aún cortos de sueño y cansados como se encontraban en ese momento. Según los informes del indígena, la emergencia no ameritaba que regresaran todos y Raúl se ofreció para subir con Giovanni antes de que la situación empeorara. Retiraron un par de equipos, algunos tanques de aire y, con la noche encima, volvieron a embarcarse río arriba.

Era una noche de luna y el Vaupés ofrecía visibilidad total. Al poco tiempo Raúl se quedó dormido en el fondo del bote y despertó al amanecer, cuando Simón Pedro anunció que se hallaban a veinte minutos de la cachivera. Tenía hambre y aún se sentía fatigado. Giovanni abrió dos latas de sardinas y se las apuraron con fariña y unas cuantas manotadas de arroz frío.

Un cuarto de hora después el motor empezó a trabajar forzado a causa de la resistencia del río que se tornaba corrientoso y unos metros adelante, todavía más forzado, el bote empezó a cabecear y a ladearse hacia un costado y hacia el otro en medio de los rápidos de la cachivera, que por el caudal escaso que traía el río se había despertado enfurecida, reventando contra las rocas y haciendo borbollones de espuma que desaparecían más abajo, a medida que se los sorbían los remolinos.

El bote traqueaba y se bamboleaba como una cáscara y por fin, cuando salieron arriba, desembocaron en una recta larga y desde allá divisaron la silueta del avión. Sí señor: tenía el ala izquierda hundida, pero a primera vista se podía calcular que la solución estaba en reforzar con canecas y neumáticos inflados ese costado de la balsa.

—¿En cuánto tiempo calcula que hagamos ese trabajo?, pregunto Giovanni.

—Un día o menos, contestó Raúl.

Gastaron dos. Algunos neumáticos y seis canecas venían dentro del avión previendo ese tipo de emergencias y ya en el sitio comieron algo y cuando comenzó a salir el sol empezaron a reforzar —por debajo del agua— las amarras que se habían soltado.

Aseguradas, vino el resto del cuento, que consistía en fortalecer la balsa por debajo con canecas y neumáticos hasta cuando el avión empezó a subir y a alinearse con la superficie del río.

Esa tarde Raúl se acostó a descansar sobre una de las alas porque trabajaba bajo el agua media hora y reposaba una y Giovanni resolvió ponerse un equipo y bajó a tratar de asegurar algunos flotadores, pero cuando se dio cuenta, la cuerda de seguridad se había enrollado en los tanques y trató de moverse pero estaba atorado: ni para abajo, ni para arriba. Intentó desplazarse hacia uno de los costados, pero tampoco podía. Estaba aprisionado y el agua comenzaba a colarse por entre la careta. No podía gritar, golpeaba contra la superficie del avión sumergida pero sus golpes eran tan débiles que no producían ningún sonido.

"Yo había escuchado a los buzos durante mucho tiempo" —cuenta Giovanni— "y entre otras cosas decían que cuando uno se ve frente a un problema grave, lo primero que debe hacer es quitarse el equipo. Me acordé y lo hice y, claro, cayeron los tanques y logré desenredarme. Quedé con el equipo colgando pero con la careta colocada y llena de agua. Se trataba de respirar sin que se me colara el agua por las narices. No se cómo logré superar ese problema y después traté de buscar la salida y busque la salida y búsquela, hasta cuando vi una lucecita por el lado de las aletas. Me fui a subir allá y choqué contra un palo y por el otro lado, di contra las aletas y no pude salir a la superficie. Hice otro esfuerzo y me corrí hacia la punta del ala y cuando ya estaba llegando allá, sentí una mano que me agarró y me llevó arriba: Raúl observó que salían demasiadas burbujas de un solo sitio y ya iba a sumergir para ver qué me estaba sucediendo. Cuando llegué allá me sentía asfixiado, no podía pronunciar palabra. Como a los diez minutos logré hablar y le dije a Raúl, 'Se volverá a meter al agua quién sabe quién. Yo no bajo más".

Al atardecer faltaban cables y la mañana siguiente Simón Pedro trajo más bejucos de yaré y en ocho horas terminaron de reparar el desperfecto y el Moisés volvió a quedar a flote, nivelado y asegurado a tierra.

Comenzó la temporada de grandes lluvias. A los dos meses, las piedras desaparecieron de la supeficie del río Vaupés y día a día se veían más abajo, hasta cuando Simón Pedro calculó que estaban suficientemente profundas para cruzar por sobre ellas sin que se atoraran la balsa, las canecas y los neumáticos que la reforzaban y una mañana subió Giovanni y con la ayuda de varios indígenas del lugar y otros que habían subido desde Mitú al mando de Benedicto, le colocaron dos flotadores de Catalina en las puntas de las alas, soltaron amarras, empujaron con un bote el avión hasta el centro del río y lo dejaron en poder de la corriente.

El Moisés se deslizó lentamente, pero a medida que se acercaba a la cachivera tomaba mayor velocidad y más adelante cuando el oleaje empezó a acariciarle las barbas, se impulsó, enfrentó las piedras y empezó a traquear y a mecerse hacia los lados. Allí pensaron que la balsa iba a saltar en pedazos porque el avión se sacudió varias veces,

*El Moisés llegando a Mitú.*
*(Foto archivo familia Medina)*

rozó a un costado y luego al otro con las puntas de los planos y casi inmediatamente después se escurrió y desapareció bajo el agua, pero cuando todos pensaron que había regresado al fondo, emergió unos cien metros más abajo y lo vieron chapotear hasta alcanzar la superficie plana de las aguas. En ese punto volvió a estabilizarse y poco a poco retomó el son del río que, nuevamente, había recuperado su marcha tranquila. Una vez allí, revisaron la balsa:

"Los amarres hechos con alambre se rompieron y los que habíamos templado con bejucos de yaré, estaban intactos. Lo dejamos así y seguimos", dice Benedicto.

Hacia abajo los esperaban cuatro nuevas cachiveras, menos impetuosas y más cortas, por lo que su paso no debía ser tan tensionante como en Mandí. Navegaron día y noche bajo la lluvia y el sol que alumbraba entre aguacero y aguacero. Días de tres y cuatro chaparrones, durante los cuales la cortina de agua era tan espesa que no permitía ver más allá de dos metros en la sobrefaz del río. Y así una jornada y otra hasta completar quince, cuando empezaron a aparecer botes y potrillos que rodearon al Moisés y se bajaron escoltándolo con gritos y saludos a través de la última legua de navegación.

Medio kilómetro antes del embarcadero salvaron la cachivera de Mitú, que es la más benévola de todas y ya en aguas quietas lo fueron acercando a la orilla hasta colocarlo de frente contra la rampa que baja de la última calle del pueblo a las aguas del río.

En ese punto lo amarraron tal como lo habían hecho frente a la casa de Simón Pedro y como allí se encontraban dos mecánicos esperando por ellos, al día siguiente empezaron por quitarle las alas aún dentro del agua, puesto que el embarcadero es angosto. No fue una labor difícil ni dispendiosa pero sí lenta, al cabo de la cual los indígenas —que no perdían un solo paso de aquel acontecimiento— se las echaron sobre los hombros y primero una y luego la otra, las trasladaron a la pista de aterrizaje.

Después enderezaron el avión hasta dejarlo enfrentado a la rampa y como tenía las ruedas abajo, lo amarraron de los trenes de aterrizaje y empezó todo el pueblo a halar, a halar y el Moisés a subir y a medida que iba subiendo por aquella rampa, otros desbarataban la balsa con un par de motosierras porque los palos eran largos y representaban una gran incomodidad, de manera que trozaron poco a poco hasta cuando estuvo liberado totalmente y así se dieron mañas de colocarlo sobre la callecita que da acceso al puerto.

Por allí rodó gracias a que la gente halaba y así pasaron a la plaza principal y de allí a la calle del aeropuerto, por la cual recorrieron las cuatro cuadras y media que hay hasta la pista.

Entonces se trataba de hacerle los primeros auxilios, consistentes en reparar lo esencial para que quedara en condiciones de hacer el vuelo de traslado hasta un aeropuerto con talleres óptimos.

Durante una semana los mecánicos volvieron a lavarlo por dentro y por fuera y tanto del cuerpo como de los motores y del interior de las alas extrajeron cantidades de sedimentos convertidos en un barro pegajoso que iban amontonando a su lado.

Pero se acabó el dinero y regresaron a Villavicencio dejándolo allí abandonado. Giovanni debía trabajar para conseguir fondos y realizar luego varios viajes, cada uno con diferentes mecánicos, según las secciones que irían siendo reparadas.

Para completar la situación, por esos días y a raíz de un pleito con algunos copilotos, un juzgado laboral decretó que fuera embargado en Bogotá el avión en buen estado con que contaba Giovanni, pero alguien se lo informó un poco antes:

—Son las doce y media del día. Póngase las pilas porque a las dos lo van a ejecutar, le dijeron.

"Corrí para el aeropuerto" —dice—, "me monté al avión sin copiloto y sin nada, lo llevé hasta la cabecera de la pista y desde allí le anuncié a la torre de control que estaba listo para decolar y me contestaron que debía regresar hasta la plataforma".

"Como ese avión era todo lo que yo tenía, le dije a la torre: 'No hay ningún avión decolando, no hay ningún avión aterrizando, el Uno Dos Cuatro, bajo mi responsabilidad entra a la pista'. Que no, que negativo, que no puede... 'No hay ningún avión decolando, no hay ningún avión aterrizando, el Uno Dos Cuatro va a decolar'.

"Llegué a Villavicencio, le quité un motor y lo guardé en la finca de un amigo y le bajé el otro y lo mismo, le bajé las alas... Esas no me las llevé porque son muy grandes y así terminó el interés de los que me lo querían embargar para ponerse a volarlo. Ellos buscaban que los nombraran secuestres y así hacer lo que quisieran con el avión.

"Después me citaron a un comité en la Aeronáutica Civil y como supe que habían organizado todo un montaje para quitarme la licencia de piloto, me quejé a la Procuraduría y enviaron a una delegada a presenciar la reunión.

"Cuando llegué allí encontré a un poco de tipos que me miraban feo. Ya sabía que ésos eran mis verdugos y al lado de ellos, grabadoras, papeles de archivo, legajadores, manuales, libros de códigos, enciclopedias y no sé cuántas cosas más, para que no pudiera escapármeles. En ese momento entró la doctora de la Procuraduría, se presentó y me di cuenta de que las caras duras empezaron a ablandarse y a sonreírle, que si quiere un cafecito o un agua aromática, que está muy lindo el día, que cómo se encuentra su jefe, el señor procurador, que si vio el capítulo de la telenovela de anoche...

"Yo lo primero que hice fue dirigirme al presidente del comité, que era un coronel de la Fuerza Aérea: 'Deseo recusar al señor coronel, les dije. ¿Por qué? Porque un sobrino suyo voló conmigo como copiloto y tuve que echarlo por tomatrago, por sinvergüenza, por vago, por irresponsable y el coronel aquí presente juró delante de fulano y de sutano, con números de cédulas, que no descansaría hasta quitarme la licencia, de manera que él se tiene que declarar impedido para juzgarme.

"El comité fue prolongado y lleno de intrigas y posiciones endebles y al final salí adelante, pero me tocó refugiarme en el Llano y alquilarme en La Urraca, en El Venado, donde me dieran oportunidad.

"Trabajé, ahí sí es cierto, de sol a sol. Recuerdo que un día regresaba de Arauca y me emocioné al ver el atardecer y caramba, hice una pasada rasante sobre la pista, luego halé el avión y realicé una salida de caballero, viré y aterricé con toda suavidad, pero el capitán Tabares, jefe de la Aerocivil, serio como un carajo, duro como él solo, se dio cuenta y dizque dijo: 'Me hacen el favor de llamarme a ese astronauta a la oficina. ¡Pero ya!'

"Vino un muchacho: 'Capitán Bordé, que el capitán Tabares lo necesita urgentemente'. 'Ah, sí, cómo no. Tome llévele al capitán Tabares este papelito'. Escribí unas palabras y se lo entregué. '¿Dónde está ese astronauta? ¡Carajo!' Con esa rabia Tabares abre el papelito y lee: "No-lo-vuel-vo-a-hacer".

"Otro día llegué a las cinco de la tarde, no me había bajado todavía cuando vi que la Aduana estaba esculcando el avión. Yo venía de malas pulgas, luego de hacer lo que se llamaba el lechero, que era un vuelo comenzando en Villavicencio a las seis de la mañana. De allí uno volaba a Monterrey. Escala en Monterrey, deje carga y pasajeros, recoja algo de carga y pasajeros y decole para Aguazul. De Aguazul volaba a Yopal. De Yopal a Trinidad. De Trinidad a Paz de Ariporo. De Ariporo a Tame. De Tame a Rondón. De Rondón a Arauca. De Arauca a Arauquita. De Arauquita a Saravena. De Saravena a Cúcuta, y regrese por los mismos puntos. Estaba cansado y reaccioné:

—¿Ustedes qué están haciendo ahí?

—Pues requisando. Este avión viene de la frontera y puede traer contrabando.

—Cómo que requisando. ¿A quién le pidieron permiso? P'abajo, p'abajo.

"Los bajé a todos, pero se fueron y le dieron quejas a su capitán y se viene el jijuepuerca que echaba candela y llega al avión y me dice, pero echando humo por las narices y las orejas:

—¿Cómo es la cosa?

—Pues que a este avión no sube usted si no le doy permiso. Aquí yo no estoy pintado. Me piden permiso...

—Me le sellan ya mismo el avión a este hombre —les dijo a los guardias.

"Y sí señor, que cerraron las puertas y les pusieron tremendos sellos de la Aduana. Entonces llamé por teléfono al DAS y al F-2 (servicios secretos) y les dije que la Aduana había sellado el avión porque sospechaban que allí venían drogas.

—Pero, ¿cómo así? Si ellos no son los responsables —dijeron y les respondí:

—Por eso les estoy avisando a ustedes que son especializados y ustedes sí conocen de eso y ustedes son la máxima autoridad en este campo y son los únicos llamados para este caso. Yo no sé por qué diablos se mete la Aduana.

—No, dijeron—, es que ya mismo vamos para allá. Espérese a ver.

"Llegó el DAS y llegó el F-2, y la Aduana callada. Y los unos se miraban con los otros y se miraban y se miraban. Pero como ya eran las siete de la noche, les dije a los detectives:

—Yo necesito que ustedes se queden aquí, porque ¿qué tal que la Aduana me envenene esta noche el avión con quién sabe qué?

—No. Tranquilo capitán, que de aquí no nos movemos.

"Estábamos en eso, cuando baja un mensajero de la torre de control y dice:

—Por favor, ¿el capitán de la Aduana?

—Sí, como no. A sus órdenes.

—Que mi general lo llama de Bogotá.

"Subimos a la torre y el hombre tomó el teléfono:

—¿Aló? Sí mi general. ¿Cómo? mi general. Sí mi general. Sí mi general... No, desde luego... Sí mi general. No, el capitán es el... Sí mi general. No, lo que pasa es que yo... Sí mi general. Es que... no, no, mi general. Sí, sí, mi general, claro mi general. Yo entiendo, mi general. Sí mi general, claro. Entendido mi general. ¿El capitán? Sí, un momentico mi general, aquí está.

"Paso al teléfono y escucho al otro lado la voz de mi papá que me dice: 'Hágase el pendejo y diga, Sí, general".

Serenada la emoción que despertó en él su primer vuelo solo, esa noche Tomás Caicedo sabía que apenas comenzaba a recorrer el camino para llegar a piloto privado que es lo más fácil. Entonces, para no sentir tristeza, se olvidó de calcular la distancia que lo separaba de la licencia comercial. Es que aún no era piloto. No era nada. Ni siquiera había terminado el curso que inició algunos meses antes. El vuelo había sido emocionante, pero apenas marcaba el comienzo.

¿Qué iba a hacer? Lo mismo que aprendió desde cuando era niño: cargar piedras, mover montañas. Lo que le toma a un estudiante con recursos algunos meses de estudio, a él le costó cinco años.

"Hice algunas horas en Villavicencio y tuve que irme a terminar en Bogotá, pero vivía en las dos ciudades, salía a muchas partes a hacer reparaciones, a desvarar aviones en cuanto rincón había. Es que yo salía, trabajaba, volvía y entraba, volvía y salía. Conseguía dinero y pagaba las horas de vuelo. Eso valía mucha plata. Así me hice piloto privado".

La licencia de piloto privado no satisfacía sus necesidades, pero cuatro meses después de haber golpeado cuantas puertas se le ponían al frente, Peregrino Mora, un hombre bien conectado con la aviación del Llano, le dijo que había un trabajo trayendo peces ornamentales desde Puerto Gaitán.

Darío Herrera recuerda las palabras de Peregrino:

—Tomasito, aquí hay una coloca. Se la damos a usted porque no hay quién más se le mida a un avión Aeronca que no vuela desde hace bastante tiempo. ¿Está dispuesto a jugársela?

Candy dice que "el Aeronca era un avión de tela que nadie quería ver. Es que hasta volaba torcido. Los tanques para la gasolina eran de caucho y Tomás cuenta que los remendaba y los remendaba y que llegó un momento en que no había dónde colocarles un parche más".

Tomás es menos vehemente y acepta que el avión no era malo pero sí lento: "Cuando venía en crucero, los demás me pasaban, ahí sí es cierto: volando. Imagínese que yo me gastaba de Puerto Gaitán a Villavicencio una hora y cuarto. Eso es mucho... Pero en ese momento no había más que hacer".

Unos meses después se le fundió el motor. En una mesa de gentes de la aviación llanera, en Los Caballos, entre copas y anécdotas contadas con el aire de este tipo de tertulias bohemio-viperinas, Darío Herrera, que ha sido testigo de veinticuatro años de peripecias en Vanguardia, describió la emergencia así:

"Con esas pilas que tiene, Tomasito empezó en su Aeronca, ra-ra-ra-ra-ra. La verraquera, acaballado en su trabajo haciendo muy bien las cosas, volando bien y el avión con muy buen mantenimiento, buena gasolina, buen plan de vuelo. Como un señor.

"Pero en un crucero se le fue el motorcito. Nunca se le había apagado y él resolvió la situación aterrizando en una carretera. Como es tan buen piloto, lo colocó allá y después no tuvo inconveniente en meterlo en un potrero, quitar el motor y echarlo en una volqueta que pasaba por allí. Se trajo el motor. Pero eso no lo podía hacer porque, según los reglamentos aeronáuticos, la Aerocivil tiene que abrir primero una investigación sobre la emergencia. Pero no. Él quitó el motor y se vino para Vanguardia. Un mes después lo vi y le pregunté: "Tomasito, cuénteme qué fue lo que sucedió". Y él contestó:

—Darío, yo venir bien p'a mí. Yo venir muy bien p'a mí, volando con pescao. De pronto hélice quieta. Yo puse compensador, puro compensador y con compensador solucioné problema. Pista p'a mí, no había pista p'a mí. Busqué carretera. Carretera p'a mí, encontré ahí mismo y puse avión carretera, Darío. Y yo ahí varado, ¿yo qué haciendo? Corté palos con machete, hice trípode, saqué manila, aseguré motor y quité motor. Pasó una volqueta de hombre bueno amigo mío, eché motor volqueta y traje.

—No joda, Tomasito. Y, ¿qué le dijo la Aerocivil?

—Quitó licencia.

Hoy la emergencia en palabras del mismo Tomás es igual, pero suena diferente:

"Volaba a unos cuatro mil pies sobre el Llano. Presión de aceite, abajo, temperatura alta, vibración fuerte en el vuelo, perdió potencia. Motor fundido. Vi una carretera y me aterricé en una recta que hay a la altura de La Bonga. Un aterrizaje fácil. Al rato llegó un camión y me ayudó a empujar el avión hasta un potrero. Duré allí un día completo, dormí entre el avión, no comí y estaba bien preocupado por la responsabilidad que tenía encima".

—Cuando se pierde un avión, ¿no salen los demás a buscarlo? ¿La Aerocivil no da aviso? ¿No se movilizan la Defensa Civil, la Cruz Roja, las patrullas de búsqueda y salvamento?

"—Sí, pero esa vez no fue así.

"—¿Entonces?

"—Entonces al otro día subió un camión vacío y le pregunté si tenía herramientas. Me dijo que sí. Traían una llave de expansión, llaves fijas, llaves de tubo y con eso quité el motor, un Continental de 145 caballos de fuerza, lo trepamos al camión y me fui para Villavicencio. Allá lo destapé y le encontré limalla. Fundido. No tenía reparación y compraron otro. Con ése seguí volando.

"—No joda, Tomasito. ¿Y qué dijo la Aerocivil?

"—Me llamaron la atención".

La situación económica de Tomás no variaba porque, a pesar de trabajar al máximo, su sueldo era mínimo y apareció una mujer en su vida: Candy Sandoval. De esto él cuenta muy poco. En cambio ella recuerda con pequeños detalles desde el día que lo conoció hace veinticuatro años, en la pequeña cafetería de una familia de apellido Medina en Villavicencio, donde se reunía la gente de La Urraca, por estar cerca de sus oficinas.

Ella era amiga de Blanca, la hija del dueño y cuando Tomás caía por allí, entraba a saludar a la familia. Candy pensó que eran novios porque generalmente los veía juntos.

Algunas semanas más tarde ella se fue a estudiar teología en un instituto bíblico, en Bogotá. "Siempre he tenido sentido de lo moral, de religiosidad" y estando allí, consiguió novio, se comprometió en matrimonio y entre la lista de invitados incluyó a Tomás, pero cuando se lo dijo, él le respondió con unas palabras que se le quedaron grabadas:

—Señorita, yo soy un hombre muy ocupado. No puedo ir a esa boda. No tengo tiempo.

"Le comenté a Blanca que su novio se había molestado y ella me dijo: 'Yo nunca he sido novia de él' y tal vez tres días más tarde, dizque Tomás les dijo con mucha seguridad que yo no me iba a casar. Lo había visto en un sueño. Y realmente sucedió así, porque la boda no se efectuó nunca".

Candy regresó a vivir en Villavicencio y cuando él parecía haber desaparecido de sus recuerdos, se volvieron a encontrar. La mañana siguiente, ella escuchó que un avión cruzaba lamiendo el tejado de su casa y el barrio entró en alarma. En ese momento, ella y su familia volvieron a experimentar el horror de la guerra en el Llano, las ametralladoras de los aviones militares volando rasantes y el éxodo en busca de refugios en los montes.

Pero luego apareció Tomás y le preguntó:

—¿Sintió que la saludé?

Unos días después se casaron. Ella no se lo contó a su familia "porque venía de una experiencia muy cruel y por eso a la boda solamente fueron los padrinos. Tuvimos un regalo: a la salida de la iglesia nos encontramos con Mauricio Quijano, un piloto y él nos dio una olla expréss", dice Candy.

Y se fueron a vivir a Bogotá porque Tomás, cansado con su situación, había resuelto emprender la batalla por conseguir licencia para volar como piloto comercial y eso suponía repetir la historia del lustro que comenzó a correr el atardecer de su diálogo con Jimeno González, cuando los pilotos veían volar a los pájaros en Vanguardia.

La historia es igual a la de entonces. Trabajo en los talleres, estudio, noches sin dormir, días comiendo poco, contratos pequeños, ahorros, una hora de vuelo, un mes de búsqueda.

"Recuerdo la primera vez que me dejó sola", dice Candy. "Él se había ido para Armero a hacerle un servicio a una avioneta. Quince días que para mí fueron como un año porque él no me escribió, no me llamó. Nunca supe de él. El señor de la casa donde vivíamos en una piecita arrendada, me decía: 'La voy a adoptar como hija, porque está muy jovencita y ese hombre se voló' y yo me ponía a llorar. Tenía veinte años. Fue mi primer sufrimiento de soledad".

Tomás recuerda solamente que estudiaba y trabajaba "en lo que cayera. En el aeropuerto de Bogotá, en una fábrica de radiadores para autos, en una de neveras. Entraba a trabajar a las seis de la tarde y salía a las dos de la mañana. De día estudiaba aviación, pero el curso no avanzaba. Con el trabajo de un mes lograba pagar una hora de vuelo.

"Si no encontraba trabajo en Bogotá, nos íbamos para Villavicencio. Regresábamos y yo hacía otra etapa del curso. Nos quedábamos en Bogotá un mes, al siguiente regresábamos al Llano, al siguiente a Bogotá".

Candy estaba esperando a Jhimmy, su primer hijo, y cuando éste nació tomaron la decisión de que ella se iría a vivir por un tiempo con el niño en casa del padre de Tomás, mientras él buscaba un respiro económico. Pero el padre vivía en la selva, más allá de San José del Guaviare. De acuerdo. La víspera de partir, Tomás le dijo a Jorge Páez, el director de la escuela de aviación, que necesitaba continuar en el curso a su regreso:

—Don Jorge, estoy pobre. Si pago arriendo no tengo para pagar el curso.

—Bueno, entonces véngase a vivir a la escuela y hace de vigilante por las noches, le respondió.

Diez días después del parto, los tres volaron a San José, en las selvas del río Guaviare y allí se embarcaron en un bote que los condujo hasta las bocas del Caño Yamú.

Relato de Candy:

"En ese punto quedaba la barraca de un indígena llamado Farolito. Hasta allá salió Víctor, un hermano de Tomás, para guiarnos y nos metimos a pie, dos horas por una trocha. Dos horas caminando con ese niño, con una colchoneta de inflar y una hamaquita y sin mercado ni nada, porque yo dije 'Qué vamos a llevar nada en semejante travesía'. Llevé, sí, unos pañales y una lechecita para el niño.

"Era pura selva. La trocha daba vueltas y vueltas y había una nube de zancudos y por eso duramos tanto tiempo para llegar a la casita de don José, el padre de Tomás. Me acuerdo que encontramos un quebradón y el tronco de un árbol acostado sobre el agua y usted tenía que caminar por encima haciendo equilibrio, pero estaba resbaloso y yo debía cruzar llevando al niño. Logré cruzar. Más adelante nos fuimos con el niño entre un hoyo que no vi en la maleza. Un hoyo lleno de murciélagos y zancudos que me sorbió hasta el pecho y yo decía 'Que me muera pero que no le pase nada a mi hijo'. Tomás iba a mi lado, pero es que uno no sabe andar en la selva. Uno no domina eso. Solamente ellos pueden descubrir lo que hay a cada paso.

"Me dio sed. Cortaban bejucos gruesos como tubos y sacaban el agua de allí. Siquiera encontré agua. Es que dos horas con un nené alzado... Como no había recipiente, hicieron embudos con hojas de platanillo y bebí hasta quedar extenuada.

"Ese camino fue el contacto con la selva que no conocía, porque yo había crecido en un medio rudo, un medio muy recio como es el Llano, pero ésta era otra cosa, también ruda, pero diferente. Seguimos y al pasar por otros palos acostados sobre quebradones o caños me ayudaron porque estaban mucho más resbalosos por la humedad y la falta de sol. Debajo de ellos había precipicios. Las corrientes pasaban hondas y yo avanzaba con mi niño, paso entre paso, paso entre paso para no resbalar.

"Llegamos por la tarde. Una casa modesta, sin mesas ni asientos porque el indígena vive acurrucado, lo que se llama en cuclillas y para mí eso era terrible. Cuatro varas clavadas en la tierra, piso de tierra bien barrido y techo tejido en palma de moriche. Todo a la intemperie. Al lado de ese rancho había otro donde funcionaba la cocina y arriba, cerca de los zarzos, algunas habitaciones pequeñas, cerradas con unos bastidores de hojas de palma muy bien tejidos.

"Conocí a mi suegro, que hablaba muy poco español, a la señora Raimunda y a la esposa de Víctor, mi cuñado, con sus niñitos. Me quedé con ellos y Tomás regresó a Bogotá.

"El castigo de fuego, que dicen, cuando se empieza a conocer la selva, fue muy doloroso. Desde luego, allá no había sanitario, no había una letrina, no había nada. Tenía la selva al frente y me alejé de la casa. En la orilla del caño —que era a donde se iba en esos casos— me coloqué cerca de una raíz, me agarré bien de ella, pero por la fuerza que hice para no caer al agua la raíz se desprendió y de todas maneras me escurrí. Busqué otro sitio, pero como se había acabado el rollito de papel higiénico que traíamos, estiré la mano, tomé una hoja y me refregué con ella. Era ortiga, lo que llaman en el Llano pringamoza, una mata con millones de espinitas diminutas, que sueltan una savia irritante, urticante. Me produjo llagas en la mano y, bueno, en aquellas partes donde me había refregado con ella. Me dio fiebre, se me hinchó el cuerpo.

"Luego se acabó el jabón. ¿Qué vamos a hacer? No había ni para baño ni para lavar la ropa. Le lavaba los pañales al niño y los ponía al sol, pero, ¿para el cuerpo? 'No se preocupe', dijo Magdalena, la hermana de Tomás, una niña de unos trece años, tan dulce y tan noble como él. Tomaron unas hojas, las machacaron y salió un jugo, espeso y baboso igual al jabón líquido. Era una maravilla, daba muy buena espuma y uno quedaba oliendo a un perfume suave.

"Pensé que periódicamente iba a llegar gente. No, que va. En cinco meses que duré allí, una sola vez llegó un blanco. Pero eso fue mucho después. Por ahora yo no tenía con quién hablar castellano, ni llevé una pluma ni llevé un cuaderno y no tenía dónde copiar las palabras en tucano para aprender, pero entonces encontré algunas hojas de papel y luego una corteza de árbol que parece papiro y allí, con tizones de carbón apagados que sacaba del fogón, intenté escribir algo.

"Todos hablaban tucano y Magdalena me traducía algunas cosas. Cuando me decían que hiciera algo, no entendía nada. Durante el día generalmente me dejaban sola porque se iban a trabajar en la chagra, que es la huerta y yo quedaba sola con mi bebé, con los perros, las gallinas y una danta domesticada que era mi amiga. Me identifiqué tanto con la danta —la bauticé Pepita— que ella me seguía a donde yo iba. Me buscaba. Era como un perro, era como mi sombra. Me enseñó a nadar: en el caño, que tenía aguas claras, me abrazaba a la danta y ella se consumía y si bajaba muy al fondo, yo la golpeaba en el anca y ella salía a la superficie y se reía porque me notaba afanada. Yo sentía que era risa, sentía que se burlaba de mí. Siempre que me iba a bañar, ella estaba conmigo. Era muy cariñosa. Cuando tenía a mi niño acostado en el piso, ella tomaba con la boca el pañal o la tela sobre la cual lo colocaba, la arrastraba y se reía.

"En un comienzo, Pepita se iba para la selva y venía a los dos, a los tres días, pero a medida que le daba cariño, se ausentaba menos. Era una danta de unos cincuenta centímetros de alta.

"Después cazaron un picure, un animalito pequeñito. Les dije que lo marcáramos por si se iba. Entonces le abrimos dos agujeritos en las orejas y le pusimos unos aretes que hice con el papel de estaño de una cajetilla de cigarrillos vacía que encontré en un rincón. Luego armamos un corralito y lo encerramos mientras se acostumbraba. Me procupaba mi inactividad, por no saber hacer casabe,

*Candy*

ni fariña, ni ir a la chagra. Tampoco sabía pescar. No sabía nada y quería hacer algo. Entonces tenía que hablar con los animales. Jugar con los animales era una distracción. Un día se nos voló el picure y como a la semana se asomó por allá y lo agarramos con una red para pescar. Estaba sin uno de los aretes. Pero cuando regresó se puso arisco, no quería dejarse agarrar y, bueno, se quedó otro tiempo, pero era diferente a Pepita que venía, estaba con nosotros, se acostaba a nuestro lado. Cuando uno iba con una olla de agua, ella andaba a toda carrera, me tumbaba y cuando me veía caer, empezaba a reír.

"Mientras tanto, Tomás luchaba para terminar su curso de piloto comercial, sin el cual no iba a poder trabajar y ganar un poquito mejor. 'Si no trabajo no voy a poder ni comprar la leche para el niño', dijo cuando se fue y cada día que pasaba, yo veía que mis dificultades eran las mismas que vencía Tomás en la ciudad para poder seguir adelante. Eso me daba fuerzas para vivir.

"Allá yo no tenía alimentos especiales para el niño, pero me dieron todas las pepas y frutas de los árboles que usted quiera para que me bajara leche. Milagrosas. Milagrosas porque realmente me bajó mucha y pude alimentarlo muy, muy bien. Tenía tanta que el pequeño no alcanzaba a consumirla toda. Recuerdo las pepas de patabá, la palma de seje, que contiene un aceite maravilloso para todo: como alimento, como remedio. Y me daban manicuera, el jugo de la yuca brava, que es un veneno potente cuando está crudo, pero cocido es alimenticio. Hay que cocinarlo durante un día entero y queda como jugo de lulo, ácido, de buen sabor.

"Cuando el niño se enfermaba, lo rezaban, porque ¿qué droga? ¿Cómo nos íbamos a ir dos horas a pie y dos en bote hasta San José, para buscar un mejoral, para buscar un analgésico, para comprar algo con qué sacarle los gases al bebé? Y nosotros no habíamos llevado ni una pastilla. Si a mí me dolía la cabeza o me enfermaba del estómago, entonces el papá de Tomás rezaba. Las oraciones eran efectivas, porque él manejaba su poder mental.

"Él me decía: 'Señora, usted está triste. Yo sé que está triste. No diga que no. Triste'. Como conocía, rezaba. Para rezar, cogía una totuma o cualquier recipiente que se pareciera a una taza, le colocaba cualquier líquido adentro y soplaba y rezaba mentalmente y luego me daba de beber. A los pocos segundos se me quitaba la tristeza.

"Comíamos bien. Un día, mis suegros cazaron con la ayuda de los perros y luego mataron a garrotazos a un armadillo carro. Los perros lo encuevaron y luego ellos lo remataron. Les costó trabajo porque era muy grande. Tenía uñas largas y entre tres personas no podíamos alzarlo. Ese día Víctor estaba en el pueblo trayendo sal y fósforos.

"Cuando se nos acababan los fósforos, nos tocaba dejar un tizón prendido toda la noche para conservar la lumbre y si se llegaba a apagar, teníamos que ir a buscarla donde Farolito, a dos horas —era el vecino más cercano— y nos regresábamos todo ese camino soplando para llegar con el fuego vivo.

"Bueno, prepararon el armadillo y la carne duró tanto tiempo que al final hasta la piel me olía a armadillo. Éramos pocos para tanta cantidad y la carne era tanta que una parte la muquiaron, es decir, la prepararon al humo, otra la salpresamos y la pusimos al sol, como se hace con la carne llanera, y otra la cocinábamos. Hasta Pepita comió armadillo carro. Ella comía de todo.

"Un poco después llegó a vivir allí don Enrique, un hermano de mi suegro y tío de Tomás, un hombre amable y de alguna edad. Él sí que no pronunciaba ni una sola palabra de español. Nunca en su vida se había enfermado y el día que se sintió aquejado por algo, se murió. Fue un toro como todos ellos, que no saben qué es un dolor de cabeza. Él decía: '¿Qué será eso? Yo quiero sentir qué es dolor de cabeza'. Murió de viejo luego de que me vine.

"Al principio me hizo mucho daño en el estómago la quiñapira, aquella sopa de pescado preparada con agua y ají picante. Cuando me quemaba el ají, me untaban los labios con el carbón de los tizones del fogón y eso me quitaba un poco el ardor y la desesperación porque era tan fuerte el quemonazo con cada sorbo, que me salían lágrimas y ellos se reían al verme como un payaso. La primera vez me tiré al río y Pepita también. Más risa: 'Si señora se pica, Pepita también está picada', decían. Pero comía porque, por una parte, me daba mucha hambre y además debía alimentar a mi bebé, y por la otra, tenía que acostumbrarme a esa comida que era la que iba a ver siempre al frente. Pero casi todo me hacía daño y todas las dolencias me las rezaba y me las curaba rápidamente mi suegro, que a pesar de su silencio era un hombre cariñoso.

"Él me decía: 'Usted es muy débil. Los blancos son débiles, se quieren morir por todo y a usted hay que rezarla para darle fortaleza'. Me rezaba para que no me afectaran las comidas, el mal tiempo, la humedad, el calor excesivo en época de verano...

"Cuando era niña se me había quemado una pierna con aceite caliente en la cocina y me quedó una cicatriz horrible. Era una cicatriz prácticamente desde la rodilla hasta el carcañal. Una tarde mi suegro se quedó mirándola y me dijo: 'Hay que hacer desaparecer eso'. Machacó una planta y recogió el zumo en un recipiente pequeño, lo miró durante algunos segundos y luego me friccionó. Al poco tiempo la cicatriz estaba peor: negra y un poco inflamada, y pensé: 'Esto fue peor. ¿Para qué me dejé?' Pues se me empezó luego a caer la piel y fue saliendo una nueva, del mismo color del resto del cuerpo hasta quedar liso, terso. Mire: era aquí. ¿Usted ve algún rastro? Estoy perfecta.

"Si hoy un indígena tiene la piel manchada, si tiene granos, es porque quiere o porque se le acabó el conocimiento. Yo me acuerdo que allí, ellos se untaban remedios en la cara y permanecían escondidos unos días. Y cuando aparecían, tenían piel de jóvenes. Es que salían rejuvenecidos. Pero en esos casos la caída de la piel no es fea, no es dolorosa. Es algo natural, lento.

"Mi suegro decía que ellos iban a una cueva con jeroglíficos grabados en las rocas donde se filtraba agua con la que se bañaban y con esos baños aumentaban su longevidad porque encontraban la salud. Pero que el sitio era muy lejano, en una sabaneta, después de muchos ríos. Una mañana salimos hacia allá, pero yo no pude llegar porque, cargando al niño...

"Por ese camino traté de recoger algunas raíces caprichosas para hacer adornos y esculturas, como se acostumbra en algunas partes del país, pues me desesperaba la inactividad. Les decía que me las arrancaran y ellos se morían de la risa. No me las dejaban llevar. '¿Para qué? Mejor mírelas en el monte y no las arranque. Déjelas quietas. Las plantas traen agua', decían.

"Esas raíces trabajadas con un poco de arte, son valiosas. Aquí, mucho tiempo después, vinieron artesanos de otros países a dar cursos sobre el manejo de las raíces y comenzaron a valer mucho dinero, aun sin decorar.

"Yo le ponía vida a todo. Como nunca me pude acostumbrar a permanecer de pie o acurrucada, un día le dije a Víctor que cortara troncos para usarlos como sillas: 'nos sentamos en tronco, tan bonito y no estamos tan cerca del suelo ni de los gatos cuando comemos', le dije. Trajo algunos.

"Nunca tomé drogas. ¿Para qué? La alimentación era buena, con muchas proteínas. Claro que muy nueva a la vista y al paladar y cuando la empezaba a conocer, sentía algún pequeño rechazo, pero la probaba y me gustaba, de manera que terminé por habituarme a esa cocina.

"Recuerdo cuando hubo cosecha de mojojoi, un gusano grueso y blanco, casi del largo de la palma de mi mano. Pura grasa. Ese sale del tronco de la palma de patabá o seje y ellos se lo comen vivo. Yo nunca fui capaz y los asaba en el tiesto en que tuestan el casabe. La cosecha dura como dos meses.

"Por los días de aquella cosecha, les dije que yo quería rallar yuca. Necesitaba hacer algo, necesitaba aprender, integrarme cada vez más y me advirtieron que era peligroso, pero les dije que yo era capaz. Aprendí a pasarla por un cedazo y a batirla después con un remo grande. Eso tiene un trabajo único: traen la yuca de la chagra de cultivo, la ponen a madurar entre el agua, a la orilla del caño, luego la sacan, la mezclan con la yuca que ya se ha rallado, y la rallada es de verdad peligrosa porque si uno deja que la mano roce con el rallo, se corta.

"Hacen el rallador con una tabla y le incrustan miles de piedritas cortantes, formando figuras. En la fabricación de ese aparato no pueden participar mujeres que estén en dieta, luego de haber tenido un hijo, que tengan la menstruación, que tengan fiebres... Mejor dicho, la persona que los hace debe estar en pleno estado de salud porque los utensilios en que se prepara la comida transmiten vitalidad. Ellos todo lo piensan en función de la energía, del vigor, de la salud. Y lo manejan tan a la perfección que usted no los ve nunca enfermos, ni débiles.

"Empecé a rallar y ellos estaban pendientes: 'Señora, cuidado se corta, cuidado se corta'. Realmente me corté unas pocas veces, hasta cuando aprendí a hacerlo con las dos manos. Entonces ya me sentaba con el rallo entre las piernas y hacía los montones de harina para cernir, extraía la manicuera, la colocaba en otro recipiente, volvía a cernirla y ahí sí la pasaba al tiesto caliente y allí la batía durante un buen rato para que tostara parejo. Trabajaba en eso hasta cuando se me dormían los hombros.

"Los blancos dicen que cuando uno está sudando no se debe mojar porque se enferma. Allí aprendí que es lo contrario. Ellas, acaloradas, salían de la cocina y se tiraban al agua y no les sucedía nada. Son aseados.

"Cuando le daba hipo al niño, me decían: 'Tiene calor'. Para nosotros, el hipo viene cuando uno tiene frío. Pero ellas lo bañaban y se le quitaba inmediatamente. Cuando lo bañaban, cogían agua con la boca y se la iban lanzando para darle fuerza en las coyunturas, en las piernas. Agua que alcance a coger algún calor, pero calor transmitido por el ser humano. Lo bañaban desde la cabeza hasta los pies.

"Jhimmy era débil, no tenía pestañas, las uñas blandas y ellos decían que era igual a la mamá y que había que darle vigor. Lo metían al agua cada rato y yo decía, 'Qué castigo para mi niño, Dios mío'. Al comienzo no les prohibía nada para no molestarlos, pero luego empecé a darme cuenta de tanto entendimiento y quería que le hicieran todo lo que se pudiera. Hoy pienso que Jhimmy vive gracias a ellos, porque era débil y además lloraba toda la noche.

"Una madrugada, mi suegro dijo que el niño lloraba porque su padre había pasado por un salado. Los salados son pozos de barro cargados de sales y otros elementos donde los animales chupan por las noches. ¿Por qué lo decía? Un salado era, al parecer, una situación difícil y según mi suegro, en ese momento el niño quería morir. Allá, cuando los niños están recién nacidos, los padres no pueden cruzar por los salados porque dicen que esos lugares irradian una energía mala. De ahí viene que, cuando el hijo nace, el hombre guarde dieta. No se trata de pereza o machismo o flojera, como dicen los blancos, sino que por aquellas cosas de la energía el padre debe abstenerse de hacer ciertas cosas y más bien acostarse en la hamaca para aislarse. Pienso que es una dieta sagrada que busca no traerle malas influencias al hijo durante sus primeros días de vida. Y como decía mi suegro, 'Tomás anda por ahí. Él ya es como los blancos y no hace lo que hacemos nosotros: vive agarrando cosas malas. Nosotros rezamos al niño desde el vientre de su madre. El día del nacimiento estamos siempre rezando, lo estamos cubriendo de protección. A este niño no lo rezaron, usted es blanca, no sabe de esto'.

"La placenta, por ejemplo, es sagrada para ellos. En nuestros hospitales no sé qué harán con eso. Algunas las venden para fabricar cremas para embellecer la piel. El indígena la reza y la entierra en lugar especial.

"Él contaba con poquitas palabras de castellano y Magdalena me traducía otras. Un día, hablando de Tomás y los salados, dijo: 'Él no guarda dieta. Ve a otras personas. Toca a otras personas, anda con gente que no es limpia, que no es buena. Parece blanco. Niño está resentido. Si niño muere, nosotros enterramos a nuestro lado', y cuando el niño lloraba, yo pensaba: 'Miércoles, ¿estará grave?' Y como lloraba mucho, yo vivía tensionada. Ellos se levantaban a las dos, a las tres de la mañana, a la hora que fuera para alzarlo y consentirlo. ¿Qué suegro hace eso? Ninguno. Y ellos: 'Señora, nosotros cargando niño'. Una gente que respeta la vida. Hoy estoy aterrada de ver cómo los indígenas jóvenes están olvidando todo esto. Mi suegro, por ejemplo, era sabio. Él, casi sin mirarlo a uno, sabía si uno estaba fingiendo, si algo malo iba a suceder o si alguien iba a llegar:

"La víspera de aparecer por allá el único blanco, él me dijo: 'Mañana viniendo blanco' y se fueron para la selva porque ese día llegaba la cosecha de ranas. La rana sale una sola vez al año. Ya habían pasado la cosecha de avispas culonas, la de hormiga manibara y la de gusano mojojoi.

"Por la tardecita, ya casi anocheciendo, trajeron las ranas. No los vi llegar porque estaba amamantando al hijo y los escuché afuera, de manera que salí a saludarlos: '¿Cómo les fue?' Pero no vi las ranas sino que me estrellé de cara con ellas. Sentí el frío en la mejilla y pegué un brinco y vi que sonrieron. 'Ella es muy chistosa', dizque decían. 'Ay, ahora trajeron esos bichos. ¿Qué van a hacer con ellos?' Magdalena me dijo: 'Báñese la cara porque orín de rana enferma ojos'. Me bañé rápido.

"Las ranas estaban colgadas. Ese día sentí pavor. Son tan grandes como mi mano, con una ranita pequeña agarrada sobre la espalda de cada hembra. Es el macho —dicen— que es flojo, que es un zángano y que vive colgado de la hembra, de paso copulando cuando no tiene sueño. Bueno, son enseñanzas. La cosecha se da en los charquitos al pie de caños y ríos. Me parecieron repugnantes al principio porque yo decía para mis adentros, 'Mire qué tan feas, mire las barrigas, mire esa piel'.

"Al comienzo pensé que las traían para que jugáramos con ellas o quién sabe para qué, porque cuando Tomás me llevó allá, no me explicó nada, nada. Ellos llegaron con varias sartas, como se hace con el pescado y las colgaron de las varas del techo, pero como aún estaban vivas y hacían 'uuuac, uuuac', pensé: 'Pobrecitas, como las chuzaron'. Había bastantes y Magdalena dijo que eran para comer. Buen bocado. Sabrosas. Y que las preparaban con agua y sal. Nada más. Yo pensé que en otras partes también se las comen, pero condimentadas. Dicen que las ancas de rana son un plato especial, pero aquí, caray, con sólo agua y sal...

"Si alguien la come como yo la comí al principio, con asco, pues no le sabe bien. Pero una vez se desprende uno de tanta bobada, la siente bien. Sí. Sabe bien. Por ejemplo, uno come los huevos y tienen un sabor parecido al del caviar. Y la carne es fina, de buena textura... y sabrosa. Unas se hicieron con ají picante, otras fueron ahumadas: quedaban negras y no se distinguía la piel, oscura y jaspiada y las demás las hervimos con agua y sal.

"Al día siguiente ellos salieron temprano a trabajar a la chagra, donde cultivan yuca, ají, unas piñas pequeñas muy dulces, papayas, caña de azúcar y también allí encargan a los hijos porque la casa es comunal y en ella no se practica el amor físico.

"El papá de Tomás no se podía estar quieto. Alguna cosa hacía, pero siempre estaba activo: arreglando los surcos, sembrando una planta, haciendo una escalera, tapando una gotera, poniendo un cerco, cuidando un cerdo de monte, mirando los perros y antes de salir me repitió: 'Hoy llegando blanco' y me pidieron que cuidara las ranas que estaban ahumando. Tenía que dejarlas recibir un poco de humo y luego encaramarlas en una camareta más alta, sobre la hoguera, para que el perro no alcanzara hasta allá.

"Se fueron y como a la hora escuché un par de gritos al otro lado del caño:

—Bueeenas. Bueeenas. ¿Alguien habla castellano aquí? Por favooor.

—Siiii. Yo hablo. Yo hablo castellano. Quiero hablar castellaaaano.

"Después de tantos meses iba a volver a hablar en mi lengua. Iba a escuchar mi propia lengua. Sentí felicidad.

"El tipo era un colono antioqueño, hablador y dicharachero, que traía a su esposa enferma para que mi suegro la rezara. La señora se estaba deshidratando: diarrea, un parasitismo avanzado. Sabe Dios qué más tendría. Yo los hice entrar, espanté los perros, se sentaron en los troncos y les dije que les brindaba lo que nosotros comíamos.

—¿Y usted de quién es esposa? Y usted tan bonita, ¿qué hace por estos confines? y ¿no le da miedo que se la lleve el güío que hay en ese caño? —Trataba de asustarme—. Usted va a ser el almuerzo de ese animal... Hombre, si yo fuera güío ya me la había comido. Les di unos sorbos de chivé para la sed y me preguntó si yo comía ranas.

—Pues claro.

—¿Y con esa boquita se las come? No. Mañana le va a amanecer la piel como la del perro.

"Luego me averiguó la vida: '¿Cómo así que usted es la esposa de un piloto? ¿Y por qué vive aquí? ¿No le da miedo que lleguen indígenas y se enamoren de usted?

"Realmente, cuando Tomás me dejó allá me dijo que si llegaban indígenas, me escondiera. Pero allá no llegó nadie diferente al viejito, tío de Tomás. Es verdad que algunos indios le echan chundún a las mujeres para que se enamoren de ellos. Eso es verdad. Me consta. El chundún es efectivo. Pero este hombre era blanco y no sabía de esas cosas... Y como venía con la señora, pues ¿para qué me iba a esconder?

"La mujer estaba pálida y flaca, como una vela. Ellos esperaron a mi suegro y ya por la tarde, cuando llegó de la chagra, la rezó y le dio a beber algunos líquidos sacados de las plantas y se fueron cuando estaba anocheciendo.

"En ese momento me sentí integrada a los indígenas. Al comienzo yo iba con mucho recelo, me sentía desterrada de lo mío, aislada del mundo. Pero pronto me pasaron esos sentimientos porque me di cuenta que no estaba frente a un brujo sino a un sabio, a una persona diferente a las brujas y a los brujos y yerbateros y habladores de nuestros pueblos, que saben más de hacer daño que de recetar lo bueno. Allá lo que yo me encontré fue con unos seres llenos de cariño que solamente me hicieron bien.

"El hombre y la mujer regresaron dos veces. A la tercera, la mujer era otra: tenía colores, podía caminar sin tropezarse. Dijo que se sentía bien. El hombre dijo que tenía fe en mi suegro. Y la mujer, pues la mujer dijo algo que yo había experimentado: una vez la rezaron y tomó los remedios, se sintió más mal que antes, pero que a renglón seguido comenzó a experimentar mejoría y que ya se sentía bien. Igual me sucedía a mí, por ejemplo con el dolor de cabeza: tan pronto él me daba el remedio, yo sentía que me aumentaba y luego desaparecía de un golpe. Y cuando tenía tristeza, me rezaba y yo sentía angustia, pero de un momento a otro llegaba una paz total. La misma reacción que decía esa señora. En esto juega mucho la botánica, porque todo lo que uno bebe es extraído de plantas que ellos nunca identifican.

"Mire: mi suegro vivía pendiente de la salud. Una tarde vio algo en una de mis piernas y dijo que me iba a rezar para que la vena várice no creciera y me enfermara. Y me rezó. Me acuerdo que antes dijo: 'Para lo que ya le salió, no sirve el rezo. Pero como usted está joven, la voy a proteger. Las poquitas venas que no están bien, le quedan, pero nunca se va a enfermar de eso'. Hablando de estas cosas, entendí por qué a las niñas las rezan y les guardan dieta el primer día de su menstruación. Ese día ellas no pueden trabajar ni comer cosas grasosas. Les preparan comida suave y deben permanecer acostadas. La menstruación, de por sí, tiene grandes implicaciones para ellos. Por ejemplo, las mujeres en ese estado no van al río durante esos días, no salen a la selva porque dicen que atraen animales carnívoros. Eso me decía mi suegro.

"A medida que aprendía cosas de su cultura, me entró el interés por aprender más y más el idioma tucano y entonces le decía a Magdalena que no me hablara en español. Al suegro le tenía respeto y no le preguntaba porque, además, ni él me entendía ni yo tampoco.

"Como le decía antes, no había con qué escribir pero volví a hacer apuntes en las hojas de los cuadernos de los hijos de Víctor y en los papiros que salían de los árboles, tomando los carbones del fogón. Sacarle punta al carbón y escribir. Hoy entiendo su idioma, pero hablo poco porque me equivoco. Son lenguas difíciles.

"Bueno, pues el tiempo empezó a correr un poco menos lento y llegaron los vendavales, mezclados con lluvia y tempestad eléctrica. Los rayos estallaban y uno sentía que duraban mucho tiempo recorriendo la selva con un estruendo y una imponencia que ensordece. Nosotros nos tapábamos los oídos porque no aguantábamos el ruido. Y como hacía un frío penetrante, nos refugiábamos en la cocina, donde el viento mezclado con lluvia bamboleaba para allá y para acá las llamas del fogón. Él rezaba durante cada tempestad para protegernos y mientras tanto el viento silbaba en las ramas y escuchábamos la estampida de los árboles que después de partirse, traqueaban y se caían adentro de la selva.

"Cuando pasó el vendaval y se quedó la llovizna, cayendo finita sobre la selva, vino la niebla. Luego desapareció y empezamos a escuchar las voces de miles de animales, con unos sonidos que uno nunca ha escuchado jamás. Era como un concierto. ¡Qué belleza! Pasó el frío y me salí al clarito que rodea la casa y me puse a mirar las estrellas y a escuchar aquello. Al poco tiempo amaneció.

"Poco a poco se me fueron acabando mis cosas personales. Por ejemplo, reemplacé los ganchos del pelo y las hebillas por bejucos de yaré, delgados y fuertes, con los cuales tejen cestas y canastos. Yo tenía el cabello largo y como soy crespa, se mantenía esponjado. Para peinarme, me asomaba a la quebrada y me miraba en el reflejo de un remanso.

"Tal vez lo único que me incomodó fue la cama por su dureza. Era una piedra formada por cuatro horcones, o sea palos, encima una yaripa tejida con varas abiertas de bambú que tallaban la espalda en cada hilera de nudos y me tocó resignarme a ella porque nunca aprendí a dormir en hamaca, a pesar de ser llanera. Había una cobija para el helaje de las madrugadas. Cuando hacía mucho frío, mi suegro me llevaba a la cocina, prendía candela y nos calentábamos.

"Una tarde, después de los vendavales, aburrida por no hacer nada, le dije a Magdalena que fuéramos a recoger caña. ¿Para qué? Para moler en el trapiche, un trapiche de rodajas y cuerpos moledores perfectos, tallados por mi suegro en un palo duro. Íbamos a exprimir jugo. Trajimos la caña y empezamos, una a meter los tallos en el molino y la otra a dar vueltas empujando la punta de una manija que hacía funcionar la máquina. Como el vendaval tumbó todas las matas de papaya, se estaban perdiendo muchas frutas verdes, pintonas y maduras. Recuerdo que se me pelaron las manos quitándoles la cáscara y las semillas y cortándolas en tajadas:

—Pero, señora: ¿Usted qué va a hacer?

—Dulce.

—Eso no se puede.

—Que sí se puede. Ustedes me han enseñado, ahora esperen a que yo les enseñe.

Me ayudaron a pelar, en medio de risas.

—La señora está loca. Eso qué va a servir para comer. ¿Papaya verde?

"Herví los tasajos y luego los coloqué entre el jugo dulce de la caña. Quedó delicioso. Papayas en almíbar. No había canela para agregarle, pero aun así el olor y el mismo sabor parecían la gloria y sentí que a media noche alguien se levantaba a destapar las ollas. Era el viejito, el tío de Tomás que llenaba un pocillito y probaba con cuidado. Al día siguiente se burlaban de él: '¿Usted es el que se levanta de noche a comerse el dulce?'

"Nos alcanzó para dos semanas. Lo comían y se saboreaban, porque es que al indígena le gusta mucho el dulce. Usted puede enamorarlos dándoles dulces. Cuando se acabó, dijeron que iban a seguirlo preparando en esa forma cada cosecha.

"Por fin llegó Tomás. Había trabajado como él sabe hacerlo para continuar con sus estudios y dijo que mi papá le había hecho saber a través de mi mamá que yo no era de la selva, que yo era del Llano y que si ese hombre no se responsabilizaba por mí, me llevaran a donde estaba él. Tomás no conocía a mi papá porque yo no se lo había presentado, pero de todas maneras, respetando su opinión —porque ellos saben lo que es el respeto por lo de los demás— fue por mí para trasladarme al Llano".

Bordé trabajó dos meses y medio y regresó a Mitú con un mecánico especializado en estructuras y su ayudante. Revisaron nuevamente al Moisés, le cambiaron algunas láminas deterioradas y repitieron la operación de limpieza. Salió el barro que quedaba escondido y cuando el avión estuvo listo para que alguien trabajara en los motores, fue necesario suspender el plan por falta de dinero y el Moisés quedó nuevamente a la deriva.

Esta vez Giovanni no necesitó emplearse porque el problema laboral con el Uno Dos Cuatro se había arreglado, de manera que pudo recoger los motores donde se hallaban escondidos, le pegó nuevamente las alas y se dedicó a transportar gente y carga.

Por esa época se accidentaron y murieron dos pilotos amigos suyos, el coronel Medrano y el capitán Villarreal.

A Medrano trataron de localizarlo durante cincuenta y ocho días, sin éxito, y finalmente suspendieron la búsqueda y lo dieron por perdido.

Al parecer el avión se había accidentado entre unos picos montañosos que permanecen buena parte del año cubiertos por la niebla. Él había decolado de un pueblito llamado La Uribe, en la pata de la montaña y tenía que ascender como por una escalera de caracol hasta vencer, a más de quince mil pies de altura, los bordes de los Andes.

Cuando regresó la última misión en un helicóptero que barrió la "zona posible", un hombre alto y sucio dijo que no se podía hacer más. Hasta ese momento las naves que participaron en la búsqueda habían volado doscientas setenta horas sin hallar siquiera un rastro de aquel DC-3 que, según el hombre que lo despachó, se despidió de La Uribe con el cupo completo de pasajeros y carga.

La pista de La Uribe es un terreno desierto. A sus espaldas está la masa de montañas. Al frente una sucesión de sabanas yermas sobre las que silba el viento de diciembre. No hay autoridades aeronáuticas. No hay terminal aéreo. No hay torre de control.

El día sesenta, la radio dijo que un sacerdote subiría hasta determinado punto y declararía campo santo un cañón profundo y escarpado que se abre ahí arriba y el día sesenta y uno Giovanni blasfemó diez veces en voz alta, denigró de la operación de búsqueda y rescate y dijo que a la mañana siguiente saldría a rastrearlo.

Hasta entonces, él había encontrado los restos de unos doce aviones accidentados, "a costo mío. Nunca me han dado ni un centavo por eso, pero yo lo hago porque siempre creo hallar vida debajo de cada lata". Y los había hallado con prontitud y un tino que él mismo basa en esta sentencia:

"Los muertos llaman".

El día sesenta y dos despegó temprano de Villavicencio con visibilidad ilimitada y aterrizó en La Uribe un poco después:

—El avión se elevó a las dos de la tarde, iba para Bogotá —le dijo el hombre que lo había despachado— y Bordé le preguntó si tenía que regresar.

—Sí. Tenía que hacer otro vuelo para recoger gente que quedó esperándolo y salió de aquí con mucha prisa antes de que se le cerrara más la cordillera. Salió con mal tiempo.

—¿Había llovido antes?

—Sí. Al medio día.

—No me cuente más —dijo, y se trepó a su avión.

Esa mañana había magníficas condiciones para volar y una vez arriba, tratando de interpretar a Medrano, ajustó la frecuencia de la emisora matriz de Caracol, una estación comercial en Bogotá y se fue detrás de la aguja que le marcaba una ruta directa. Se trataba de tomar el camino más corto entre los dos puntos.

"Empecé a subir, buscando mis quince mil pies para entrar a la capital" —dice Bordé—. "Allí, las grandes montañas se ven lejos. Sin embargo, a pocos minutos de la cabecera de la pista pasé lamiendo un cerro, y dije: 'Aquí voy a concentrar mi búsqueda'. ¿Por qué? Porque, yendo vacío, liviano y con toda la visibilidad del mundo, casi me quedo en aquel punto que no debía tener más de dos mil pies de altura".

Cuando decoló, su hipótesis parecía tan simple como lógica: el avión partió y encontró un techo bajo de nubes; había llovido y tuvieron que formarse estratos bajos, como se llaman ciertas nubes, por lo cual la cordillera estaba tapada. El piloto tuvo que meterse entre algunos copos que le impedían visibilidad sobre lo más cercano, pero como vio lejos las montañas grandes, se metió tranquilo entre la nube creyendo que aún se hallaba sobre el Llano y no advirtió el cerro pequeño que se levantaba al frente.

Ubicado sobre aquel punto, le dio dos vueltas al cerro buscando en ese sitio y cuando iniciaba el tercer viraje alcanzó a ver una mancha blanca al lado opuesto del cerro, más o menos a tres kilómetros de distancia y se trasladó hasta allá.

Pero cuando se acercó, la mancha desapareció y no volvió a ver nada. Pero nada. Él recuerda que sobrevoló a todos los niveles, una y otra y otra vez. Nada.

—¿Qué pasó con ese brillo como una mancha blanca? Carajo. Ese brillo es de un muerto ¿Dónde se escondió?, le dijo al copiloto.

No se detuvo más sobre aquel punto y siguió concentrando la búsqueda al otro lado del cerro. Allí giró a diferentes alturas: si el cerro tiene dos mil pies, empezó a esculcarlo a 1.200, a 1.300, a 1.400. Vaya y venga, vaya y venga. Siempre bajito. Bajito quiere decir podando los árboles para poder ver, más o menos bien, el piso de la selva. Desde más arriba no es posible detallar nada. Tiene que ser así, prácticamente colgado de los árboles.

Un viraje más, otro y otro y, carajo, faltando quinientos pies para cruzar la giba del cerro, vio una lata con la matrícula del avión, clarita, letras azules, fondo gris: "HK Cinco Cinco Seis". Estaba allá abajo, entre los árboles. Los aviones quedan incrustados en la vegetación que se abre para recibirlos y se cierra luego... y se los traga.

Ahí estaba. Luego de localizar la lata hizo un nuevo sobrepaso a la misma altura, ubicado sobre la vertical que se la había dejado ver, pero esta vez desapareció. Pasó seis veces más y nada, pero volando a menos de tres metros de las copas de los árboles.

Un nuevo viraje, otro tráfico en esas condiciones y a la séptima vez, lata encontrada. Ahí ya la vieron él y quienes lo acompañaban. Allá está. Allá está. Ese es, el Cinco, Cinco, Seis. Luego divisaron otras, pero el pedazo más grande no debía tener más de un metro cuadrado: era el que mostraba la matrícula pintada con letras azules. Completica como para que la vieran.

—¿Por qué lo único que quedó completo fue la matrícula para que lo pudiéramos identificar?, —dice Bordé—. No me lo pregunte. Y tampoco me pregunte de dónde salió la mancha blanca que no tenía nada que ver con el avión, pero que fue la que me enrumbó finalmente para que lo hallara. Es que, mire: esa mancha no era nada, yo no tenía por qué haber visto su brillo que, le repito, era algo inexistente si hablamos del metal del avión, estrellado muy lejos de aquel punto.

Yo creo que el mismo muerto me llevó hasta allí.


El mirador de La Tagua parece una explosión. Frente a nuestra mesa esperan turno para acomodarse en la cabecera de la pista el Curtiss de Coral y un Antonov de Selva, pero la voz de Giovanni logra superar el ruido de los motores.

Desde cuando lo conocí he creído que sería un éxito filmar sus entrevistas, por la fuerza de la expresión, por la plástica y la vehemencia con que acompaña cada sentencia.

Con la visera de su gorra negra sobre la nuca y un par de anteojos oscuros que no se baja, así la luminosidad del día se haya empañado, deja aterrizado en el piso un pocillo de café luego de ponerles potencia a los motores. Y cuando describe un avión levantando la nariz, se coloca el dedo índice en la suya y va subiendo la cara y estirando el cuello con la suavidad con que lo haría la nave y en algunos virajes deja capoteada en el borde de la mesa una botella de agua mineral.

Cristina, su mujer, lo mira fijamente. Aprieta los dedos de la mano cuando el relato está en su clímax y suelta una carcajada sonora y larga después de cada anécdota.

Hoy tampoco hay cupo en la mesa. Darío Herrera llegó temprano de Bogotá. Peregrino Mora, otro zorro viejo de la aviación, se acomodó entre Álvaro Niño, el comandante del DC-6 y el Negro Arenas.

—Las mujeres me gustan con piernas fuertes, como el Curtiss, —dice Peregrino— y Darío le sale al paso:

—A mí, no. A mí me cautivan si son como el Antonov: pierna flaca y motor grande.

Pero se habla de rescates y Cristina regresa al tema: "Cada uno tiene algo especial. Tiene, caramba, una historia íntima, humana. Muy humana, ¿sabes? Por ejemplo la de Villarreal", dice.

Mira a Giovanni y éste le devuelve la mirada por encima de las gafas que ahora descansan sobre la punta de la nariz:

*Giovanni*

—Antes de una búsqueda —dice— miro de quién se trata. Según el piloto, uno hace composición del lugar y se imagina qué pudo haber sucedido con él en determinado momento. Algunas veces hablo con quienes fueron sus copilotos para saber cómo reaccionaban frente a un mal tiempo, cómo volaban normalmente, qué rutas seguían, cuáles eran sus mañas, si las tenían.

"Hay algunos pilotos muy osados. Confían mucho en ellos mismos, como el caso de Villarreal. Hay otros que se asustan.

"A los muy osados, generalmente uno los encuentra fuera de la ruta. Tal vez se meten a volar por instrumentos —es decir, ciegos, entre nubes— sin tener por qué hacerlo. Esos llegan hasta la pista en puros instrumentos, así estén rodeados de cerros, lo que no haría alguien que tuviera un poco de temor. Y los que son muy asustados, se van, digamos de Villavicencio para Bogotá, a través de la cordillera y cuando se pierden, todo el mundo los busca de aquí para allá. Yo los busco de allá para acá, porque generalmente ellos tienen una nube al frente y les da temor enfrentarla... o no la saben enfrentar. Entonces cuando ven un clarito, bajan a buscar visual, pero resulta que llegan al huequito y éste se les cerró. Encuentran otro, se meten, se les cerró y así se van regresando, se van regresando para la montaña sin darse cuenta. A ésos no los busque de aquí para allá".

Néstor Villarreal Gómez se mató en una montaña en cercanías de Saravena, un pueblo sembrado donde comienzan los llanos de Arauca y terminan los espolones de los Andes.

Néstor era un hombre especial. Tanto que el aeropuerto de Mitú duró algunos años con su nombre. Lo quería la gente, ayudó mucho a la gente.

Y Néstor Villarreal Gómez se mató en un DC-4 cargado con botellas de refresco. Decoló de Cúcuta para Tame
barbeando el piedemonte, había mal tiempo y desapareció. Duraron buscándolo muchos días, sin éxito. Una mañana Giovanni Bordé se fue voluntariamente a rastrearlo
y lo encontró.

Con Néstor Villarreal tuvo este antecedente:

—¿Por qué no me haces mañana un vuelo a La Uribe?
le dijo a Bordé.

—Claro que sí.

"Avión de él, carga de él. Me encargué del vuelo.

"De Villavicencio a La Uribe se gastan normalmente
treinta, treinta y cinco minutos con buen tiempo, pero la
cordillera estaba tapada de nubes ese día y me tocó dar la
vuelta por encima de la serranía de La Macarena antes de
llegar allá y me gasté cincuenta y cinco minutos. Tuve que
anotar en el libro todo ese tiempo. Pero antes de que me
dijera algo, le escribí: 'Demora en ruta, piloto perdido'. Se
rió cuando lo leyó y me dijo:

—Le voy a enseñar cómo se va a La Uribe: usted decola
de Villavicencio por la cabecera Dos, Dos, pone 210 grados
y vuela diecisiete minutos. A los diecisiete minutos usted
tiene que tener 4.500 pies de altura y pone rumbo 230 y lo
mantiene durante catorce minutos. A los catorce minutos
pone rumbo 270 y en dos minutos tiene la cabecera de la
pista ahí, en la jeta.

"Bueno. Pasaron varias semanas y cuando volví al lugar estaba el tiempo magnífico para volar visual y con la
cordillera a la vista, me puse a seguir el procedimiento que
él me indicó para volar por instrumentos y, óiganme una

cosa: a mí se me helaba la sangre haciéndolo porque él cubría aquella ruta rasguñando, pero rasguñando con el ala del avión las cuchillas de esas moles de montañas que caen al Llano.

"Con el procedimiento que él tenía para ir en menos tiempo al sitio, a los diecisiete minutos encontré un cerro que se me atravesaba. Lo crucé casi dándole con la punta del plano. Y después, al subir a 4.500 pies, doscientos pies debajo tenía otra montaña lista para llevarse la barriga del avión. Y cuando me decía que tenía que poner 270 grados para ir a la pista, sí, claro, la cabecera de la pista estaba ahí, pero rodeada de montañas y con otra montaña al frente. Se me helaba la sangre al pensar hacer esa ruta por instrumentos, sin ver nada, como él lo acostumbraba todas las veces que entraba a La Uribe, visual o por instrumentos. Le daba igual. A mí eso me pareció temerario, estúpido.

"Entonces, cuando su accidente en las montañas, pensé: 'Ya sé cómo buscarlo: pues lamiendo la cordillera'".

Giovanni partió de Cúcuta rumbo a Tame. En Saravena, que es casi la mitad del camino, la gente dijo que lo había visto pasar bajito. Eso le indicaba que, volando entre las nubes, él vio un hueco abajo y por entre el hueco divisó el pueblo, se bajó, miró cómo estaba el tiempo a quinientos, a mil pies sobre la llanura y como por allí también había cerrazón, puso nuevamente el rumbo que traía, subió el tren de aterrizaje, metió potencia y déle: p'arriba.

Con esa hipótesis, el día de la búsqueda decidió hacer lo mismo, pero visual. En un día de sol, tomó los doce mil pies que debía traer Villarreal y al poco tiempo vio a Saravena, sacó las ruedas, redujo la potencia de los motores y se descolgó trazando circunferencias cerradas —virajes escarpados, les dicen los pilotos— y cuando estaba ya casi dándoles a las casas, se imaginó que en adelante el camino estaba tapado por nubes, de manera que volvió a poner el rumbo que traía y se subió.

"Pero cuando puse el rumbo que traía, no me enfocó hacia Tame, en la llanura, sino hacia las montañas —cuenta—, porque por cada viraje en círculo, en esa época el giro direccional se desplazaba diez grados. Diez grados de error y ese aparato es con el que tú navegas. Él tuvo que haber hecho tres giros, son treinta grados desviado hacia la derecha de la ruta. Y hacia la derecha están los Andes.

"Hablamos de unos dos minutos, mientras él sube el tren y ordena su cabeza, mira la brújula, mira el compás, lo ajusta y pone el rumbo que debe ser. Cuando él iba a hacer eso, ya estaba encima de los cerros.

"Yo hice lo mismo y cuando fui a ajustar el giro, dije: "No. Lo dejo quieto" y ascendí con el rumbo falso que tuvo que haberlo equivocado a él, y cuando estaba llegando a tres mil pies vi que tenía que quitarme porque me daba contra la cordillera. Ahí clavé los ojos en la montaña y claro, arribita, a la derecha, ahí lo vi estripado, vuelto nada.

Dos días más tarde se organizó el rescate por tierra desde Saravena. En un primer vuelo de helicóptero partieron Teddy Tornbaum, de la Cruz Roja y el dueño de la empresa El Venado, a la cual pertenecía el avión. En un segundo vuelo se transportaron Giovanni y un socorrista cuyo apellido no recuerdan los demás.

El helicóptero los dejó en la base de la montaña y debían trepar en línea recta por la pared de selva que tenían al frente y allí encontraron una nota que decía, "Síganos. Arriba nos vemos".

Empezaron a trepar. Giovanni había visto desde el aire que el avión estaba en la parte alta de la cañada donde los había dejado el helicóptero y gastaron el resto del día agarrándose como cabras de la vegetación que cubría una cuchilla de la montaña y cuando cayó la noche, durmieron en un planito y continuaron por la mañana. Pero no se vieron con Teddy ni con el dueño del avión.

A las diez, el filo del cerro por donde subían se había hecho tan delgado que temían rodarse por el precipicio que tenían a lado y lado. En ese momento se movían a través de un colchón de vegetación formado por las hojas que han caído de los árboles durante decenas de años, puesto que al pisar sentían que el piso vibraba hasta ocho metros a la redonda.

En ese momento Giovanni y el socorrista se detuvieron y silbaron, una vez. Dos. Tres. El silbido se reprodujo como un eco por el cañón. Los de adelante los oyeron y cuando el zumbido dejó de recorrer la cañada, ellos también silbaron. Los de abajo respondieron. Los de arriba volvieron a silbar. Con esa seña, Giovanni y su compañero avanzaron hacia donde habían escuchado la señal y Teddy se devolvió hacia donde los había oído a ellos:

"Y en el sitio donde nos encontramos, en línea recta hacia abajo —dice Giovanni—, justo donde terminaban los pasos de unos y de otros, ahí estaba el avión.

"Los pilotos muertos lo llevan a uno.

"El avión estalló. Abrió una brecha en la manigua. Voló vegetación. Era una selva densa pero de arbustos y el roto tenía un radio de cuarenta metros a la redonda, que en el monte es bastante. Pero cien metros a la redonda, uno tocaba el tronco de un árbol y se cortaba: los vidrios de las botellas que cargaba el avión estaban pulverizados e incrustados en los palos y no había uno solo, pero ni un solo trozo grande de vidrio: eran diminutos, todos incrustados y si uno tocaba un árbol, se cortaba las manos.

"Los cables de comando y los cables eléctricos estaban enrollados alrededor de los troncos de los árboles, como si alguien los hubiera enredado allí. La violencia del impacto y de la explosión. Hombre, hallamos un alicate roto. Ni en un yunque es posible partir un alicate. El cuerpo del copiloto estaba hecho harina. Eran trapos, trapos. Y había un olor ácido, un olor raro.

"Néstor era el que estaba más completo, pero tenía tantas fracturas que lo pudimos enrollar porque los huesos no oponían ninguna resistencia y así enrollado, lo metimos entre un saco y nos lo llevamos.

Una semana después Teddy me contó la misma historia, en su castellano fluido pero sonoro, con el rastro de un acento alemán que empezó a diluirse hace cuarenta y seis años, cuando llegó a Cartagena huyendo del rigor de la guerra que lo atrapó después de cumplir los dieciocho:

"El helicóptero" —comenzó diciendo— "nos dejó a las cuatro de la tarde en la orilla del cauce del Caño La Pava, que desemboca en el Arauca, abajo de Saravena.

"Subimos dos horas y media por una cuchilla, hasta cuando comenzó a anochecer. El DC-4 estaba arriba, en la falda de la pendiente. Nosotros lo sobrepasamos. Yo me subí a un árbol para, más o menos, conocer dónde estábamos y me di cuenta que habíamos trepado más de la cuenta.

"Avanzábamos lentamente porque conmigo iba el dueño del avión.

"En el segundo vuelo llegaron Giovanni y quedaron abajo con un socorrista de la Cruz Roja. Ellos subieron por la cuchilla del frente. Las dos cuchillas marcaban una cañada y abajo, por entre la cañada, corre una quebradita que va a desembocar abajo, en el Caño La Pava.

"Pues imagínese que en algún momento ellos vieron a dos tipos que no éramos nosotros y como ésa es zona guerrillera, pensaron que 'allá va la guerrilla', se regresaron y se escondieron abajo en el río, entre unos piedras y quedaron durmiendo allá.

"Nosotros también vimos a los tipos al otro lado de la cañada y también pensamos que era la guerrilla, pero seguimos adelante.

"Esa noche dormimos en la parte donde menos precipicio había a lado y lado. Yo estaba dormido con un árbol entre las piernas para no poder caer al abismo durante el sueño. Pasamos así la noche. Uno con mucho sueño, olvídese, pues, que duerme en cualquier parte: por lo menos cierra los ojos y piensa que está durmiendo. No llevábamos nada de comer.

"El día siguiente ya bien temprano nos encontramos por silbidos y gritos y nosotros nos devolvemos y ellos avanzaron a donde estamos nosotros y cuando nos encontramos, decimos:

—Mira, vamos a hacer una cosa: vamos a bajarnos por la falda de la montaña. El primero se para aquí. Entre el primero y el segundo hay que dejar cincuenta metros. Cincuenta metros abajo del segundo, se ubica el tercero y a cincuenta metros abajo del tercero, el cuarto, de manera que, avanzando por la falda, de izquierda a derecha, al tiempo, vamos barriendo el lugar, a ver si encontramos el avión, que debe estar, en línea recta, debajo de donde nos encontramos con Giovanni:

"¿Ya ven algo? No, nada. Nos íbamos comunicando con frecuencia y seguíamos avanzando.

"De golpe, los dos de abajo se perdieron y quedé yo solo con el dueño del avión. Él estaba en una forma tan agotada que había llegado a la desesperación: 'Ay, yo necesito agua... Mira: yo me siento aquí. Yo no sigo más. Mira, déjame aquí', y yo no podía dejar al hombre allá. Cualquier hojita donde había una gotica de agua, él lo cogía para lamérsela. Y: 'Mira, déjame y siga adelante'. Y yo dije, 'No, no lo puedo dejar'.

"Esa es una selva cerrada que no he encontrado sino allí: árboles que tienen sus raíces cubiertas por un colchón de musgo y por debajo hay huecos. Entonces usted pisa y mete la pata, pues hasta que llega abajo, al fondo del hueco. Todo era andando de hueco en hueco y uno tenía que buscar más que todo las raíces para poner sobre ellas la pie y no caer abajo.

"De todas maneras el dueño estaba empeñado en sentarse y en sentarse y yo, pues lo animé y fui conmigo. Avanzamos, avanzamos con cuidado y de golpe, adelante, lo veo yo el avión abajo de nosotros. Grito a Giovanni y ellos por debajo ya habían pasado del punto: 'Mira, ¡ahí está el avión!'

Giovanni dijo: '¿Dónde?' Le contesto: 'Mira, allá está el avión'. Entonces dijo, 'Ah, sí. Sí. Camina vamos, pues'.

"En ese momento el dueño se acercó un poquito ladera abajo y dijo, 'Aquí me quedo'. Dije, "No, camina".

"El avión había cargado Coca-Cola. En el impacto se rompieron las botellas y eso sí era muy bonito ver los árboles, llenos de cristales que brillaban como si fueran diamantes. Una cosa muy bonita.

"Entonces el dueño me dijo: 'Mira Teddy, vaya a ver, pues, qué pasó a mi gente'. Yo me fui al avión, encontré una botella de Coca-Cola intacto. Me regresé para entregarle la bebida al dueño y le dije: 'Camine, vamos a mirar. Tú para eso viniste'. Dijo, 'No. Yo no puede mirar los muertos. Yo no voy allá porque yo no puede mirar muertos'. Dije, 'Bueno, entonces yo voy a ver'.

Bajé y le grité desde allá:

—Mira, aquí hay uno.

—¿Quién es? —me contesta—. ¿Cómo es?

—Hombre, es uno gordo, pues sí...

—Ay, ése es el mecánico Fulano de Tal... ¿Quién más hay?

—Espera... aquí hay otro.

—¿Cómo es?

—Es uno ya más bajito, así...

—Ay, por Dios, ése es Néstor.

"Todo esto a los gritos. Y yo búscale después al copiloto y no lo veía.

—Ahí debe estar el otro —dijo el dueño.

—No está.

—¿Que no está?

—Mira, yo ya pasié todo el avión, quedó descubierto arriba, como si lo hubieran cortado con un cuchillo por la mitad. Contra el suelo quedaron las planchas del piso y el techo por otro lado, más atrás.

"Y por todos lados busque y busque y nada, y le grito:

—Aquí no hay nadie más, y él dice:

—Pero, busca y busca. Grito:

—Mira: lo único que veo yo es un hueco por debajo del fuselaje y de ahí me salen unos moscas y es posible que por ahí puede estar el otro.

"Voy a mirar, cuando en este momento aparecieron ya Giovanni con el socorrista, que estaban muy abajo en la falda de la montaña y ya con ellos le hicimos excavación y efectivamente, por debajo del fuselaje estaba el tercero.

"Habíamos convenido con la gente del pueblo que cuando sobrevolaran en un avión y vieran un trapo rojo que izábamos nosotros con un palo, eso quería decir que nos debían mandar un helicóptero para evacuar. Si había trapo verde era que íbamos a bajar los cadáveres nosotros mismos, pero cargar con ellos por ese precipicio era imposible. Y acordamos que cuando viniera helicóptero nos mandaran un paquete de periódicos viejos y sacos de hule para empacarlos.

"Ellos entendieron y nos mandaron por la tarde un paquetico con un papel, diciendo que el helicóptero ya iba a venir. No nos mandaron comida, ni nada.

"Ese día no llegó el helicóptero y dormimos allí; ya sabíamos dónde era el accidente y bajamos unos mil metros para el lado del río y volvimos al día siguiente. Dormimos en el suelo, debajo de los palos, ya en una parte más plana.

"Esa noche, antes de dormirnos, les conté una historia muy extraña que me sucedió en un rescate poco tiempo antes de aquello:

"Mira: se cayó una avioneta que iba para una pista por el Caño Siringa, que desemboca en el Río Papunaua, puro corazón de la selva, muy lejos de todo y allá recogió a una señora, decolaron y llegaron a un mal tiempo y se perdieron en la selva.

"Se buscó varios días y al final, sobre un árbol, en la plena selva, se vio una latica pequeña: eso nos indicaba que allá debía estar la avioneta por debajo de los árboles. Pedimos un helicóptero y sobrevolamos la zona y efectivamente, cuando el helicóptero paró allá en vuelo estacionario y se abrieron las ramas con el viento, allá estaba la avioneta.

"Como era muy cerrada la selva, planeamos que en una chagra sin árboles, plana y despejada que había cerca de donde estaba la avioneta, bajábamos, nos organizábamos y fuimos con un señor de la Defensa Civil y otro de la Aeronáutica Civil.

"Organizamos el helicóptero con lazos para poder bajar allá. Decolamos de la chagra y volvimos al punto. 'Bueno: ¿Quién baja primero?' Yo de verraco les dije: 'Yo voy primero'. Y me bajo, pues, a los patines del helicóptero y miro para abajo y me dio cosita y le dije al piloto:

—Déle la vuelta a ver, acomodémonos mejor.

"Pero ya no había más disculpa sino coger el lazo y bajar a ver. El segundo debía ser el de la Defensa Civil. Yo abajo esperando y lo que me alcanzaron fue el maletín, una carpa y una motosierra. Y ya en el tercer estacionario del helicóptero, bajó el de la Aerocivil y se fue el helicóptero.

El de la Defensa Civil no bajó y pregunté al otro: '¿Qué pasó?' 'No, a ése le dio miedo'. 'Bueno, de todas maneras ya estamos aquí abajo'. El preguntó: '¿Qué vamos a hacer?'

"—La nave está allá. Camine miremos a ver qué pasó.

"La avioneta estaba patas arriba, pero la cabina, intacta. Sin una abolladura, sin una sola arruga. Cayó sobre un árbol grandísimo y luego de posarse allá en las ramas, se resbaló por el tronco y quedó ahí. Me acerqué, miré adentro y no había nada. Nada. Entonces di la vuelta y qué veo: dos cadáveres desnudos, alineados, perfectamente colocados en el suelo, uno al lado del otro, simétricos, medio descompuestos y totalmente desnudos. Les quitaron toda la ropa: hasta los calzoncillos del hombre y los calzones y el brasier de la mujer.

"Llamé al otro y le dije: 'Mira. ¿Cómo le parece?' El miró, me miró a mí y dijo, '¿Teddy: tú estás pensando lo mismo que yo?' Dije, 'Sí. Alguien se nos adelantó. Pero, ¿llevarse hasta la ropa interior?'

"Al hombre le entró el afán y dijo: 'Teddy, camine vámonos'. Dije, "No, cómo vamos a ir. Ya que estamos aquí, llevémonos los muertos'. Dijo, 'Nooo, nooo, camine, vámonos rápido de aquí'.

"Cogí un cuchillo y corté los cinturones de seguridad que estaban colgando y como él no me quiso ayudar, amarré los pies del hombre, coloqué las piernas suyas contra mis espaldas y lo arrastré hasta el sitio donde el helicóptero iba a hacer su estacionario. Lo llevé allá y le dije al otro: 'Camine, ayúdame con la mujer'. Dijo, 'Nooo, yo me voy, yo me voy'. Y le dije, 'Pero, ¿cómo te vas? Ni el helicóptero ha llegado todavía. Camine'. Nada. Me tocó ir, coger la mujer, arrastrarla y llevarla allá.

"Cuando ya los tenía juntos, los amarré a los dos y esperamos al helicóptero. Llegó el helicóptero, lanzó la cuerda, amarré los dos cuerpos y, váyase.

"Cuando ya estaba muy arriba, vi que de golpe se escurrió un cadáver y dije: 'Se va a caer. ¿Y Ahora qué?' Pero no. Ellos se reacomodaron y se fueron: los llevaron para la chagra y los depositaron allá.

"El helicóptero regresó y recogió al otro. Hicimos una argolla con la punta del cable y él metió los pies entre la argolla y agárrese bien, mijo, y pensando en que no se fuera a soltar, me quito el cinturón y le digo: 'Para que no se caiga, venga a ver' y lo amarré por su cintura contra el cable y a volar.

"Yo quedé solo con el maletín. Llegó el otro vuelo, até el equipaje, se elevaron y se fueron y ya estaba oscureciendo, empezando a llover y quedé yo solo allá.

"Al cabo del tiempo sobrevoló el helicóptero, le oí dando vueltas y dando vueltas y se perdió. Digo, 'Qué pasa, ¿por Dios? Seguramente no encontró bien el sitio y fue a la chagra a tomar rumbo otra vez'. Sí señor. Hizo eso. Encontró el sitio y me bajó la cuerda. Yo me cojo de ella y empezaron a elevarse. Esta cuerda empezó a desenrollarse y yo, dando vueltas y dando vueltas, empecé a ver los árboles adelante de mí que pasaban como borrones y pasaban como borrones y me entró el afán. Dije: 'Si yo me desmayo viendo pasar los árboles, me voy a soltar'. Pero él subió y ya cuando empezó a volar en línea recta, ya empezó el viento fresco y yo a respirar, uuufffff, fffuuuuu, y veía el horizonte dando vueltas porque la cuerda seguía girando, pero ya con la frescura del viento me alivié porque yo estaba sudando de angustia.

"Llegamos a la chagra, empacamos todo. Los muertos por debajo del helicóptero y camine y vamos. Llegamos ya de noche a Miraflores. El otro me dice: 'Apenas que yo llego allá, voy a decir al inspector de policía del pueblo que me esculca y que mira todo mi equipaje y me da un certificado'. Entonces dije: "Yo también. Que me esculquen, carajo, y que nos den un acta con sello oficial.

"Efectivamente, fuimos a la oficina del inspector:

—Mira, esto aquí son primeros auxilios, éste es mi ropa y esto y lo otro.

"Al compañero lo mismo. Estaban los familiares de los muertos allá: 'No, pero cómo van a hacer eso. No hay necesidad de tanta esculcada, ¿cómo se les ocurre?' Y nosotros: 'No. Eso toca así'.

"A las tres semanas me llaman a un juzgado penal para preguntar dónde estaban los millones de pesos que traían el piloto y la mujer en la avioneta".

La niebla cubrió el lugar a las siete de la noche. El dueño del avión y el socorrista roncaban a ratos y a ratos despertaban sobresaltados, escuchaban a Teddy y volvían a tratar de conciliar el sueño. Hacía frío. Giovanni comenzó otra historia, pero el sueño y el cansancio los rindieron.

Al día siguiente volvieron a trepar hasta donde estaba el avión y allá intentaron hacer un hueco en la vegetación a manera de helipuerto, pero no pudieron porque en ese punto la cuchilla es muy angosta y ya por la tarde apareció un helicóptero del ejército.

No pudo aterrizar. Se alejó y voló en círculos, mientras Teddy, Giovanni y el socorrista empacaban los cadáveres en bolsas, los ataban y, a una señal desde tierra, el aparato se posó arriba de sus cabezas, lanzó cuerdas y fueron izando las bolsas una por una. Luego se alejó. Estaba anocheciendo y nuevamente quedaron los cuatro en la montaña y con las primeras sombras volvieron a descender hasta un sitio plano al lado de la quebrada.

Teddy es un alemán de un metro con ochenta y nueve centímetros, forjado en un yunque y a los sesenta y ocho años escala los Andes o se interna en la selva con la elasticidad y la fortaleza de un atleta. Su manía es salvar vidas. Esa ha sido desde cuando era joven y deseaba estudiar medicina, pero lo atrapó la Segunda Guerra Mundial.

Hoy, sin embargo, aquella obsesión ha tomado tanta forma que no puede esconderse en ningún rincón de los seiscientos mil kilómetros cuadrados de llano y selva, porque en todos lo conocen como a alguien que llega después de las tragedias a jugarse la vida para aportar algo o para salvar o apoyar a alguien.

Teddy —su verdadero nombre es Wolfgang— nació en Danzig, o Gdanzk, en Polonia, y al final de la guerra era piloto de un Junker 52 de transporte —parecido al DC-3—, que llevaba provisiones al frente de batalla y traía heridos.

Pero se disparó el último cartucho "y en Alemania no quedaba una piedra sobre otra. Estaba totalmente arruinada".

Terminado el verano de 1946 se reunió en Hamburgo con sus padres y su hermana. El escenario era similar a Ber-

lín, Munich o Frankfort: "Una ciudad destruida. Usted podía ver a lo lejos, veinte, treinta cuadras y no había una sola
casa sino montones de ladrillos. Yo tenía dieciocho años".

Algunas semanas después tomó un tren que lo llevó a
Estrasburgo, allí cambió y se embarcó en un convoy francés que cruzó por Nancy, Saint Dizier, Chalons y arribó a
París. En un tercero que viajaba hacia el sur, llegó a Orléans,
Tours, Chatellerault, Poitiers, Bordeaux, Bayona y Saint-
Jean-de-Luz, atravesó a pie los Pirineos y llegó a Irún, en
España.

"Digamos que había una 'mafia' a la que se le pagaba
en Alemania y ellos conseguían todo: los cupos en los trenes, las conexiones y el hotel en París", dice Teddy.

Era otoño. La policía española lo guardó en el sótano
de una cárcel, donde se encontró con veinte detenidos, "entre ellos dos alemanes que me dicieron, 'por Dios, usted
qué viene ahora. Regresa porque aquí es la porquería. Aquí
no sé qué'. Y ellos estaban ya algún tiempo en España y
querían salir de regreso a Alemania otra vez".

Esa noche volaron el marco de una ventana asegurada
con diez tornillos y Teddy los vio que ganaban la calle y se
perdían entre la lluvia. A las cinco de la mañana golpeó el
techo con el palo de una escoba y cuando bajaron los guardias, les señaló la ventana. No hablaba una sola palabra de
español.

"Dicieron que no me podían dejar ahí porque estaba la
ventana abierta y toda esa cosa y me echaron a otra cárcel.
Pero una cárcel vieja, vieja, pues, con unas paredes de dos
metros de anchas y me encerraron allá.

"En esta casa quedé yo dos días sin que nadie se recordara de mí porque no era cárcel funcionando, sino vacía.

Cuando se recordaron de mí, me trajeron comida como para tres días, se excusaron y todo eso y me dicieron: 'Mira, si usted quiere, aquí puede quedar pero esto es muy incómodo. Pero si quiere, vamos a San Sebastián. Allá hay una cárcel recién inaugurada'. Les dije: 'Listo, camine vamos".

Dos meses después le preguntaron si quería trasladarse a un campo de concentración cerca de Bilbao, del cual podría salir con permiso a buscar trabajo y una vez lo encontrara sería autorizado para abandonarlo, a cambio de presentarse cada quince días y firmar un libro y no meverse más allá de un radio de veinte kilómetros.

—¡Jawohl!

A los quince días consiguió empleo en esa España que convalecía de la guerra civil, cocinando "fríjoles con garra y cosas así", para los hombres que restauraban la vía férrea entre Bilbao y Burgos y a los tres meses tomó un avión, sin permiso, y se bajó en Madrid:

"Llegué allá a buscar trabajo y de buenas, encontré una pensión en la Calle de Lavapiés, que me habían recomendado, donde vivía un alemán. Allá estuve unos quince días y conseguí trabajo con un señor Fernando Garay de Garay, de la familia de los fundadores de Buenos Aires. Este hombre, muy rico, me llevó a la casa para organizarme como mayordomo. Yo le conté la historia, que yo no tenía papeles y él me consiguió papeles, me consiguió la residencia en España y todo eso. Y yo estuvo más o menos año y medio trabajando con él. Salíamos los veranos de Madrid para San Sebastián donde tenía su casa y todo eso. Muy bonito.

"Pero empezó el problema de la guerra con Corea. Entonces yo ya dije: 'Pues, hombre, no demora y esta guerra se vuelve a repercutar aquí en Europa y yo mejor me voy para

*Teddy*

América del Sur a cualquier país que sea'. Y conseguí conectarme en el Hotel Ritz, con el señor José María Antonio
de Pérez y Escallón, un rolo bogotano de pura cepa. Me lo
presentaron, yo me presenté. Le preguntaba si él no tenía
por ahí algún trabajo, alguna cosa y llegamos a un acuerdo: que me venía para Colombia y él me pagaba cien dólares que era muy buen sueldo en España.

"Allá estaba el señor Buchholz, de la librería Buchholz
de Bogotá y le pregunté: 'Bueno, con cien dólares en Colombia ¿cómo es la cosa?'. Él dijo: 'Mira, pues son ciento
veinte pesos y con eso se puede vivir'. Dije: 'Bueno. Hagamos el contrato'. Venía para ser administrador de las haciendas del señor José María Antonio de Pérez y Escallón
en Bogotá, Colombia.

"Firmamos el contrato y me compró el pasaje en buque. Me embarqué en Cadiz y llegué a Cartagena. Me gustó. Muy bonito. Comenzaba el año cincuenta. Muy bonito.
Yo no conocía esas playas y me metí al mar. Y como estaba
acostumbrado en Alemania al mar de Danzig, me fui nadando, por lo menos mil metros mar adentro y la gente en
la playa haciendo señas y señas y yo no entendí por qué
me hacían señas. Salí a las dos o tres horas allá y cuando
llego me comentaron que cómo era posible, que los tiburones, que me podían comer. No me pasó nada.

"Allá tenía la recomendación para llegar a donde don
Vicente Martínez Martelo. Llegué: 'Mira que aquí estoy,
que no sé qué'. Él me metió en un avión de Lansa. Llegué
a Bogotá.

"¿Qué pasó? Traía la dirección del señor José María
Antonio de Pérez y Escallón y llegué a su casa. Allá estaba
una viejita cocinera, la cuidandera de la casa y le explicaba, le mostraba la carta y entonces me asignó un cuarto ahí

para dormir. Yo esperando al señor que venía dando la vuelta por Nueva York.

"Sí señor: al fin apareció el señor José María Antonio de Pérez y Escallón, muy bogotano él. Allá en esa casa el día siguiente llegaban cajas y cajas y cajas que él había traído de su viaje. ¿Qué hacía conmigo? 'Bueno, mira, venga y ayuda y abre la caja'. Y empecé a desempacar lo que él había traído".

La mañana siguiente, José María Antonio de Pérez y Escallón bajó la escalera de su casa y desde el descanso, le dijo: "Wolfgang, hágame el favor de calentar el Cadillac... No. Mejor el Lincoln y me espera para que me lleve a la oficina".

Una semana, dos, tres semanas, casi un mes: Wolfgang, el Cadillac. Wolfgang, el Lincoln. Wolfgang, deténgase. Wolfgang, espéreme. Wolfgang...

Wolfgang tenía ya los cojones morados, hasta que un día le dijo a José María Antonio de Pérez y Escallón que debía ir hasta la calle dieciocho, arriba de la carrera séptima a buscar a Walter Schürmann, un paisano suyo, por cierto de Danzig, su ciudad, para que les llevara un paquete de café a sus padres que aún vivían en Hamburgo.

Walter estudiaba en la Universidad Nacional y viajaba ese día o a la mañana siguiente a Alemania. Él lo buscó, no lo encontró y le aconsejaron que regresara un poco después. Pero nunca pudo regresar porque José María Antonio de Pérez y Escallón le dijo: 'Wolfgang, el Cadillac, que vamos hasta el barrio La Candelaria a visitar a Marujita Pombo de Urrutia Holguín, porque su marido acaba de fenecer.

José María Antonio y su señora Margarita Esponda de Pérez y Escallón se apearon frente a la casa de los Urrutia Holguín Pombo a las cinco de la tarde. Y llegaron las seis, las siete. A las ocho, Teddy les mandó a decir que tomaran las llaves del auto porque él se iba. Contestaron a través de un ujier, que los esperara: estaban muertos de la tristeza por el deceso del mayor de los Urrutia Holguín, un tipo queridísimo, de la "jay" bogotana, socio del Gun Club.

Las nueve.

"A las diez me sacó la chispa y le mandé las llaves del carro. Bajaron, se sentaron en el asiento de atrás y él me pegó semejante vaciada. Y yo le dije: 'Pues, hombre, usted me contrató como administrador de haciendas y no como conductor esperándolo hasta las diez de la noche en la calle'. Dijo: 'Pará un momentico el Cadillac'. Paré, se bajó, cogió el carro y se largó y me dejó.

"Llegué a la casa. El día siguiente no me saludó. Todos los días no me saludó para nada. Y yo ahí metido, esperando a ver qué va a pasar. Ni me saludó, ni nada.

"Busqué a un abogado que vivía en frente de él, en la setenta y siete entre octava y novena, que era la antigua embajada rusa. Esa era la casa del señor José María Antonio de Pérez y Escallón. Bueno. Allá enfrente vivía alguien y conocí a los hijos con quienes estaba yo charlando todos los días y efectivamente, dicen: 'Mira: habla con papá'. Y hablé con él: 'Mira lo que me pasa'. Le cuento y este señor me dijo: 'Mira, Teddy. Yo con mucho gusto haría el pleito contra ese señor, porque él es un conservador y yo soy liberal. Pero desgraciadamente éste es un señor de mucha influencia y aquí la justicia no es por la razón sino por la plata. Yo no te aconseja, quédate hasta terminar los tres meses de prueba que dice el contrato y a los tres meses le dices: 'Mira, no me sirve. Págame mi regreso y listo y se acabó el cuento". Así lo hice:

"El día de mis tres meses subí y hablé con él: 'Mira, según el contrato, hay tres meses de prueba. No me sirve el trabajo, me hace el favor, me paga el regreso y olvidémonos, pues, de que hemos tenido un contrato y se acabó el cuento'. Otra vaciada que me pegó: '¿Cómo es eso? ¿Quiere también plata? Usted ni ha trabajado, ¿cómo le voy a pagar?'

"Bueno, no hay ningún problema, señor, perdone pues. Lo siento muchísimo. Hasta luego".

"Cogí mi maleta y me fui. ¿A dónde? Yo sin conocer allá. Me fui a la residencia de la calle dieciocho arriba de la séptima, donde estaba Schürmann y allá me dieron posada, ariba, en el último rincón. En el palomar, como se dice. Pero a mí no me importaba. De ahí buscaba yo entonces trabajo y llegué a Avianca a ofrecer mis servicios como piloto.

"Efectivamente me dicieron, pues, que tenía que presentar un examen ante la Aerocivil. Dije: 'No hay ningún problema'. Hablé y me citaron para una fecha equis. Fui a presentar el examen. Lógicamente me rajaron porque me preguntaron no tanto de aviación sino, ¿cuál era la ruta de Barranquilla a San Andrés? Ni conocía, ni sabía que existía San Andrés, ni nada de esa cosa. Y ¿cuál era la ruta Bogotá Medellín? ¿La altura del Nevado del Tolima? Cosas así que yo no conocía siquiera. Me rajaron. Compré un libro de geografía de Colombia y a estudiar porque me dieron chance de presentar otro a los treinta días".

El segundo examen se limitó a temas aeronáuticos y ocho días después ingresó como copiloto de DC-3 en Avianca.

Por esa época conoció a Elvira Umaña de Brigard, hoy su esposa, y a los seis meses en un vuelo de Bogotá a Barranquilla tuvo su primero y último sobresalto tras la cabrilla de un avión:

"Había mal tiempo en Barranquilla y no pudimos entrar. Nos desvían a Cartagena: mal tiempo. Nos desvían a Santa Marta: mal tiempo. Y ahí estuvimos subiendo y bajando y nada. A última hora, nos dieron permiso de aterrizar en Barranquilla por falta de gasolina. De todas maneras, pista normal y eso, pero estos aguaceros vienen con vientos huracanados y no podíamos aterrizar. Apenas que cogió pista, otra vez el viento nos elevó y déle y cuando ya de último tocó tierra de verdad, se nos acabó la pista más adelante y no había chance de frenar. Falló un motor. Alcanzamos a cruzar la carretera del viejo aeropuerto de Soledad y nos metimos entre un bosquecito que había al otro lado. Dejamos las alas atrás y el tabaco quedó entre los árboles. No pasó un rasguño a nadie.

"Llegué a Bogotá y la novia me dijo: 'Mira, si te quieres casar conmigo, pues dejas la aviación o si no yo no quiero ser viuda antes de casarme. Escoja'.

"Dejé la aviación, qué carajo".

Ya con los pies en tierra, empezó a ganarse el pan importando repuestos de Alemania y una tarde, un amigo suyo, el Mono Tovar, le ofreció una finca a dos horas de Villavicencio, entrando por un camino de tierra en verano y greda en invierno, rodeado de pastizales y selva intacta, en las vegas del Rionegro, un río caudaloso. Eran mil hectáreas tituladas por el Ministerio de Agricultura.

Cuando Teddy escuchó el ofrecimiento, lo miró con la distancia que le otorgaba el estar atrincherado detrás de su escritorio y lo dejó hablar.

—Teddy, cómpramela. Vale medio millón de pesos —le dijo Tovar.

—Te agradezco mucho pero no estoy interesado.

—Te la vendo barata, hombre.

—Mono, no estoy interesado.

—Teddy, te la dejo en cien mil pesos.

—Hombre, carajo, no. Todo mi capital son sesenta mil pesos.

—¿Sesenta mil?... ¡Es tuya!

"Ahí me dejó frito... y frío. No solamente frito sino frío. ¿Qué hago?, ¿compro? o no compro. Todavía no le había dicho nada".

—Pero, ¿cómo sería el negocio?

—Teddy, necesito diez mil pesos ahora mismo y el resto me lo pagas como quieras.

Firmaron escrituras y unos días después Teddy consiguió un crédito por doscientos mil pesos —una fortuna— en la Caja Agraria y se hizo llanero de pata dura y sombrero pelo'e guama. Compró tractor y empezó a abrirle la cáscara a la tierra, arando algo y tumbando montaña porque la mayor parte de la finca era selva cerrada con una casita de madera, sencilla y calurosa, pero tan pronto como se enteró la gente de la presencia de "un gringo" en el lugar, comenzó a caerle una noche y la otra también y le invadieron parte de los potreros robados a la montaña.

"Yo llevaba, pues, policía, el alcalde y el juez y todo, para inspección y cada inspección era gallina, cerveza y trago y toda esa vaina y no hacían nada. Y la gente seguía y seguía llegando a invadir".

Transcurrió medio año en ésas y una mañana dijo: "Qué carajo, voy a cambiar de táctica" y se fue hasta donde se habían asentado los invasores, preguntó por el hombre fuerte y lo saludó:

—Hombre, mira: pues yo soy una persona que no es que quiere sacarlos de aquí. Yo entiendo que ustedes necesitan, tienen familia y eso. Yo les ayudo con mucho gusto.

—Perfecto —le respondió—. Tenemos planeado sacar una cosecha de maíz y de arroz a chuzo, pero no tenemos los empaques. ¿Usted nos los puede dar y una vez vendida la cosecha, le pagamos?

—Con mucho gusto.

Les llevó los empaques.

Otro día se aparecieron en la casita de madera:

—Para la cogida de la cosecha necesitamos un mercado y a ver si usted nos trae más empaque.

Les llevó el mercado y los empaques, pero ellos recogieron su cosecha y una vez con el dinero en la bolsa, acordaron "estafar al gringo" y desaparecieron para siempre.

El "gringo" trabajó como mula, le robó más terreno a la selva y cuando ya empezaba a distinguir entre un gaván y una quirpa interpretada con el arpa araucana, su vecino Ruddy Stein, del mismo Danzig donde había nacido, lo embarcó en la siembra industrial de arroz.

Como tenía buenas tierras, el tractor empezó a ablandar el suelo y a revolcar la capa vegetal y a abrir zanjas para que corriera el agua del río. Total, que nuestro hombre —para entonces ya no era gringo sino "musiú", como se acostumbra decirles en el Llano a los rubios que vienen de arriba—, sembró cien hectáreas. ¡Cien!

"La emoción fue grande cuando yo lo vi nacer el arroz. Lindo, verde. Y una mañana me despierta un ruido curioso a las seis de la mañana: Shhhh, Shhhhh, Shhhh. Yo me asomo y digo: ¿Qué es eso? ¡Nubes de pájaros! Un pajarito chiquito: la chisga, se llama. Pero miles de esa vaina.

"Y se fueron pues, al arroz y sacaban y como el granito todavía estaba allá, comían y dele y dele y dele. Pero miles de esa vaina. Nubes de eso.

"Yo pues, me levanté, fui y corrí allá, hizo escándalo. Apenas que uno gritaba, pues Fuiiiiii: se iban hasta el monte. A los cinco minutos volvieron y se sentaron allá a comer. Grité otra vez. Se fueron pero volvieron, ya no a los cinco sino a los cuatro minutos. Después se fueron: tres minutos. Dos minutos. Y después, al final, yo gritaba y ellos no más sino brincaban un poquito y seguían comiendo. Ya sin voz ni nada, dije: aquí hay algo que tengo que hacer.

"Me fui a comprar mechas de las que estallan cuando uno juega tejo. Pólvora. Iba por voladores pero no había.

—Entonces véndame mechas.

"Me llevé una piedra, un martillo y puso, pues a machacar y ¡Pum! ¡Pam! Y eso se fueron... pero regresaron. Hasta que al final yo con toda la mano llena de pólvora quemada y ellos comiendo. Ya no hay más que hacer. Que se coman esa vaina, y listo. Yo que lo digo, 'que se coman esa vaina' y me fui a la casa, ya resignado de haber perdido todo, y el día siguiente no volvieron. Se salvó parte del arroz, pero ganancia ya no había ninguna.

"Bueno. Eso fue mi primera cosecha de arroz. De todas maneras seguí sembrando. Hizo algo allá. Al final ya era el patrón. Llegaba a la finca y:

—Ah. Allá llega el patrón, mijita, prepare la gallinita. Y corre el hombre a abrir la portada y todo eso. Pero hoy, usted llega a la finca y dicen: "Allá llega este hijo de no se cuánto, a joder, que no sé qué".

Durante varias temporadas vio llover nueve meses continuos, midió la creciente de los esteros en las vegas del río y convivió con las corocoras pardas y las corocoras escarlata.

Al final del primer invierno ya no se rascaba el cuero, porque, zancudo que trataba de pincharlo era zancudo con el pico mocho. Luego aprendió a estirar las narices y a resollar el vaho que anuncia la llegada del verano. Y cuando el verano fue seco y pegajoso, sintió el peso de plomo del sol sobre el pelo'e guama que le cubría la cabeza.

A pesar de encontrarse "más pelao que nalga'e guajibo", porque después de cada cosecha quedaba debiendo plata, compró un tractor nuevo y se lo llevó desde Bogotá en un camión: horas de camino descendiendo por una trocha que parecía enredarse entre los pliegues de la cordillera. Cuando comenzó a atardecer bajó a tierra plana y cruzó por Matagüire, El Samán, Quitacalzón, pidió un sorbo de agua en Caramacate y finalmente se apareció en Puerto Porfía. Así se llama el lugar.

"Llegó el patrón, mija. Tuérzale el pescuezo a la gallina sarabiada... Y ponga a hervir cafecito (que ese musiú trae el galillo reseco), le dijo Hilarión Neida, el encargado de la finca, a su mujer, una tal Obdulia Sogamoso.

Teddy sonríe cuando habla de aquella época:

"Recuerdo que quedé la noche y al día siguiente enseñando al encargado cómo funcionaba el tractor y le dije: 'Yo tengo que salir para Bogotá —porque la familia vivía allá—. Me hace el favor, al otro lado del caño me ara ese potrero y todo eso'.

"Cuando regresé, le pregunté: '¿Cómo le fue al otro lado del caño?' Me dijo: 'Hombre, don Teddy, más o menos regular'. Y yo diga: '¿Qué quiere decir, más o menos regular?' Dijo: 'Pues no se pudo hacer nada'. '¿Y eso por qué no se pudo hacer nada?' 'Porque, figúrese que cuando pasé con el tractor al otro lado, se cayó del puente'. 'Bueno y ¿dónde está el tractor?' 'Ahí entre el agua para que vea usted que sí es cierto'.

"Vendí la finca".

Pero se quedó a vivir en Villavicencio, donde fundó la Cruz Roja en 1979 con seiscientos pesos recogidos entre los amigos. Hoy, después de veinticuatro años, esa institución en el Llano y la selva tiene el patrimonio más sólido entre todos sus homólogos de Colombia. Por encima de Bogotá y de las ciudades industrializadas. Posee un edificio de siete pisos con banco de sangre, laboratorios y consultorios, a través de los cuales presta, a bajo precio, servicios especializados de atención médica, de laboratorio clínico, de droguería. Y posee casas propias de asistencia en varios municipios pobres, una clínica en zonas deprimidas, emplea a cien personas y lleva socorro en todas las tragedias que ocurren en 668 mil kilómetros cuadrados.

Hoy, después de veinticuatro años de trabajo incansable, no ha cobrado un solo peso por su labor.

Para Teddy, Giovanni, el dueño del avión y el socorrista, aquella fue una noche húmeda y fría, oyendo rechinar sus propias tripas. Al comienzo de la madrugada, la luz de la luna empezó a taladrar la niebla que arropaba el dosel de la selva y se quedó allí hasta el amanecer, brillando en millares de puntos de cristal que tachonaban los troncos de los árboles: sin titilar, fijos como un universo de estrellas.

El sol salió temprano y poco más o menos a las diez de la mañana se escuchó en el fondo de la llanura el sonido de un helicóptero.

En Mitú el Moisés había permanecido otros dos meses bajo la lluvia y una mañana se apareció Giovanni con tres mecánicos que venían a revisar sus motores.

Con ayuda de la población improvisaron una enramada, los desmontaron y bajo el techo de palma los desarmaron totalmente y los limpiaron. Luego reemplazaron algunas piezas que se encontraban aparentemente inservibles, cambiaron aceite, bujías, magnetos y algunos cables pero no se los colocaron, porque nuevamente se acabó el dinero y antes de regresar a Villavicencio los dejaron guardados en una casa del pueblo.

Esta vez Giovanni no volvió al Llano. En el exterior había trabajo, de manera que se fue una temporada a probar suerte como piloto de aviones modernos y permaneció allí un tiempo pensando en el Moisés y ahorrando con el propósito de regresar y terminar de repararlo. Verlo volar era su obsesión.

Una tarde en Panamá decoló para un crucero hasta Nassau en las Islas Bahamas, llevando a tres pasajeros. Volaba un Piper Navajo de dos motores con magníficos equipos de navegación. La tarde transcurrió normalmente: zonas con alguna nubosidad, vientos suaves de nariz y, en general, buen tiempo. Anocheció con cielo ilimitado y faltando veinte minutos para las diez se comunicó con la torre de Nassau que reportó lluvias intensas en la zona. Chequeó su D.M.E —instrumento que señala la distancia que separa al avión de la estación— y vio que indicaba dieciséis millas hasta el aeropuerto.

Una nueva posición le indicó doce, pero justamente cuando hacía la comprobación observó que los instrumentos se volvieron locos. En las radios no volvió a escuchar señal, la brújula giraba a alta velocidad, el giro direccional también empezó a dar vueltas, el horizonte se volteó, los V.H.F. no recibían señal de ninguna especie, los A.D.F. —instrumentos de navegación— quedaron fuera, los V.O.R. también fuera, el transponder se fue al diablo. Nada marcaba. Tanto, que él mismo desconocía cómo estaba volando, si lo hacía con las alas niveladas o estaba en un viraje o ladeado hacia uno de los costados.

Lo último que vio fue que se hallaba a doce millas. A esa hora iba corto de gasolina porque había cubierto prácticamente todo el trayecto de un vuelo largo y lo único que quedó trabajando fue el radar, pero no en forma permanente: funcionaba durante un periodo, se iba, volvía, se iba.

El estado del tiempo empeoró y entraron en una zona de vientos fuertes, lluvia espesa, cúmulos, rayos, truenos, que con equipos en buenas condiciones no debían ofrecer alarma porque ayudan a sortear cualquier dificultad, pero ahora estaba ciego en medio de la tempestad.

Una y otra vez intentó contacto con la torre, pero fue imposible. No sabía si navegaba mar adentro o hacia el continente. El último reporte de altura hablaba de siete mil pies sobre el océano. ¿Continuaba a ese nivel?

Como buen colombiano, no llevaba chalecos ni bote salvavidas y lo primero que se le ocurrió fue ascender, ganar unos pies más para intentar liberarse del mal tiempo y buscar las estrellas. Tal vez la Osa Mayor, para tomar un rumbo y volar hacia Miami o algún punto en la costa de la Florida.

Ascendió a diez mil pies pero no quiso continuar porque a esa altura consumía más combustible y no estaba en condiciones de dilapidar ni una gota, pero, por otra parte, no divisó ninguna estrella. La noche era oscura y la tempestad constante y resolvió bajarse a tientas cuanto más pudo para volar casi rozando la superficie del mar, con la esperanza de hallar las luces de algún buque, de manera que eventualmente pudiera acuatizar a su lado y ser rescatado.

Calculó haber llegado a unos cuatro mil pies, cuando de un momento a otro vio que la pantalla del D.M.E volvía a cobrar vida. Ese aparato da una señal muy confiable a unas ochenta millas de la estación, aunque algunas veces se alcanza a recibir información a ciento veinte millas, sobre todo volando jet, a mayor altura y con equipos magníficos: ciento veinte como máximo.

Pero resultaba casi imposible, o digamos, supremamente raro, recibir una señal de ciento setenta millas que era lo que ahora le estaba indicando, emitida por una estación que, se suponía, debía ser Nassau, puesto que él no había cambiado la frecuencia.

"¿Cómo así? ¿Cómo es que paso de doce, a ciento setenta millas?", se preguntó.

Como todos los instrumentos estaban trabajando mal, le parecía lógico que éste estuviera dando una marcación errónea y empezó a mover el avión hacia la derecha, hacia la derecha y veía que el D.M.E. iba aumentando a ciento setenta y uno, a ciento setenta y dos, de manera que lo colocó de tal modo que, en vez de aumentar, disminuyera.

Así la distancia empezó a acortarse, aunque él estaba seguro de ir tras un imposible porque, primero: no era lógico que estuviera a ciento setenta millas de un punto del cual lo separaban doce unos minutos atrás. Segundo: no tenía brújula ni nada que lo guiara.

"Entonces esperé que eso marcara hacia atrás, hacia atrás, hasta que se leyeron noventa millas, pero se fue la señal. El aparato duró en blanco bastante tiempo pero yo me mantuve con la misma trayectoria, ayudado por el radar que había regresado un poco. Digo un poco porque marcaba algunas veces, otras no y en la pantalla veía ciertos cúmulos, ciertas nubes. Entonces hacía una trayectoria en el mismo radar y trataba de seguir un rumbo específico, sin conocer el rumbo real.

"Cuando funcionaba, la pantalla mostraba cúmulos para todos lados y el avión se sacudía con violencia cada vez que nos agarraban esas corrientes ascendentes y nos elevaban muchos pies y luego venían las descendentes que parecían mandarnos hasta el fondo del mar. Y a la vez se sentían las explosiones de los rayos y nos encandelillaba la luz penetrante que iluminaba las nubes.

"Mientras volaba, duré mucho tiempo pensando que no iba para Nassau sino para otra estación que debía tener la misma frecuencia. De golpe para Miami, para algún punto remoto. Imagínese: ciento setenta millas.

"En ese momento estaba seguro de una sola cosa: que no había nada que hacer. Que cualquier intento que tratara, era mariquiar porque, es que, ¿cómo vas a creer que apareces tan lejos, cuando cinco minutos antes tenías la isla en las narices? Y que si los instrumentos están mal, ¿por qué todos se enloquecieron y el único que te marca una aparente estupidez esté bueno?

"Pero era lo único con que contábamos. No había nada más para pegarse. No había más. Y a medida que descontaba y descontaba y descontaba millas, nos íbamos acercando a algo que no sabíamos qué era. Y sin gasolina, de noche, con tempestad, en pleno mar... Auncuando el estado del tiempo era lo de menos. La tempestad me importaba un carajo en ese momento, porque, óigame bien: ahí yo estaba seguro de que nos íbamos a matar y me arrepentí de lo que había dejado de hacer.

"Hoy uno cuenta esto rápido, pero fue una hora y media de agonía. ¿De dónde saca uno fuerzas para luchar? No lo sé. ¿Por qué no le da a uno un infarto en medio de esa angustia? Tampoco lo sé.

"Como era lógico, los pasajeros también estaban sintiendo la agonía de la muerte. Uno de ellos se acostó en el piso y colocó las piernas en posición de accidente. Solamente esperaba el golpe. Al otro le había dicho hacía mucho tiempo que me alumbrara la brújula con una linterna y allí permanecía sin moverse.

"Cuando estábamos a unas sesenta millas, regresó nuevamente la señal del D.M.E y continuó disminuyendo, disminuyendo, disminuyendo, pero entonces se me acabó la gasolina de los tanques principales, cambié a unos tanques auxiliares, también se acabaron ésos y pasé a los últimos y repasé para ir exprimiendo hasta la última gota. Estábamos en los últimos dos, que los había cambiado desde hacía mucho rato, porque se suponía que en los anteriores no debían quedar más de seis, siete galones en cada uno. Un cálculo, porque los indicadores no marcaban nada.

"A esa altura, la película de mi familia me había pasado veinte veces por la cabeza y estaba seguro de que no había nada que hacer. Que irremediablemente me iba a morir y que al leer el D.M.E. estaba siguiendo un imposible; iba detrás de algo que era absurdo y era estúpido, pero era lo único con lo que contaba. ¿Cómo iba a estar de un momento a otro a ciento setenta millas de algo que minutos antes tenía a doce? Pero era lo único que tenía y me fui detrás de eso.

"El aparato siguió indicando disminución. Disminuía y cuando señaló diecisiete millas, empecé a sentir un murmullo en la radio y empecé a llamar a Nassau, porque se suponía que era la frecuencia que tenía puesta. Empecé a llamar, a llamar y cuando marcó doce millas, me contestó por fin Nassau: alcancé a escuchar la voz como entre un tarro, metida quién sabe dónde y ya me contestaron. Ellos no tienen radar pero sí un equipo que se llama D.F. ¿Cómo opera? Cuando tú oprimes el botón del micrófono por el cual te comunicas, envías una señal que es recibida por un equipo que la pasa a una pantalla parecida a la del radar y te ubican. Y una vez ubicado, te dan la velocidad que llevas, el rumbo, de dónde vienes, etcétera.

"Les pedí que me localizaran. A los dos minutos me estaban llamando para decirme que oprimiera el micrófono. Lo oprimía y lo soltaba para escuchar qué me decían y me dijeron que venía por el Radial Quince de Nassau y que estaba a nueve millas. El DME me marcaba eso. Ya sabía que era una indicación real la que me había dado desde el principio, porque llevaba más de una hora volando con ese instrumento.

"Yo debería venir del sur y no del norte, como ahora me lo indicaba la torre. Es que venía del sur, de Panamá y de un momento a otro, según ese D.M.E. y según las últimas indicaciones, algo me colocó automáticamente ciento setenta millas más allá de la isla. Al norte.

"En Nassau había tempestad y me dijeron: "El aeropuerto está cerrado". A mí esas palabras no me importaron porque ya empecé a ver algo de luz: casas, alumbrado público, alguna avenida y solamente con eso, estaba feliz porque sentía tierra cerca y decía, así esté cerrado o se me acabe la gasolina, acuatizo lo más próximo a la playa y si logro nadar un pedazo, de golpe me salvo. Aunque la posibilidad era que me ahogara, pero en ese momento, de no saber dónde está uno, de no saber para dónde va, a tener a Nassau ahí debajo, eso era algo.

"Ayudado por el radar que ya estaba dando mapas y me mostraba la isla, miré la carta, identifiqué la pista y me coloqué más o menos en una trayectoria que me permitiera situarme en la cabecera. Lo hice y le llegué por debajo. (Estaba a una milla). Ahí alcancé a ver bien lejos unas lucecitas rojas, que se suponía eran parte del ILS —el comienzo de la pista— y me decían que yo estaba por debajo del ángulo que marca la trayectoria ideal para entrar. Me mantuve en dirección a ellas, me acerqué, me acerqué y cuando sentí que estaba sobre la pista, entonces, tren abajo y me metí, sin importarme lo que pudiera salirnos al paso en medio de esa tempestad, pero ya estaba en tierra. Ya estaba en tierra.

"Luego vi que corrían luces a lado y lado y que empezábamos a reducir velocidad sin salirnos de la pista. Cuando nos detuvimos, el pasajero de la linterna estaba llorando y permanecía alumbrando la brújula, tieso, petrificado.

"Al día siguiente, antes de volar a Miami, comprobamos que los instrumentos continuaban locos y tuvimos que llamar a un taller especializado de donde vinieron con aparatos a desmagnetizar el avión. Fue necesario bajar algunos radios y tratarlos en un aparato especial.

"Yo siempre he creído que fue un fenómeno magnético de gran intensidad lo que me desplazó de mi posición y me trasladó casi doscientas millas en menos de un minuto. Es que dentro de un campo magnético tú te puedes desplazar a unas velocidades violentas sin sentir la inercia. Sin sentir nada. Por lo menos en teoría. No encuentro otra explicación.

"Esa noche comprobé que si algún día me mato, me mato luchando. Yo no me entrego. ¿Entregarme? Ya lo habría hecho hace rato... ¿Les conté alguna vez cuando se me arrancó el timón de profundidad en el Uno Dos Dos, un DC-3, en pleno vuelo?

"Una mañana llegamos a Tauramena, al pie de la cordillera. Íbamos sobrecargados: cerveza, víveres, herramientas. La pista de Tauramena es de pasto. Bien larga: mil doscientos metros. Recuerdo que entramos bien, pero tan pronto aterrizamos, se desató una tormenta. Un palo de agua que no nos dejaba ver a más de dos metros. Y llueva y llueva y llueva. Dos horas lloviendo a chuzos. Ya habían bajado la carga y estaban subiendo noventa canastas de cerveza vacías y, bueno, pasó el aguacero. No se alcanzaban a ver los cerros todavía porque la niebla se había quedado envolviéndolos, pero le dije al copiloto: "Vámonos".

Es que vivíamos con afán. Todo era ya, todo era rápido. La prisa clásica del dueño de un avión.

"Comenzamos el decolaje y cuando nos habíamos comido unos trescientos metros de pista y teníamos unos sesenta nudos de velocidad, se frena este maldito avión. Pero frenado, luchando por pararse en la cabeza y yo con toda la cabrilla contra el pecho, teniéndolo, no dejándolo clavar el pico. De ahí en adelante la pista era una piscina. Pero una piscina.

"Esa pista escurría fácilmente después de un aguacero, pero resulta que llegó un alcalde bestia y dizque le dio por pasarle una motoniveladora y claro, se la tiró completamente. Una alcaldada. Y nosotros no sabíamos que eso había sucedido. Lo cierto es que lo único que me sujetaba la cola abajo para no pararme en la cabeza, era que tenía funcionando los motores, había flujo de aire y podía mantenerla a base de cabrilla: velocidad, más flujo de aire.

"Si hubiera cortado motores en ese momento, me habría parado en la cabeza. Y si no los corto, no agarra velocidad para salir. Escoja a ver. De todas maneras, yo nunca había visto que una cerca cogiera una velocidad tan hijuepuerca como la que agarró la que estaba al final de esa pista. Qué cerca hijueputa p'a correr. Se vino a toda. La vi venir a una velocidad increíble y cuando ya la tenía encima, le pedí al copiloto que metiera aletas para tratar de sacar el avión, pero no nos marcaba en ese momento sino cuarenta nudos, cuarenta, y con cuarenta nudos tú no haces nada. Para comenzar a elevarlo necesitaba, mínimo, cincuenta y cinco nudos. La pista ya estaba acabándose. Entonces le dije, "Métale media aleta". La metió inmediatamente. Cuando la cerca estaba encima, le pegué el templonazo. Al pegarle el templonazo, el avión no tenía velocidad para volar pero sí levantó el pico. Al levantarlo, pasó la parte de adelante pero le pusimos la cola a la cerca y cuando le dije, "tren arriba", él ya lo había subido. Entonces, hijuemadre, el avión p'a caerse por falta de velocidad y téngalo y téngalo y empezó a volar suavemente pero estoliao, es decir, con la cola baja.

"Salimos, mal que bien y le digo: 'Casi nos rompemos el rabo, hermano. Baje el tren a ver si todavía lo tenemos ahí', porque sonaron latas y traquearon cosas atrás. Él lo bajó y cuando me iba a asomar, entra Uldarico, el mecánico:

—Capitán, nos matamos, nos matamos, capitán.

—Y éste, ¿de qué me está hablando? ¿Cómo que nos matamos? ¿Qué es eso?

—Sí capitán, nos matamos. Nos vamos a matar.

"Claro: miro hacia atrás y el timón de profundidad, que es la parte baja de la cola, lo que va horizontal, ese maldito no estaba. Se quedó en la cerca. Moví la palanca para activarlo y la palanca estaba muerta. El avión volando como quería. Ahí llevábamos mil pies de altura y los cerros tapados, sin saber a qué distancia estaban, ni nada. Alerones sí había, pero timón no. Mierda. Le digo al copiloto:

—No es que casi nos matamos sino que apenas estamos empezando.

—¿Por qué? ¿Qué pasó?

—Asómese a mirar.

"Se pone este hombre nervioso y el Uldarico corría p'atrás y p'adelante y 'Nos vamos a matar, nos vamos a matar' hasta que le dije: "Quédese quieto o descompensa más este avión".

"Yo le metía potencia y él subía un poquito la naricita y le quitaba y él la bajaba. 'Eso ya es algo', pensé, pero de todas maneras lo fui sacando, lo fui sacando, viré, viré, lo saqué, lo saqué.

"Íbamos bajitos y le dije al copiloto: 'Necesitamos una pista larga'.

"De Tauramena a Aguazul se gastan como diez minutos de vuelo, pero nosotros empezamos a volar y el tiempo se volvió una eternidad. Entonces cuando me dijo, 'Mire la pista, la pista, métase rápido' ya nos habíamos pasado.

"Le dije, 'Tranquilo, tranquilo' y entra Uldarico y me dice:

—Si no se mete a la pista, métase a ese potrero. Mire capitán qué potrero tan lindo, qué potrero tan bello. Al potrero, capitán. Mire capitán: mi mujer y mis hijos, nos vamos a matar.

"Y saca la foto de la mujer y tres chinitos flacos, uno para cada teta y el otro pelando muela, y me la muestra: flacos, pálidos. Le digo, 'Tranquilo, hombre'.

—Ay no, capitán, mi mujer y mis hijos. Al potrero, capitán. Está bello ese potrero.

"Seguimos y les dije: 'Vamos p'a Yopal'. Una pista larga. Entonces déle p'allá y hágale a ese avión. Volábamos sobre el Llano a poca altura —unos ochocientos pies— pero el avión no me daba sino noventa nudos: le ponía un poquito de acelerador y subía la naricita y ahí me iba manteniendo.

"Volamos un tiempo largo y vimos a lo lejos la pista de Yopal y le dije a Vicente: 'Baje el tren a ver qué pasa'. Claro, bajó el tren y ahí mismo, la nariz p'abajo. Entonces, acelere un poquito y la nariz p'arribita. Aseguró el tren. 'Ahora sólo falta que alguna llanta esté estallada y cuando aterricemos se salga de la pista o lo que sea. Caramba. Pero para entonces tendremos las ruedas sobre el piso y ahí el asunto es a otro precio. La vaina es bajarnos de aquí'. Entonces, quítele, quítele, póngale, póngale potencia. Ni compensador ni nada, porque eso iba pegado al timón y se quedó en la cerca. Y entre otras cosas, se lo robaron.

"Volví a mirar y vi al copiloto sin uñas por la fuerza que le estaba haciendo a la silla. Y quítele potencia y póngale y empezó la cabecera de la pista a acercarse, a acercarse y por fin, abajo. Cuando me di cuenta, había sentado ruedas, pero el avión no brincó. Si hubiera brincado no habría podido corregirlo, porque llega el primer brinco: ¡Ta! Y el segundo: Ta, Ta... ¡Ta! Y ahí nos matamos. (Lo que le pasó al Curtiss en Barranquilla: se quedó sin timón de profundidad, aterrizó, saltó y fallecieron). Pues aquí se trataba de sentarlo, de manera que no fuera a brincar porque si se levantaba un poquito del suelo, éramos hombres muertos.

"Y empezamos a recorrer esa pista: quieto, quieto, carajo. Perdió velocidad, perdió, perdió. Cuando ya sentó la cola, "Ayyyy... jueputa". Todo el mundo brincando de la felicidad y el Uldarico besando la foto de la mujer y los chinitos flaquitos con su teta entre la boca.

"Bajamos y fuimos a mirar atrás: no había timón y el estabilizador estaba deformado y achatado por el palo de la cerca que quedó marcado en la lámina, pero bien profundo. La cerca era de corazón curao, una madera tan dura como el acero. Yo no sé cómo volamos".

Cabuyaro se pierde en la inmensidad de la estepa llanera y es vecino de caudales como el río Upía, el Túa, el Meta, un gigante, y de otros menos poderosos como el Macapay o el Cabuyarito. Allí no hay selva sino esa sabana abierta que desciende hasta las vegas de los ríos, limitadas por palmas de moriche y franjas de vegetación que llaman matas de monte.

La tarde que Candy regresó a la casa de su padre cargaba con el hijo envuelto en un lienzo para protegerlo del polvo. Estaban rucios por la tierra de aquel camino que conocía desde niña, cuando Pablo Emilio resolvió quedarse solo, viendo las estrellas y madrugando a lidiar con el ganado y ella tomaba un bus que avanza con paciencia, cruje y parece desarmarse al tropezar con las piedras y se venía a acompañarlo los fines de semana.

Era verano y los pastizales se habían convertido en paja y humo y según vio a través de las ventanas del autobús, los vaqueros pastoreaban madrinas de ganado, llevándolo hasta los bancos de sabana porque se aproximaban las lluvias y estaba comenzando el "trabajo de Llano". Se lo explicó a Tomás y a Magdalena que iban con ella y Tomás preguntó qué era una madrina:

—Madrina es una manada.

—Y, ¿banco de sabana? —dijo Magdalena.

—Las partes altas. Los demás son bajos. Cuando los bajos se inundan, los llamamos esteros. Dentro de unas pocas semanas va a comenzar a llover, día y noche como en la selva, y el Llano se volverá un solo estero.

Para ellos era un mundo desconocido, con vacas, toros, novillos y jinetes ásperos en su temperamento y por tanto, muy diferentes al indígena, que se trepan sobre el caballo con el pantalón remangado hasta las rodillas y como andan descalzos, meten solamente dos dedos del pie entre un estribo delgado que se llama estribo de pala.

Durante el trabajo de Llano, en la primavera, o sea con las lluvias de abril —que son las primeras y comienzan a ablandar el suelo— se sacan los novillos para el mercado en Villavicencio y se capan y se marcan los becerros con un hierro calentado al rojo vivo.

Candy trajo a Magdalena para que conociera mundos nuevos porque, a sus catorce años ya, no había salido nunca de la selva. Un día antes del viaje, la madre resolvió el dilema de la partida de su mejor compañera, cuando dijo: "Quiero a hija, pero también nuera es hija. Llévela con usted".

Luego vino la despedida de la danta y como Candy no quería verla, José se la llevó hasta la orilla del quebradón mientras ellos se retiraban.

Candy y Magdalena traían un par de cestas tejidas en yaré, entre las cuales colocaron plantas y semillas medicinales para cuanto había: cólicos menstruales, heridas con hemorragia fuerte, soltura de estómago, depresión, y otras para que la gente no las odiara o para que las culebras se ahuyentaran por el olor de la savia, además de fariña y casabe fresco que se endurecieron por el camino.

"Cuando me vio mi papá —cuenta Candy— dijo que yo estaba quemada por el sol y parecía una guajiba, o sea una india del Llano:

—Sólo le faltan las puyas y las plumas, comentó en son de burla y preguntó si ya había aprendido a hablar la jerigonza de los indígenas. Allá la gente ve al indígena como a un bicho y, sin querer, mi papá comenzaba a herirme, especialmente cuando le presenté a Tomás y dijo: 'Mija, ¿es que en Villavicencio no había otra gente? Tomás se devolvió la madrugada siguiente a seguir la lucha por su licencia de piloto comercial".

Los del Llano son indios de sabana, perseguidos históricamente y desplazados de las vegas y vegones de los ríos, donde están las tierras más aptas para algunos cultivos pasajeros. Desde cuando el mestizo llegó a aquellas estepas, los presionó para que abandonaran sus posesiones y ellos respondieron a la agresión con sus flechas precarias y su malicia. A partir de allí se convirtieron en "irracionales" dañinos y el mundo empezó a girar en torno al exterminio.

Una noche en Villavicencio conocí al juez Dámaso Marenco Cantillo, un hombre culto que había venido de la costa norte y me dijo que tenía en sus manos el caso de una matanza de guahíbos en Arauca.

En ese momento las piezas que componían el proceso eran públicas y aunque él había trajinado con ellas hasta proferir lo que se llamaba un "auto de proceder", que no era más que el resumen de los hechos y el llamamiento a juicio público a los acusados, aún se veía impresionado por los ribetes de la matanza de La Rubiera, como se le conoció en su momento.

La Rubiera es un hato hasta el cual fueron atraídos con la promesa de una comida, dieciséis indios entre seis meses y cincuenta años de edad. Los indígenas navegaban por un río y fueron interceptados por algunos vaqueros que lograron desviarlos de su ruta y una vez hecha la cita, se adelantaron y prepararon en el hato lo que se ha llamado ancestralmente en el Llano una guajibiada o cacería de "irracionales".

Cuando llegaron al sitio, les aderezaron mesa y una vez a manteles, irrumpieron cuatro vaqueros y les dieron muerte con revólveres, hachas y garrotes y posteriormente hicieron una pila con los cadáveres, mezclaron con sus restos huesos de cerdo para ahuyentar al espíritu del diablo, que según los llaneros viejos acompaña al indio, y les prendieron fuego.

Durante los días que antecedieron a la audiencia pública hablé varias veces con los acusados que aún confesaban haber cometido el crimen, porque a pesar de cumplir cuatro años presos en una cárcel de Villavicencio, no podían convencerse de que matar a un indio era malo.

Costumbre también ancestral, arraigada en la cultura de más de un siglo, durante la cual sus padres, sus abuelos, sus bisabuelos, sus tatarabuelos, decenas de generaciones atrás habían guajibiado en bien de la tranquilidad del mestizo.

"Por qué iba a pensar que era malo lo que hice, si a los indios aquí los ha matado el gobierno, los matan los de la ley, los mata el dueño del hato donde trabajo... Y, bueno, los mató mi padre y yo creo que mi abuelo y me dijeron que todos los antiguos también. Y nunca se quejó nadie", me dijo uno de ellos.

Las piezas del sumario son una descripción detallada de lo que significaba 'guajibiar' en la llanura:

"La india se me atravesó y le di un machetazo en la nuca y cayó al suelo y estando en el suelo le di tres machetazos más. Cayó boca abajo. Al principio la india se quejaba porque había quedado medio moribunda y ahí fue cuando le di otros tres y ya quedó muerta. Esa india tenía como ocho años de edad. Regresé a la casa y me encontré con otra que iba saliendo por la esquina del alambre de la palizada y la alcancé también y le di un macetazo (garrotazo) por la nuca y también cayó al suelo y en el suelo le di cuatro más y ahí murió. Esa no se quejó. Del primer macetazo que le di, quedó quieta. Tenía como dieciocho años y un vestido amarillo y calzones negros. La primera que maté vestía guayuco. Dos indias son mías, señor juez".

En Arauca, el inspector de policía que hizo las primeras citaciones para que comparecieran los acusados me explicó las dificultades para ejercer justicia en aquellos territorios, por su extensión y su aislamiento:

"Imagínese que la boleta para llamar a uno de ellos, la mandamos en una avioneta que iba por los lados de Caño Negro y cuando llegó al hato donde trabajaba el vaquero que buscábamos, el piloto no pudo aterrizar porque la sabana se había inundado y lo que él vio abajo fue un gran estero. Avanzó un poco y divisó a un jinete y como lo único que llevaba en la cabina era un pato muerto que le habían regalado antes, le amarró la boleta en el pescuezo y lanzó el pato para que cayera cerca al jinete. Quince días, óigame bien, quince días después, se presentó el sujeto en la oficina y contó que venía de un sitio que queda a diez días de camino. El tipo entró sonriente y dijo:

—Doctor, ¿para qué soy bueno?

—Lo acusan de haber matado a varios indios en una guajibiada, en La Rubiera. ¿Eso es cierto?

—Sí señor. A ésos los matamos nosotros, respondió—. Es que él no veía nada malo en esos hechos. Convénzase de que aquí eso es tan corriente como capar a un ternero".

Apartes de algunos folios del proceso:

**Juez:** "¿No cree que matar indios es delito?"

**Sogamoso:** "Yo no creí que fuera malo, ya que son indios".

**Juez:** "¿Antes había matado indios?"

**Torrealba:** "He matado antes indios y los enterré en el sitio llamado El Garcero".

**Juez:** "¿Qué otras personas han participado en la matanza de indios?"

**Torrealba:** "Rosito Arenas que vive en Mata Azul, cerca de Lorza, José Parra, Deca de Lorza, Esteban Torrealba, mi tío, allá en las llanuras de Venezuela..."

**Juez:** "¿Es costumbre de la región matar indios?"

**González:** "Antes don Tomás Jara mandaba matar a los indios. Por eso, ese día yo maté a esos indios porque sabía que el gobierno no los reclamaba ni hacían pagar el crimen que se cometía".

**Juez:** "¿Qué le enseñaron del indio?"

**Morín:** "Pues allá los catalogan como animales salvajes".

**Juez:** "Y, ¿quién se lo enseñó?"

**Morín:** "Pues desde chiquito. Me enseñaron que ellos son muy distintos a uno".

**Juez:** "¿Por qué lo hizo?"

**Garrido:** "Porque yo desde niño me di cuenta que todo el mundo mataba indios: la policía, el ejército y la marina, allá en el Orinoco mataban a los indios y nadie los cobraba".

**Juez:** "Qué piensa de los indios?"

**María Elena:** "Son igual que un cristiano pero les falta lo que a uno: la civilización".

**Juez:** "Y usted ¿cuándo se civilizó?"

**María Elena:** "En estos cuatro años. Aquí en la cárcel".

Posteriormente y a medida que se desarrollaba la audiencia pública en Villavicencio, los abogados encontraban que el país no cabía en los códigos, porque, como es costumbre, habían sido copiados de Estados en los cuales no existían Llanos, ni indígenas, ni colonos. En Colombia parte de las leyes son importadas y por tanto, no responden a la índole de su pueblo.

En aquella audiencia, sin embargo, el abogado defensor, Jaime Rafael Pedraza, logró estructurar en páginas que desgraciadamente nunca fueron publicadas, un juicio a la sociedad colombiana con base en documentos que certifican cómo, por ejemplo, un presidente de comienzos de siglo vendió indígenas a caucheros del Brasil y del Perú para que fueran esclavizados en sus barracas y cartas de otro mandatario agradeciendo a sus electores el envío de una pantalla, hecha con piel de indígena.

La casa de Pablo Emilio era grande, con cuatro habitaciones de techos altos, ventanas que permanecían abiertas de día para que circulara la brisa, una sala amplia hecha con bahareque, pisos de tierra bien barrida y las hamacas recogidas durante el día en uno de los ganchos. La cocina, con un fogón hecho con piedras y renegrido por el humo, estaba aparte y a sus espaldas un perol alto de barro cocido en el cual se recogían las aguas lluvias. Detrás, una topochera, que es parte de la huerta casera.

La sala y las habitaciones daban a un corredor que enmarcaba el patio, con plantas de olor, dos limoneros, un naranjo y un totumo. Detrás de cada una de las puertas de las habitaciones, Pablo Emilio había colgado con una cinta roja, cepas de la mata de sábila para ahuyentar al enemigo y atraer la buena suerte y debajo de la de su cuarto, una vitela con la Santa Cena, que tenía la misma finalidad.

En una esquina del corredor y como en cualquier casa llanera, permanecía la tinaja con agua limpia y una cuchara hecha con la fruta seca del totumo para beber en ella y a un lado de la puerta de la sala, una banca de madera donde se sentaban a recibir la brisa de la prima noche.

Más allá, a la sombra de un mango, estaban la caballeriza y un rancho con techo de palma de caney, en el cual colocaban los aperos y las sillas de montar, todas con una cabeza grande y fuerte porque, en las labores de vaquería, el rejo de enlazar se asegura en ese punto para bregar con algún novillo arisco o cimarrón que no quiere formar parte de la madrina. En el norte de Arauca le dicen caney sillero. Durante el trabajo de Llano ahí cuelga sus hamacas la peonada, que antes de sepultarse en sueño contrapuntea con un canto largo parecido a un lamento, mediante el cual se burlan de los demás o improvisan una especie de crónica de lo sucedido en la sabana. Cantares de vaquería, les dicen los estudiosos del folclor.

"Y en los alrededores de la casa, ahí sí como dicen, se podía perder la vista en esa llanura porque mi papá tiene extensiones de terreno muy bonitas que ha trabajado por años y años. Esas las consiguó cuando todo eran baldíos y tuvo que amansarlas y mejorarlas y ahí cría algún ganado y ceba otro, porque su negocio es recibir novillos flacos que vienen del norte y engordarlos para poder sacarlos al mercado".

Inicialmente Pablo Emilo fue un veguero, pero gracias a la saliva que tenía llegó a ser caporal de sabana y después dueño de hato. "Nunca fue un conuquero porque era bueno para ganadiar y tenía imaginación", explica Candy.

El conuquero es el más pobre. Levanta un rancho en cualquier rincón que le dejen y ahí lucha contra su destino como los marginados de las ciudades. "Eres un conuquero" equivale a decir, "eres un miserable".

El veguero tiene su rancho y algunas reses dentro de los grandes hatos y como el dueño generalmente no cultiva, aquel vive de suministrarle parte de la comida a cambio de carne o implementos para su trabajo.

El caballicero es un zagal que cuida de los caballos y se va templandó en el oficio y el vaquero, pues el vaquero es el duro, como se dice. Un trabajador con estatus que maneja el ganado en la sabana, que se la juega enfrentando y reduciendo a los novillos cimarrones que han huido por rebeldes y se quedan a vivir a su albedrío en cualquier mata de monte, hasta cuando llega este hombre a acabar con su libertad y luego de una batalla —porque el toro también lucha a muerte para defender su querencia—, lo ata, lo capa y se lo lleva arreviatao, es decir, amarrado con un rejo a la cola del caballo que lo arrastra hasta donde se hallan los demás.

Y por encima de todos ellos está el caporal de sabana, cuyo menester consiste en manejar a un vaquero por cada treinta novillos y saber de hierra, de marcada, de selección y de mantener el ganado al amaño para que no se le formen las cimarroneras, difíciles de desintegrar por la bravura que desarrolla en ellas el ganado. En esa faena generalmente hay uno o dos hombres heridos a cornadas, fracturados o maltrechos por los golpes. Por estas cosas el llanero es rústico. Dicen que el medio hace al hombre.

"A los pocos días de llegar allá, el niño empezaba a gatear" —cuenta Candy— "y mi papá le hizo con bejucos un caminador armado con una vara flexible y una vara fija. De la flexible colgaba un columpio de trapo y para menearse, el niño se impulsaba con los pies y así iba fortaleciendo las piernas y como nunca había tomado leche de animal, le daba la de una sola vaca, la vaca lebruna.

"Allá no nos quedaba mucho tiempo para salir a la sabana a caballo, porque siempre había trabajadores y teníamos que cocinar.

"Cuando se acababa la carne tocaba comer topocho —variedad de plátano— cocinado, con café y arepa de maíz traído del pueblo, porque el llanero es flojo para cultivar la vega. Magdalena no estaba acostumbrada a la comida ni a las costumbres y todo le parecía difícil.

"Una vez se acabó la remesa, como le dicen al mercado, y encontramos una alacena llena de cebada pero con gorgojo. No había más y la pusimos al sol para que salieran los gusanitos. Cuando creíamos que estaba lista, hicimos sopa de cebada perlada con zumo de gorgojo pero eso nos permitió cambiar el topocho hervido. En ese momento la cebolla que sembramos estaba madura y eso nos permitió guisar porque como mi papá vivía solo, no sabía hacer mercado y no surtía bien la despensa y además, el llanero es llanero y cree que teniendo café tostado, del que se tuesta y se muele en casa, un pedazo de carne seca y un topocho, ya está todo. El café se toma sin azúcar. Es un café cerrero, espeso, que tinture el pocillo.

"Había culebras por todos lados y como yo amamantaba al niño, mi papá decía que la culebra podía perseguirme para buscar la leche materna.

"Una noche desperté y vi algo pesado que aplastaba el toldillo y dije, 'Mire esa soga tan gruesa'. Pues era una culebra que bajaba por allí.

"Otro día estaba el niño en el suelo, al lado mío, volví a mirar y descubrí a la culebra enchipada a su lado. Era nada menos que una cuatro narices, una víbora brava. No dije nada pero casi me desmayo. Cuando tuve fuerzas, agarré al niño y salí corriendo. Mi papá la mató a garrote, pero decía que no me asustara, que la culebrita me quería acariciar y yo le dije: 'Ha podido picarme a mi niño' y dijo, 'Seguramente la estaba esperando a usted'. Ya eran dos las culebras que habían llegado a mi habitación. ¿Por qué? Si yo lo aseaba todo y regaba creolina, pero después apareció otra:

"Había una canal de aguas lluvias y se tomaba de aquella agua porque era la mejor. Pues allí encontraron la tercera. Y no hablemos de la topochera porque entre las matas se movían de varias clases y al ver eso, Magdalena se asustó porque en la selva nunca nos las encontrábamos. Allá yo nunca vi alguna. Entonces lo del Llano era muy raro. Pero cuando apareció la tercera, fuimos a la vega y vimos que la matica que servía para untarse en las piernas y espantarlas estaba creciendo, cortamos algunas hojas, las machacamos y le untamos al niño, a mi papá, nos embadurnamos nosotras y nunca volvimos a verlas.

"Mi papá recibía ganado al engorde, porque de su finca y de su ganado solamente le quedaron escombros cuando la guerra que llamaban en Colombia, "la época de la Violencia".

"El ganado se lo comió la tropa que venía de la cordillera y la casa la incendiaron y la volvieron cenizas. En esa guerra a mi papá se lo llevaron las tropas del gobierno como guía, se perdió de mi mamá y yo quedé cuando tenía tal vez un añito. En ese momento solo éramos tres hijos y mi mamá se fue con otras mujeres con sus hijos y algunos hombres y empezaron a huir por las matas de monte, escondiéndose para salvar sus vidas".

Lo que Colombia recuerda como "la Violencia", fue el segundo hito de la guerra continuada del presente siglo: finalizaba la década de los años cuarentas y el gobierno desató en todo el país una persecución generalizada contra el partido opositor. Una horda de policías criminales y envalentonados descendió de la cordillera y entronizó la matanza y la violación a través de la llanura y desde conuqueros hasta dueños de hatos se unieron para defenderse del invasor. Les decían guerrilleros. Pero el conflicto evolucionó, llegó la dictadura y terminaron enfrentados peones y dueños de hatos, mientras los chulavitas, como les decían a los policías y un sector del ejército, continuaron la matanza. Esa etapa se llamó "la pacificación del Llano".

Ahora quienes se defendían eran llamados en las ciudades, chusmeros o bandoleros. De allí surgieron comandantes populares como el legendario Guadalupe Salcedo, Eduardo Franco Isaza —un letrado— Minuto, Dúmar Aljure, Cheíto Velásquez, El Pote Rodríguez, Mariano Luna, caporales de sabana a excepción de Eduardo Franco.

Las formas de violencia ejercidas por las tropas de esa época contra un pueblo desarrapado, no tenían antecedentes en Colombia.

Con la invasión vinieron la miseria y el hambre. Las gentes huían y se refugiaban en el monte. Y aparecieron en el cielo los T-6, pequeños aviones que aligeraban su carga de bombas arrasando viviendas y barriendo con sus ametralladoras las sabanas. Eran la vanguardia de los piquetes de policías o soldados. Lo que quedaba en pie, ellos lo destruían, fusilaban a los hombres indiscriminadamente y violaban a sus mujeres.

Se establecieron salvoconductos para identificar a los que se presentaban como afectos al gobierno y la policía intrudujo la barbarie.

Luego aparecieron los DC-3 del gobierno lanzando hombres desde el aire. Se llamaban las "bombas humanas".

Fragmentos del libro *Las guerrillas del Llano*, escrito por Eduardo Franco Isaza, permiten calcular la intensidad del conflicto:

Los artículos de toda especie fueron controlados. De los pueblos no salía nada hacia las sabanas y si algo dejaban pasar eran cantidades mínimas: una cajetilla de cigarrillos, dos espermas, una caja de fósforos, dos yardas de tela...

Un empleado oficial tenía la virtud de poder borrar de la lista negra, condenados a muerte. Las víctimas eran capturadas en la sabana o el poblado... Pacificación y reducción a base de matanzas y traiciones pagadas, violación y contaminación de nuestras mujeres en los cuarteles que son casas de tormento. Hombres que abandonaron precipitadamente sus propiedades, so pena de ser fusilados como bandoleros (así decía la orden). Gente moza y varonil asesinada en los mismos campos de acarreo. Gente que fue a sufrir y morir en Villavicencio, Bogotá y Sogamoso de hambre y de frío. El Times de Nueva York publicó algo de eso que la censura no dejó conocer en el país. Cruentas batallas como las libradas entre los presos de las cárceles y la tropa borracha. Grupos de hombres que anochecieron en las prisiones y no vieron jamás el alba del nuevo día...

Se rompen salvoconductos, nuevas presentaciones, más capturas. Muertos en las sabanas, en los conucos, muertos después de ir prisioneros, amarrados con rejos.

Cualquier día llega el coronel a la hacienda. En un potrero trabajan veinte obreros. Ven llegar a la tropa y siguen trabajando:

—Alto, ¿quiénes son ustedes?

—Trabajadores.

El diálogo termina en una formación cerrada. Veinte hombres van a ser ejecutados. El propio coronel da la orden. Baja la mano y retumba: veinte bandoleros muertos.

Entre los tumbados por el suelo hay uno que sale con vida, el hombre vuela a la montaña y le cuenta a don Tulio. Don Tulio ordena que todas las gentes tomen el monte y despacha a Aureliano por municiones a Bogotá.

En Sabanalarga la chulavitada ha sorprendido al pueblo. Caen veinticinco personas.

De Barranca de Upía sube una comisión al mando de un teniente. Llegan a Aguaclara recién evacuada por sus moradores. Encuentran a una mujer. Les dice que los hombres se fueron lejos, pero que hay otras mujeres en lugar cercano y éstas se dejan descubrir. Después de ser poseídas, fueron acuchilladas, una a una. Dos niños de pecho fueron lanzados al aire y alcanzados al vuelo por las bayonetas. Fiestas chulavitas.

La gente corretea de un lugar a otro sin encontrar refugio. Ni en el fondo de la selva es posible apaciguar la zozobra y el terror. El pánico se hace colectivo, ninguna montaña es lo suficientemente profunda, ninguna distancia acorta el peligro de ser alcanzados.

En el libro *La Violencia en Colombia*, Guzmán Campos, Umaña Luna y Fals Borda reproducen un informe rendido por el oficial del ejército de entonces, Rafael Camargo Brandt, a su superior. Apartes:

Informo a ese comando sobre uno de los actos exageradamente repugnantes que presencié a mi regreso del puesto de Maní y que desdicen del honor de la Institución y de la caballerosidad que deben poseer quienes la integran, puesto que nuestra misión es pacificadora y no la de convertirnos en vulgares asesinos.

En Tauramena... conviví algunos momentos con la tropa, con el ánimo de conseguir normas para el mío, pero mi descubrimiento llegó al colmo de la estupefacción al oír los comentarios: que ahí les traían los presos, que ellos los mandaban "a dormir"; que el piloto los tiraba desde el avión para economizar munición, que en una ocasión les trajeron treinta y pico y en otra, otros más y que en ese puesto "los dormían" y que por eso lo llamaban "La Botica".

... El señor Mayor acababa de recibir la orden de regresar a Chámeza a lanzar un mensaje al señor Teniente Comandante de ese puesto sobre preparación de un bombardeo. Cuando se disponía a partir llegó el Teniente piloteando su avión e inmediatamente los soldados dijeron: "Más enfermos para La Botica". Desembarcaron a 18 civiles... A mi regreso fui a darme cuenta por mis propios ojos. El cuadro era realmente macabro: 14 hombres sentados contra una pared, encañonados por varios soldados recibiendo insultos y golpes. 50 metros distantes, dos muertos y 50 metros más, otros muertos; detrás de un portalón, otros dos.

Supe y pude constatar que a medida que se inicia "la fiesta", nombre que le dan a este espectáculo, se dan a la tarea de robarlos y algunos soldados proceden como chulos sobre mortecino para quitarles lo que llevan encima y que les puede servir, tales como dinero, joyas, piezas de oro de las dentaduras y algunas otras prendas. El número de víctimas será tal que los soldados están provistos de la clásica faja llanera y han sobrado varios de estos artículos sin que sean apetecidos sino que simplemente las van cambiando por las mejores que van llegando.

Supe también que el teniente mismo, con sus propias manos, toma parte, puesto que el segundo de ese día lo mató él mismo, después de dirigir a su víctima toda clase de insultos y propinarle patadas en la cara.

... Me doy cuenta de que los calificativos de que somos objeto los miembros del Ejército por parte de la mayoría del pueblo, son más que justificados por las actuaciones de tales comisiones.

Relato de Candy:

"Mi mamá nos llevó a nosotros que éramos muy niños a escondernos al monte con más niños y mujeres y algunos hombres. Mientras tanto, a mi papá se lo llevaron obligado a guiar la tropa, pero él cuenta que los desviaba de los sitios donde tenía familiares y amigos para evitar que los mataran, porque a donde llegaban, llegaban a violar, a matar niños, a ensartarlos en las bayonetas y él vio todas esas cosas.

"Él vivió toda esa violencia del Llano. Como le digo, la casa se la quemaron y luego le regaron encima la sal que tenía ahí mismo y el ganado que no se comieron se desparpajó por la sabana.

"Mi mamá cuenta que unas eran las tropas atacando a la gente por tierra y otros los aviones volando bajito y disparando ametralladora y tirando bombas desde el aire.

"La gente aprendió a verlos venir y a esquivarlos, bien lanzándose a los ríos y los caños, o bien escondiéndose detrás de los árboles.

"Mi papá no sabía si habían matado a mi mamá y si sus tres hijitos habían muerto o si aún vivían. Y ella tampoco sabía nada de él. Lo que le tocó vivir a mamá fue muy difícil, pero por fin él se le voló a la tropa y logró encontrarse con mi mamá y el día que se encontraron, se atacaron a llorar los dos.

"Una vez reunidos, tenían que tratar de buscar algún pueblo para que les dieran un salvoconducto y buscar la manera de avanzar y refugiarse en Villavicencio. Durante el día las gentes se escondían entre el monte y se movían por las noches. Una noche, cuenta él, navegando por un río, mi mamá se quitó las enaguas que era lo único que le quedaba para cobijarme porque yo era la menor y nos escondieron a los tres debajo de la proa del bote.

"Mi papá remaba con mucho cuidado para no hacer ruido sobre el agua, pero yo era muy llorona, tal vez por lo débil y lo esquelética, casi para morir porque mi mamá no tenía con qué alimentarme y, según me cuentan, yo era una niña entre la vida y la muerte, deshidratada, enclenque. Usted sabe: el hambre de la guerra. Mi mamá dice que era tan pequeña que me podían envolver en un pañuelo y si un pañuelo era mi pañal, ¿cómo sería mi tamaño?

"Bueno, el cuento es que mi papá comenzó a avanzar en busca de algún pueblo donde hubiera agentes del gobierno que nos expidieran el tal salvoconducto y sobre la media noche escuchó ruidos. Detuvo la embarcación y se metió debajo de un matorral que caía al río y allí se pusieron a esperar a que pasaran los del gobierno, pero yo empecé a llorar y a llorar y no me callaba y dizque mi papá decía: '¿Qué hago? ¿Cómo la callo? Es mi hija' y en ese momento, dizque mi papá me agarró y me metió entre el agua y dijo: 'En el nombre de Dios'. Que me zambulló y me tuvo allí, bajo el río algunos minutos, serían segundos, mientras cruzaba la patrulla y dizque estaba muy confundido, muy angustiado y le dijo a mi mamá: 'La niña o los demás... Asesiné a mi chinita'. Y después me sacó.

"Él llora siempre que cuenta eso... Cuando lo cuenta dice que, no obstante que yo era un esqueletico y me hizo eso... Me sacó y dizque yo tiritaba y mi mamá me envolvió nuevamente entre su enagua porque no había ni ponchos, ni cobijas, ni frazadas, ni siquiera un colchón. Que no teníamos más que lo que llevábamos puesto".

"Por fin salimos a algún caserío y ahí estaba la tropa expidiendo los salvoconductos y ordenaron que los campesinos hicieran dos filas. Mi mamá se hizo a un lado, arrinconada contra los dos muchachitos y mi papá me tenía alzada y otra vez dizque empecé a llorar y llore y llore y se para uno de los comandantes y grita:

—Oiga, el de esa niña que llora tanto, venga para acá. ¿Qué es lo que le pasa a esa culicagada?

—Que se me va a morir. Tenemos hambre y con estas inclemencias, con todo lo que hemos pasado, capitán.

"Entonces dizque dijo el hombre: 'Los de esta fila en que usted estaba, los vamos a matar. Déle gracias a esa culicagada que está llorando y váyase de aquí, consígale algo para que coma. Y lo dejo ir porque yo también soy padre y me conduelo.

"Dice mi papá que él me cobijaba y decía, 'Me salvó la vida después de que yo se la iba a quitar a ella".

(Candy llora a esta altura de la entrevista. Tomás se acerca y le pone una mano sobre la cabeza).

"Nos salvamos y dizque él vio asesinar al resto de la gentecita. Que los vio asesinar a uno por uno. Luego nos dieron salvoconducto y de allí ellos salieron a buscar comida para darnos y después, abrazados con mi mamá, dizque se fueron a buscar dónde era la casa, donde estaban los escombros por los lados de Cabuyaro. Elisa, mi hermana mayor, se acuerda cuando los aviones bombardeaban y se acuerda que mi papá la metió después debajo de una canoa para salvarla".

**Elisa**—"Terminamos huyendo por el monte. No recuerdo por qué. Éramos varias familias. Hacían chocitas de palma y allí resguardaban a los niños y a las mujeres y los hombres hacían ronda por si venía la tropa. Uno no le temía a la chusma sino a los del gobierno.

"Una vez salimos de allá a ver lo que le quedó de ganado a mi papá y estando los dos en un banco de sabana —yo tenía ocho años— se oyó un avión de los que andaban adelante de la tropa y tan pronto nos vio se nos vino y empezó a ametrallarnos. Tan pronto lo escuchamos, partimos a correr porque uno les tenía mucho miedo y le advertían: 'Cuando oiga un avión, escóndase', pero allí no había dónde y mi papá me cogió de la mano y corrimos para donde venía el avión. A lo que el avión pasó, nosotros habíamos llegado a un charco y ahí él me metió debajo de una canoa y él se echó encima unas ramas. Como para acabar de completar, él tenía una camisa blanca, se la quitó y después corrimos y nos metimos en un morichal a esperar y, claro, al cabo del tiempo pasó la tropa y nosotros nos quedamos ahí escondidos hasta por la noche. Yo recogí vainillas de las balas para mostrarles a los muchachos que estaban escondidos en el monte. Esos eran nuestros juguetes".

**Candy** —"El que tenía más ingenio para andar por el monte y el más estratégico era un indígena. Por ejemplo, se ponía los zapatos al revés para dejar las huellas encontradas. Era un guajibo que nos acompañó durante algunas semanas.

"Parece que nuestros padres no alcanzaron a llegar a Cabuyaro en esa oportunidad y tuvieron que volver con nosotros al monte para refugiarse y en esa época, el indígena nos curaba, nos ponía cataplasmas de hierbas, conseguía pepas para comer.

"En ese recorrido pasaban de tarde en tarde por alguna casa campesina y veían los escombros todavía con algunas llamas, otras veces humeando y los encontraban a todos muertos y alguien quejándose, muy mal herido... Era tal vez el momento final de la guerra.

"Mi papá dice que hacían casitas pequeñas o cambuches al pie del río Cabuyarito y detrás de la casita un hueco entre la tierra para meterse y meternos, porque en ese momento cruzaban los aviones del gobierno bombardeando y echando bala y algunas veces, bombardeando gente.

"Ponían lejos la hoguera para cocinar, lejos, lejos y que cuando los aviones volvían nuevamente, todos nos metíamos en el hoyo, pero ya nos abrazábamos, ya estábamos todos ahí, juntos, sintiendo cómo retumbaba la tierra por las bombas y la metralla del avión. Ese escondite no debía quedar muy lejos de las cenizas de la casa. Por las tardes, cuando dejaban de pasar los aviones, la gente salía a buscar algo para comer.

"Se le tenía pavor a los aviones. Tanto que desde muy niña oí que mi papá decía que los aviones eran algo igual a la muerte y cuando estuve más grande, la primera vez que vi uno, casi me muero porque había escuchado contar tantas historias de bombardeos y tanta sicosis de la gente mayor por los aeroplanos, como decían algunos. Yo, desde luego no me acuerdo de nada, pero sí me crié escuchando esas historias tan feas.

"Cuando habían dejado de pasar los aviones, mi papá se iba a pie a las sabanas a tratar de recuperar algo de su ganadito, porque, qué caballos ni qué nada. Encontró algunas de las vaquitas, una, dos, tres, flacas como todo en el Llano y las fue trayendo.

"Como consecuencia, la gente se volvió solidaria y si alguien tenía un bocado, lo compartía. La misma pobreza en que quedaron los obligó a ser hermanos y fueron agrupándose y como le digo, empecé a caminar y un día me salí a la sabana y llegué a un zural que es una especie de pantano con islitas de pasto y allá me encontré un matejei, o sea un panal lleno de abejones, unos insectos agresivos y venenosos.

"Dice mi mamá que cuando me vio estaba cubierta por una costra negra de insectos y como la mamá es la mamá, se metió contra viento y marea a rescatarme y una tía le decía: 'No se meta Adela, no se meta que eso usted va a morir como la niña. Déjela que se la coman los abejones. Es que aquí en el Llano no se salva nadie de la picadura de abejón'.

"No señor. Me sacó y cuenta ahora que a ella también la picaron, pero que estaban ensañados era conmigo. Cuando me rescató, corrió por la sabana quitándome esos animales y luego se detuvo y empezó a restregarme contra el pasto. Dizque duraron quince días velándome, casi muerta. Sabían que tenía algo de vida porque respiraba, hasta que al sexto día dije algunas palabras y empecé a recobrarme.

"Cuando pasó la guerra mi papá volvió a partir de cero y llegó a tener tres fincas y completaron ocho hijos y luego se separaron. Imagínese usted, después de tanta lucha. Eso no lo entiendo. Entonces ahí viene otra historia: la de mis doce años, sin entender lo que era la separación de los padres.

"Mi papá hizo separación de bienes por ley, porque era un llanero orgulloso y se quedó en la sabana y nosotros nos fuimos con mi mamá a vivir a Villavicencio a la casa de la abuela y yo los fines de semana me iba para Cabuyaro a acompañar a mi papá".

Comenzaron las lluvias y una tarde se reunieron en la casa de Pablo Emilio diez vaqueros que debían iniciar la madrugada siguiente las labores que comprenden el trabajo de Llano y al anochecer, después del aguacero de la tarde, vieron que aparecían por toda la sabana fogonazos de candela un metro arriba del suelo y Candy y Magdalena escucharon cómo aquellos hombres valientes rezaban con voces temblorosas. Los llaneros sí conocen el miedo. ¿Qué sucede? preguntaron. Es la Bolefuego, un espíritu del mal que pierde a los caminantes, les explicó alguien.

Candy había escuchado que el fenómeno obedece a liberación de gases combustibles por la acción de las lluvias del mes de abril. Se llaman fuegos fatuos, pero ni su padre ni los vaqueros que lo acompañaban quisieron aceptar la explicación porque la idea del más allá predominaba en sus cabezas.

La visión disminuyó y a las nueve de la noche, cuando la sabana estuvo en calma, se retiraron a dormir pero a las doce Candy y Magdalena fueron despertadas para que prendieran candela y prepararan el desayuno.

A las cuatro de la mañana debían partir los vaqueros con el estómago lleno porque las jornadas son largas y sólo se vuelve a comer al atardecer, cuando regresan con los becerros para herrar y marcar y los novillos gordos que serán llevados al mercado.

El trabajo consiste en ir reuniendo cabeza por cabeza en un punto determinado, le dicen 'parar la madrina' y cuando hay suficiente ganado para la labor del día siguiente en los corrales, los vaqueros forman una U con sus caballos, arropando a la manada. Adelante se ubica un puntero, a los lados los traspunteros y en la parte de atrás los culateros y se ponen en movimiento marchando lentamente para que el ganado no se "barajuste" en estampida.

A medida que avanzan, algunos novillos logran escapar y detrás de ellos parten en su persecución los vaqueros que marchaban en el sitio por el cual se escurrió el animal, acortando la distancia con toda la velocidad del caballo. Una vez lo igualan, lanzan la soga, lo enlazan por la testuz y aseguran el rejo en la cabeza de la silla hasta reducirlo y conducirlo a la manada. Si se resiste, alguno echa pie a tierra y lo torea hasta agotarlo en medio de los gritos y los silbidos de los demás.

Avanzan metro a metro, paso entre paso. Una vez cerca de la casa y con el paloapique —cerca de madera— a la vista, el puntero parte veloz y los demás barajustan la madrina arreando los caballos y gritando para que ningún novillo "se rechace" a entrar al corral. La estampida es inmediata y cuando la tierra aún no está entrapada por las lluvias, el espectáculo es verla en medio de una nube de polvo —transparente en el contraluz del sol— y sentir el piso trepidando por el tropel de toros y caballos.

La mañana siguiente, la jornada es en el corral. Los becerros son marcados con hierro caliente y remarcados con una muesca en la oreja. Se reparten de a dos hombres por cabeza y deben derribar a mano y sujetar al animal entre el barro. Luego viene la castrada con un cuchillo. Antes de que la víctima se incorpore, un vaquero se agarra de la cola y parte despavorido detrás de aquella: se trata de tumbarla en la carrera para demostrar su hombría.

Candy recuerda que su oficio era cocinar desde la madrugada para llenar tantas bocas "porque éramos las únicas mujeres del hato. El desayuno se servía muy temprano en una mesa larga, 'la de los doce apóstoles' le decía mi papá porque cabían doce personas y allá se sentaba él con los vaqueros y cuando estaban listos, metían en un talego llamado pollero el bastimento que les habíamos preparado, que no era mucha cosa: tajadas de plátano verde, frito y un pedazo de carne seca. Eso lo colocan detrás de la silla, sobre una bolsa tejida y larga que se llama la capotera, en la que llevan el chinchorro que es una hamaca, toldillo para protegerse del zancudo y una colcha para el frío de las madrugadas. El otro bocado es un padazo de panela de caña dulce que encajan entre la totuma para beber agua y la amarran a la cabeza de la silla.

"Al principio me preocupó hacer sufrir a Magdalena que, por ejemplo, ya no tomaba quiñapira sino topocho hervido, insípido para los que no son llaneros, café cerrero y una carne salada y puesta al sol hasta que queda como un rejo, porque 'llanero no toma caldo ni pregunta por camino".

Y no pregunta por camino porque cuando sale de lo suyo y se mete en esas inmensidades, por lo menos en Arauca y Casanare —que están al norte de la llanura—, para guiarse tiene que conocer, por ejemplo, las estrellas que pueden ser El Becerrero, La Cruz de Mayo, las Tres Marías o las Siete Cabritas.

¿De dónde a dónde va El Becerrero? le pregunté a mi compadre Pablo Canay, una noche que acampamos a orillas del río Capanaparo y me dijo: "En esta época sale tardecito de Mata Rala y camina hasta Ojo de Agua, mucho más allá del morichal. Gasta cinco horas en el recorrido y ahí se queda esperando el amanecer".

Es su universo, inmenso pero a la vez local.

Candy y Magdalena permanecieron varios meses en
aquel sitio, hasta que una tarde de invierno llegó Tomás
por ellas. Aún luchaba por ser piloto comercial. Para entonces combinaba su profesión de piloto privado en empresas pequeñas con la de entelador de superficies y
mecánico y ahorraba para pagar sus estudios en una escuela de aviación en Bogotá. Su meta parecía aún muy
distante.

De regreso a Mitú, Giovanni y un nuevo grupo de mecánicos continuaron con la reparación del Moisés. Esta vez se trataba de ortopedistas que le quitaron el tren de aterrizaje y las piezas que habían sufrido durante la emergencia fueron enviadas a Bogotá, unas para ser reparadas y otras para remplazarlas.

Y empezó algo así como el trabajo de los neurocirujanos en la parte eléctrica formada por centenares de cables de diferentes calibres y colores, retorcidos debajo del piso, en los costados, en el techo de la cabina de mando, combinado con el de oftalmólogos que intentaban devolverles la visión a algunos instrumentos. Pero cuando se habló de la necesidad de un otorrino que se concentrara en el oído y la voz a través de la radio y del dermatólogo que rehiciera las superficies cubiertas con tela, surgió el mismo impedimento de siempre: no había dinero.

Y si no había dinero, Moisés debía continuar viendo llover mañanas y tardes en medio de una selva que parecía haberse convertido en su tumba: historia que se mordía la cola, porque nuevamente Giovanni tenía que refugiarse en su trabajo y ahorrar. Luego, buscar mecánicos que no cobraran mucho y un buen día aparecerse en la pista de Mitú con la ilusión de verlo levantando las alas por encima de la selva.

En Villavicencio el trabajo no faltaba. Ahora comenzaban a llegar campesinos traídos del Chocó, una región frente al Océano Pacífico, donde se aprietan las selvas más húmedas del mundo.

La destrucción de la Amazonía estaba en su punto alto y los "empresarios" necesitaban cada día un mayor número de brazos fuertes —con anticuerpos ante el zancudo y la humedad— para lanzarlos montaña adentro a tumbar árboles, quemarlos y despejar grandes zonas.

Pero no cultivaban alimentos. Desde Villavicencio partían con destino a Miraflores —un pueblo miserable formado por graneros, cantinas, casas de prostitución y ventas de motosierras—, un promedio de doce vuelos de DC-3 repletos de comida y se devolvían vacíos. Los nómadas, que aparecían por millares cada mes, iban exclusivamente a lo suyo y tenían que llevarles hasta el pescado y los huevos. Allí no era rentable criar una gallina o lanzar un anzuelo al río.

La vida estaba cambiando. Hasta hacía unos pocos años, los aviones encontraban carga de compensación en aquellos morideros, si vamos a hablar de lo malsana que resulta la selva para el hombre que baja de las montañas a destruirla.

Pero bueno. Había caucho. Se transportaban bultos y bultos de cincuenta kilos cada uno y los compraba la Caja Agraria. Ese caucho salía de los sitios más inverosímiles.

Por ejemplo, una vez Álvaro Niño, que entonces volaba como copiloto de un Catalina al mando del capitán Luis Guilloti, entró a Mitú y allí se les acercó un hombre y les pidió que lo llevaran hasta un sitio perdido en la cola del mundo, llamado Morichal, sobre el río Inírida. El capitán le respondió que no, porque allá no vivía nadie y si lo dejaba enterrado en esa selva, podría morirse.

—No, quédense tranquilos —dijo el hombre— porque yo hablé con un hermano mío que partió hace cinco días de Amanavén en una buena lancha y mañana o pasado mañana debe estar cruzando por Morichal y me recoge.

—Si es así, lo llevamos —dijo el capitán.

Sobre el lugar, el Catalina hizo un sobrepaso y vieron abajo una sábana amarillenta engarzada en la copa de un árbol y coronada con un tarro de galletas boca abajo. Señal de que en ese punto había caucho listo para ser sacado en avión y entregado a la Caja Agraria de Villavicencio.

Entre el tarro siempre dejaban mensajes: de quién era el caucho, a nombre de qué personas se debía llevar a la Caja Agraria, recomendaciones o encargos de comida o herramientas para el próximo vuelo, mensajes para los familiares fuera de la selva...

El Catalina acuatizó, amarraron el avión a los árboles de la orilla y acordaron participar todos en el cargue, porque el piloto temía no poder regresar ese mismo día a su base:

—Si a las tres de la tarde no hemos decolado, tendremos que dormir aquí —decía.

Dormir en aquella selva sin estar preparados. Allí sólo había una barraca llena de bultos de caucho, la mayoría de ellos con arañas que se alojaban en los pliegues y así tuvieron que meterles el hombro, piloto, copiloto, mecánico y pasajero que se ofreció a ayudar. A las dos y cincuenta minutos terminaron y decolaron justo a las tres.

El pasajero se quedó y a los quince minutos de vuelo, Álvaro Niño fue hasta la cola del avión a realizar una inspección y qué vio: el equipaje del hombre se había quedado a bordo. Se le quedó todo: machete, hamaca, toldillo para protegerse de los zancudos, escopeta, anzuelos, nailon para los anzuelos, comida, sal y hasta una caja con bocadillos de guayaba que son la mejor fuente de calorías. Al ver aquello, corrió hasta la cabina de mando y le dijo a Guilloti:

—Capitán, este hombre se va a morir en la selva. Se le quedó todo en el avión. Un hombre que ha sido amable con nosotros y lo dejamos sin nada. Pero sin lo mínimo para que pueda sobrevivir.

—Mire bien la hora —dijo el piloto—. Si gastamos quince minutos hasta donde quedó el hombre y otros quince para regresar a este punto, empleamos media hora. Cuando lleguemos a Villavicencio va a estar de noche y no podremos aterrizar. Tenemos que seguir.

—Bueno —dijo Álvaro—. Dos días son un infierno en la selva y sin comida y sin un machete y sin dónde dormir, pues mucho peor. Menos mal que mañana o pasado mañana llega su hermano que viene de Amanavén en lancha y lo auxilia. Pero... oiga: dos días sin comer ni dormir en esa lejanía...

El siguiente vuelo al lugar fue veinte días después: sobrevuelo, sábana, tarro de galletas. La supreficie del río sin palos, buen nivel del agua. Acuaticemos. Hay caucho.

Acuatizan, el marinero se lanza al agua, amarra el avión a la orilla. Lo de rutina.

Mientras cargaban, Álvaro fue a mirar el tarro de galletas. Adentro había cartas: una, "el caucho es propiedad de Rodríguez Juan, que la Caja Agraria lo recibe, que consignen en tal cuenta". Y otra en un sobre garrapateado así: "Capitán hijueputa" y Álvaro dijo: "Ésa no es para mí".

A Guilloti no le hizo mucha gracia, pero la abrió:

"Hijueputas, desgraciados, corrompidos. Se robaron mi equipaje y yo solo en esta selva. Agradezcan que no estoy muerto. Mi hermano pasó apenas antes de ayer, catorce días después de que ustedes me condenaron a este infierno, porque se le dañó su lancha. Dormí en el suelo a merced de las plagas, del hambre, abandonado, desesperado. Ahora estoy casi muerto y la única fuerza que tengo es para decirles que ustedes tienen toda la culpa, parranda de hijueputas, desagradecidos".

Le escuché esta historia al mismo Álvaro Niño en el Hotel Los Caballos, un lugar campestre y apacible, cerca del aeropuerto Vanguardia. Allí viven algunos pilotos que regresan al atardecer, aturdidos por la rutina y los altos niveles de ruido —tanto en vuelo como en tierra, cerca de los hangares— y se refugian en el silencio de una piscina iluminada y un salón confortable, enmarcados por la naturaleza del piedemonte y por los ruidos de las tierras selváticas. Al anochecer, cuando abonanza la temperatura, el concierto de ranas, grillos y chicharras es lo único que se escucha.

A esa hora, sobre la piscina, los murciélagos cazan insectos moviéndose a gran velocidad. En los giros rozan el agua con las puntas de las alas y no pierden una sola acometida. Pero ni una sola. Animales inofensivos de alas finas como las del Mirage, porque necesitan desplazarse con la misma agilidad de sus presas. En cambio, los que se alimentan con flores, frutas y polen, las tienen anchas, como las del Curtiss. Vuelan con lentitud.

Nydia, la dueña del hotel, es viuda de Álvaro Henao y cuñada de Fernando, dos pilotos de leyenda sobre los cuales se habría podido escribir toda una enciclopedia. Fernando pereció en un accidente en Montego Bay y Álvaro murió más tarde. Infarto cardiaco. En el salón están sus fotografías.

"Tú miras, especialmente la de Fernando y está como el último día que lo vi", dice Nydia y luego suelta una carcajada y cuenta una anécdota:

"El tipo era una locura. Hace algunos años, Satena —una empresa del Estado— tenía reventadas a las aerolíneas particulares con tarifas más bajas. Un día Fernando aterrizó en Mitú y entre los pasajeros iban varios pastores protestantes que pretendían quedarse en la zona como competencia de los misioneros católicos y tan pronto como vio a monseñor Belarmino Correa, prefecto apostólico del lugar, fue a su encuentro y le dijo señalando a los pastores: 'Monseñor, aquí le traigo su Satena".

Álvaro y él fundaron una compañía, también de historia, llamada La Urraca. "Urraca, la empresa verraca", decían los llaneros amigos, y los detractores, que no eran pocos, se acercaban a su despacho y le decían a Peregrino Mora:

—Véndame un pasaje.

—Sí claro. ¿Para dónde?

—¡Para donde caiga!

A medida que comienza la noche, los recuerdos de Nydia fluyen con facilidad:

"Fernando y Álvaro Henao están enterrados en su casa. Cuando murió, Fernando acababa de casarse. Tenía una finca cerca de Vanguardia. Allí hay una colina y un par de matas de bambú desde donde se ve el aeropuerto de Vanguardia y un día dijo: 'Mi deseo es que cuando muera, me entierren aquí'. Al poco tiempo se mató.

"Luego, cuando murió la mamá, Álvaro la enterró ahí y cuando murió él, lo enterramos junto a su hermano y a su mamá porque los tres querían estar juntos, como sucedió siempre.

"Cuando me casé con Álvaro, ellos ya tenían La Urraca que era un solo avioncito, el Tres Seis Siete, un B-18, bombardero de la Segunda Guerra Mundial y volaban carga y pasajeros. Un avioncito amarrado con cabuyas y en ese momento, mal de motores, pero consiguieron en Miami a un judío que prometió prestarles tres mil dólares para arreglarlo y decidieron irse a buscarlo, en un vuelo de nueve horas con escala en Barranquilla.

"Ese avión se comía el aceite enterito. Cuando salí al aeropuerto a decirles adiós, decolaron y yo veía ese chorro de humo tan horrible que despedía el avión y pensé: 'Dios mío, que lleguen'.

"Llegaron a Miami, pero llegaron en emergencia porque ya no tenían aceite. Bien. Allí dejaron el avión y se fueron a buscar al judío, pero este hombre los dejó en el aire porque no quiso prestarles ni un centavo. Como decimos aquí, salió con un chorro de babas. En ese momento,

Fernando tenía cuarenta dólares en el bolsillo y esa tarde, como era loco, pasó por una vitrina, vio un par de zapatos Florsheim que valían treinta y nueve con noventa y cinco y los compró. Quedaron con cinco centavos.

"Álvaro había trabajado allá cuando fue estudiante, haciendo lo que hacen los emigrantes: lavar platos en un restaurante. Fue mesero, fue cajero y como conocía un poco ese mundo, se fue a buscar y encontró trabajo en uno, que luego supieron, era del hijo de Al Capone, un tipo llamado Sony Capone. Este hombre era miembro importante en el Condado de Dade. Si su padre fue un bárbaro, éste era un ciudadano honesto y por tanto, respetado.

"Bueno, pues así estuvieron un año. Sony se sentaba algunas veces con Álvaro y le preguntaba por su vida y él le contaba de la selva y del Llano y un buen día le habló del avión y Capone le dijo: '¿Tú por qué no me habías contado eso? Si necesitan el dinero, yo se lo presto y me lo pagan cuando quieran', y ahí mismo les fue girando un cheque por los tres mil dólares.

"Álvaro recibió ese dinero y se fueron a arreglar el avión y al poco tiempo estaban en Villavicencio llenos de ilusión.

"Aquí volaban y volaban sin descanso y mensualmente le giraban sagradamente su dinerito a Sony hasta que terminaron de pagar la deuda.

"Fueron progresando, ahorraron y un tiempo después supieron de un avión DC-3 que vendían en Miami y según les dijeron, estaba en perfecto estado. No era sino pintarle el nombre de La Urraca y podía salir a volar, pero demoraron en tomar la decisión y mientras tanto Fernando se accidentó cerca de aquí y cuando supo la noticia, Álvaro casi se muere. Era que se adoraban. 'Ay, se mató mi hermanito, ¿qué hago?' decía. Le dije, 'Espérese a ver qué sucedió, espere a que nos digan algo'.

Finalmente alguien avisó que se trataba de un barrigazo y que estaba ileso. Traía el avión lleno de gallinas, de marranos. Botó la carga".

Darío Herrera, que había llegado unos minutos antes, terció en la conversación:

"Después de ir dos veces a Mitú, a Fernando le quedaba tiempo de volar a Monterrey a donde llevaba víveres y se venía vacío o cargaba cerdos que era lo que se traía de allá: unos cochinos gordos, trompilargos que se crían silvestres en esas sabanas y que por esos lados llaman cafuches.

"Recuerdo que en el momento de esa emergencia, traía treinta y cinco cochinos y el copiloto y el mecánico lograron tirar veinte, pero el veintiuno era un marrano muy grande que llegó hasta la puerta, se ranchó, puso las pezuñas contra el marco y no se dejaba lanzar al vacío y ellos no pudieron con la fuerza del animal. Se la ganó y contaban después que en el forcejeo la nave se descompensó todavía más y Fernando tuvo que ponerla en un potrero porque la emergencia los cogió muy bajitos y entonces, tren arriba y de barriga al suelo.

"A ese avión lo desarmaron y lo trajeron en camiones. Primero le quitaron los motores, le quitaron los planos y quedó la sección central, pero esa sección es ancha y se vinieron a preparar el camino, rompiendo cercas, puertas, portones, botalones, arreglando pasos malos, esperaron a que llegara el verano, metieron los camiones hasta el sitio y sacaron el avión. Al llegar al aeropuerto de Vanguardia, la sección central no pasaba por entre dos muritos que formaban la portada. Estos llegaron como a las nueve de la noche y en esa soledad, tumbaron uno con barras y almádenas y p'adentro el avión.

"Al día siguiente la Aerocivil llamó a Álvaro y le dijo: 'Ustedes me hacen el favor de arreglar esas puertas y ponerlas como estaban' y él le dijo que no había ningún problema. Reconstruyó la entrada y le puso un letrero: 'Cortesía de La Urraca'.

"En esa época, ellos transportaban el correo de Telecom que entonces usaba un lema muy conocido, estampado en los sobres de los mensajes: 'Telecom une a Colombia'. Y Álvaro les clavaba debajo un sello que decía: 'La Urraca une a Telecom".

**Nydia** —"Con ese accidente y al verse sin avión, Fernando le dijo a Álvaro: 'Hermano, se nos acabó La Urraca' y Álvaro le respondió:

—No señor, La Urraca no se ha acabado. Mañana mismo nos vamos para los Estados Unidos a traer el DC-3 que están vendiendo.

"A los dos días estaban saliendo para Miami y antes de dos semanas ya venían de regreso, alistaron el avión y se fueron a volar de Cali a Pasto buscando una zona con menos dificultades, pero les fue como a los perros en misa porque el aeropuerto de Pasto permanece mucho tiempo cerrado por niebla y la operación es peligrosa por la topografía, de manera que se vinieron desilusionados.

"Cuando se mató Fernando, La Urraca fácilmente se hubiera podido acabar porque en ese momento tenían dos avioncitos B-18 y el DC-3. Uno de los B-18 sin motores y le quitaban algunas piezas para que pudiera volar el otro, que entre otras cosas andaba ya quemando las últimas horas y necesitaba una reparación general.

"En ese momento ellos ya habían reunido una platica y Álvaro le había dicho a Fernando que estaban vendiendo un Curtiss en Alaska —que para el momento resultaba una maravilla— y Fernando se fue a comprarlo.

"Lo negoció y a los dos meses estuvo listo para venirse. Voló a Miami y allí compró motores nuevos para los otros avioncitos —fiados, desde luego—, algunos repuestos y piezas por setenta y cinco mil dólares y se vino 'full' peso.

"En Miami encontró a una amiga y le dijo que la traía. Se vinieron y bajaron en Kingston a tanquear y a descansar y al día siguiente decolaron a las tres de la mañana. Tuvo una falla y se estrelló contra una colina. Si hubieran salido con la luz del día, seguramente no se habría matado. La muchacha cuenta que en el último minuto, él decía: "Esto no vuela, esto no vuela" y vino el impacto.

"Dicen que el Curtiss se estrelló contra la colina y siguió resbalándose hacia arriba. Al primer impacto, la muchacha fue despedida por los aires con asiento y todo y quedó en la mitad de la pendiente con un tobillo tronchado y una clavícula rota. Poco para semejante accidente. Fernando quedó atrapado en la cabina y en un segundo impacto hubo llamas y murieron quemados él y el copiloto.

"En ese momento, Fernando, nuestro primer hijo, tenía tres años y su tío, Fernando, le decía "Palito". Era su adoración. Ese veintiséis de noviembre a la madrugada, el niño empezó a llamarme y fui a su habitación:

—¿Qué te sucede?

—Mami, tengo miedo. Me están llamando.

—No, te estás soñando, le dije —y él respondió:

—No estoy soñando. Es que hay alguien sentado en mi cama y me dice 'Palito, camine. Palito, vámonos'. Debían ser las cuatro y media de la mañana en Colombia. La misma hora en que se mató Fernando.

"Durante los dos meses que estuvo allá Fernando, Álvaro volaba y volaba y el dinero que iba quedando lo volvía dólares y se los mandaba y así pudieron pagar el Curtiss de contado, pero no lo aseguraron y aquí no había ni cinco centavos.

"Álvaro le compró su parte a la viuda de Fernando. En ese momento lo que había era una razón social de La Urraca, unos tiestos de aviones y una deuda por los repuestos que traía.

"Trabajó como un negro para pagar las dos deudas y para reparar los avioncitos, los arregló y así fue creciendo hasta llegar a ser una de las empresas más grandes del país algunos años después.

"Es que ellos sabían luchar. Nada les tocó gratis. Quedaron huérfanos de padre cuando tenían seis y tres años de edad, pero sin cinco centavos. Con una finca de miles de hectáreas en los llanos de Medina, que era como no tener nada, porque la viuda no contaba con liquidez y la hacienda estaba situada en otro planeta. Parece que la única vía para llegar allá era un camino de herradura por el que tocaba cabalgar días a lomo de mula y ella nunca pudo ir. Les tocó la vida muy dura.

"Se educaron con grandes dificultades. Fernando se quedó viviendo con unos primos, estudiaba en La Salle de Bogotá y contaba que lo que le daban para comer algo en la mitad de la mañana, no lo gastaba sino que compraba

confetis que revendía y con las utilidades compraba los
fines de semana pan y se lo llevaba de regalo a la mamá.
Era un niño.

"Su vida transcurrió pendiente de su mamá y de sus
hermanos. Cuando tenía doce años aprendió clave Morse
y se fue a trabajar como telegrafista en Mitú, que si hoy es
un punto distante en la selva, ¿cómo sería entonces? Le
mandaba casi todo su sueldo a la mamá. Una vez pasó por
allá un médico y le enseñó a abrir cadáveres y a partir de
ahí pudo reforzar su sueldo, haciendo autopsias y envian-
do muestras al Instituto de Medicina Legal, en Bogotá, y
empezó a ahorrar porque su sueño era ser piloto.

"Cuando tuvo una suma que creyó importante, salió
de la selva y se fue a aprender a volar, primero en la Fuerza Aérea y luego en el Ecuador. A su regreso trabajó con
Sam, una empresa importante y a los diecisiete años fue
comandante de DC-3, todo un reto porque llegar al asiento izquierdo de un avión era muy difícil. Él fue el comandante más joven que ha tenido la aviación colombiana.

"Mientras tanto, Álvaro cursaba bachillerato y Fernando fue progresando hasta hacerse piloto internacional y
como volaba a los Estados Unidos, se llevó a su familia a
vivir en Miami. Allí Álvaro terminó su 'high school' y un
curso de pilotaje. Un tiempo después compraron su primer avión y nació La Urraca".

Cuando se retiró Nydia, la tertulia tomó otro rumbo y
Darío atacó con algo de su cosecha:

"Fernando andaba con su gorra de vuelo, gafas oscuras y los bolsillos llenos de dinero, pero en desorden: billetes arrugados, monedas, uno que otro vale, porque cobraba de contado.

"Y a Álvaro lo llamaban 'Camastrón' porque era blanco y grandote. Ése casi me mata una mañana que estaban embarcando en Vanguardia un lote de novillos finos para transportarlos al centro del Llano. Los cuadrilleros metieron... déjeme ver: metieron uno y metieron dos y el tercero se ranchó como los marranos de Monterrey, y nada. No pasaba por la puerta del avión. Entonces me acerqué y les dije:

—Tapen donde dice La Urraca y verán cómo trepan los demás.

¡Camastrón estaba detrás de mí!

—¿Van a mirar la telenovela sin comer? preguntó Chava, la administradora, una samaria que les conoce el gusto prácticamente a todos y como siempre, empezó a recetar su comida casera con sopita, un plato fuerte, dulce de frutas de la cosecha y café.

—A ti te han hecho la misma chanza dos veces: una Fernando Henao y otra Giovanni Bordé, dijo Pedro Vásquez, un amigo de Troncoso —otro contertulio— dirigiéndose a Darío.

—¿Cuál?

—La de la cobrada del dinero a bordo.

—Ah... ¡Ah! Es que, auncuando uno diga que no, cae dos veces.

—Contá, pues.

—Fernando me debía un par de tanqueadas y de bestia, me subí hasta la cabina de mando con mi tabla y la respectiva factura y tan pronto me vio acercar, le hizo una seña al mecánico, cerraron la puerta y decolaron. Yo tenía que tanquear todos los aviones que se movían en Vanguardia y abajo se quedó el carrotanque abandonado, los dueños de los aviones desesperados por la parálisis. Tenía tal cantidad de cosas en la cabeza cuando decolamos...

Era un vuelo fletado por la Policía y en el avión iban veinticinco agentes, desarmados y vestidos de civil, sin equipo ni nada. Un relevo.

Recuerdo que esos policías se emborracharon porque Fernando les colocó cerveza a bordo y como a la hora y media de vuelo, se agarraron a golpes y el avión agachó la cola y éste me dijo: "Vaya a ver qué es lo que pasa atrás", mientras él halaba la cabrilla porque el aparato se estolió bastante.

Cuando me paré y abrí la puerta, vi que los policías estaban en la cola del avión, algunos se daban golpes y los otros les hacían rueda y gritaban como en una gallera. Fernando me preguntó qué sucedía y le dije:

—Están dándose trompadas. Tienen una montonera y no se sabe quién es quién.

—Siéntese y amárrese —me contestó.

Cuando vio que yo estaba asegurado, picó ese avión con la nariz para abajo y una vez allí, lo niveló, le puso full potencia y lo levantó. Se trepó, qué sé yo, cuatrocientos o quinientos pies y volvió a nivelar y me dijo: "Vaya a ver cómo está la cosa atrás". Abrí la puerta y los vi quieticos, en sus sitios, sin moverse, sin respirar, tranquilitos.

La pista de Carreño estaba desierta, pero desierta y este hombre miraba para todos lados: ¿No saldrá ni un pasajero para el regreso? Esto está muerto.

De pronto apareció un pasajerito con una caja de cartón como maleta:

—Capitán, ¿me lleva hasta Villavicencio?

—Sí, claro.

—¿Cuánto me cobra?

—Vale tanto.

—Capitán, es que no tengo sino tanto.

—No, no, no. ¿Usted cree que a mí me ragalan la gasolina?

—Capitán, es que no tengo más...

—No, no, nos vamos. Súbase Darío. "Libre el motor dos", cierran la puerta, prenden el otro, carreteo hasta la cabecera. La de Carreño es la pista natural más larga de Colombia. Tiene como tres mil metros: roca y una arena suave. Carreteó y se fue para la cabecera opuesta y estando allá, me dijo:

—Darío, vaya llame al pasajero y dígale que venga.

—Pero, ¿cómo se le ocurre? De aquí a allá son tres kilómetros.

—¿Va? O se queda.

Eso me pasa por sapo al meterme donde no me tengo que meter, pensé y me fui hasta el otro extremo a llamar al hombre. Con ese sol y ese calor tan salvaje. Y ellos muertos de risa en la cabina. Llego por fin y le digo al pasajero:

—Que le apure. Lo van a llevar.

Y Fernando feliz, viéndonos correr por semejante pista tan larga al pasajerito y a mí.

La carga y los pasajeros no se divorcian, no se separan. Los pasajeros son a la carga... ¿Cómo es la cosa?, preguntó Vásquez y Troncoso redondeó la idea:

Cuando hay una emergencia a gran altura, la salvación es tirar carga. Cada rato se hace, tú lo sabes, porque no te bajas de los aviones. Por ejemplo, en esos vuelos largos, con frecuencia se escucha, "Tiren la carga". No falta quien decole con el avión lleno de gasolina y unos mil kilos más de lo normal. Se le apaga un motor. Si va bien arriba, lo salva la altura, diga usted, diez mil, once mil pies y aquí perder cinco mil en cinco minutos no es angustia porque, tres o cuatro pasajeros bien asustados, tiran la carga a toda carrera. En esos momentos, hasta el más flaquito saca fuerzas de donde no las tiene y con poco peso, el avión vuela con un solo motor.

Hombre, muchas veces se me han acercado pilotos —dijo Vásquez— para preguntarme con preocupación si habrá uno o dos pasajeros. Y mientras aparece alguno, esperan y esperan.

—No, no hay ninguno, pero ¿cuál es el interés de llevar dos o tres pasajeros si ya tiene suficiente porque va sobrecargado?— les pregunto.

—Es que... Si toca tirar esa carga, dos o tres pasajeritos bien asustados desocupan el avión en cinco minutos— contestan.

Fernando, como muchos pilotos, terminó por desconfiar de algunos de sus ayudantes —dijo Vásquez— porque en más de una ocasión preguntó cuántos pasajeros llevaba y le decían, veinte, cuando en realidad iban veinticinco. Cobran a bordo y para morder, le restan pasajeros. Eso se llama en el Llano, "darle tubo" al piloto en las cuentas.

"Aquí, uno ve a veces cómo, sin que el piloto se dé cuenta, le cargan diez canastas de cerveza, dos bultos de panela, para vender en los sitios más lejanos, comentó Troncoso y agregó:

"Y lo esconden muchas veces en el baño del avión. Imagínese, cuatrocientos, quinientos kilos de sobrepeso y el pobre piloto es el único que no lo sabe. Él lo viene a notar cuando en la carrera de decolaje tiene que halar el avión y nada que levanta y nada que levanta. "¿Qué pasa que esto no sale y ustedes me dijeron que iba con dos mil ochocientos kilos?

—Quién sabe, capitán. El cálculo parecía bien hecho.

"Ese fue el caso de El Loro Jiménez y de otros que han tenido fallas y con esos aviones bien cargados no pueden hacer la mínima maniobra decolando o aterrizando", agregó Troncoso.

Después del café, Darío retomó las historias de los aviones cargados con caucho y entre los tres rehicieron una bien conocida en Vanguardia: la del que cayó más allá de Tío Barbas.

El avión venía prácticamente vacío: diecisiete bultos de caucho y unas cuantas canastas de cerveza con botellas desocupadas. Graciliano, un indígena piratapuyo, iba a bordo como cuadrillero y cuenta que antes de arrancar, el mecánico dijo que había un pequeño escape de gasolina en una línea de abastecimiento y que el piloto lo presionó:

—Eso qué carajo, póngale más cinta a esa vaina y vámonos rápido. Vamos, vamos, que nos va a coger la tarde.
Vamos. Vamos.

El mecánico obedeció y los que miraban dijeron que en
pleno decolaje, aún con el avión a la vista, escucharon, ¡Pa!
¡Pa! ¡Pa!, explosiones y vieron que un motor se apagó y
luego el otro y el avión se fue y se fue en silencio, perdiendo altura, perdiendo altura. Tenían el río Vaupés a la izquierda pero no alcanzaron a ganarlo. Imagínese esa
angustia, perdiendo altura y sin motores.

Graciliano ha contado una y otra vez que escuchaba a
los pilotos y al mecánico gritando adelante en la cabina y
moviendo cosas, muy angustiados, desesperados y que lo
último que recuerda es cuando las alas empezaron a chocar contra las copas de los árboles y de pronto un brinco.
Que no recuerda nada más y que él despertó por la noche,
tirado en plena selva.

Sí. Esa es su versión, una versión limitada porque dice
que quedó amnésico por algún tiempo al sufrir un golpe
en la frente y el cuero cabelludo se le fue hacia atrás deján-
dole el cráneo al descubierto. Dice que ahí ya no se volvió
a acordar de nada. Se le hizo una herida profunda en la
cintura, y en un brazo y una pierna le quedaron incrus-
taciones de vidrio. Duró varios días en la selva pero el recuerdo se le nubla. Salió emborrachecido y no vio nada
del avión.

Los recuerdos del indígena llegan por momentos y por
fracciones. Uno se lo encuentra y entre café y café le pregunta y él va soltando. Al parecer se acomodó en la parte
trasera del avión y los bultos de caucho bloquearon totalmente la sección central, de manera que no veía a los pilo-

tos. Estaba aislado. Cada bulto es un amortiguador de cuatro arrobas y él tenía esa cortina de caucho al frente. Es lógico que al chocar, todo se corrió hacia adelante y él se fue encima del caucho. Eso evitó que se golpeara contra la cabina o contra los pedazos de avión, contra los árboles o, inclusive, contra el mismo piso.

Tuvo que haber chocado de espaldas, por una razón muy sencilla: si hubiera sido de frente, se le habrían salido los ojos, como sucede en infinidad de accidentes. En estos casos el impacto es tan violento que, al golpearse de frente, los ojos abandonan sus órbitas con una facilidad única, primero, porque la persona los abre para ver dónde va a caer y, segundo, por el peso del ojo. De todas maneras, a él lo sÁlvaron el caucho y haberse puesto, más o menos, en posición de accidente.

Después de caminar varios días, Graciliano llegó al barracón de un cauchero. Lo vieron muy aporreado, con las heridas abiertas pero en perfecta asepsia, limpias, sin gusanos, sin el menor grado de infección, sin asomo de gangrena, porque, al parecer, las traía cubiertas por un emplasto de hierbas medicinales que nunca ha querido identificar. Eso es muy de los indios: ellos te dan el remedio pero nunca te lo identifican. Nunca. Se mueren con ese conocimiento.

El cauchero cuenta que apenas vio al indígena, dijo: "Estos bárbaros se emborrachan y se tiran a matar. Vea cómo está este hombre. Lo debieron agarrar a machete". Y que el muchacho no hablaba. Estaba ido.

Le hicieron curaciones y se acostó en una esquina del barracón y una mañana el cauchero prendió su radio y escucharon que la emisora decía que el avión de Tío Barbas continuaba perdido y daban los nombres de la tripulación. Dizque Graciliano levantó la cabeza y les dijo:

—Yo iba en ese avión p'a mí.

—¿Cómo?

—Yo cayendo en ese avión.

De allá lo sacaron a Tío Barbas y más tarde llegó un DC-3 por él y lo treparon dizque para ir a localizar la nave accidentada y el pobre indígena acabado de caer, vuelto nada, se clavó de rodillas sobre una silla y los otros sacudiéndolo:

—Mire por la ventana, busque el sitio. ¿Es por aquí? O ¿por allá? Colabore, hombre. Colabore. Y él:

—No. No. (Estaba sicosiado).

Transcurrido el tiempo le preguntábamos a Graciliano qué más recordaba y él guardaba silencio. Lo que impresiona es el estado de las heridas. Alguien que no haya nacido en la selva y desconozca los remedios naturales, puede morir en pocos días porque generalmente después de una herida viene el mosquito, pone allí su huevo y detrás del huevo aparece el gusano y detrás del gusano la gangrena. Eso lo sabemos de memoria.

Mire: yo he visto heridos, rescatados con prontitud luego de accidentes en la selva y salen con los brazos engusanados, muy infectados, con una fiebre altísima, hinchados. Lo que los salva son los primeros auxilios.

Hombre, ese avión nunca apareció. Hasta el día de hoy, nunca apareció. Nunca. Se lo tragó la selva.

Dos días después conocí a Graciliano, un hombre tan pulcro en el vestir como en su personalidad. Mira de frente y ahora habla buen castellano. Es prudente, amable. Me pareció un ser sin mal ni guerra en la cabeza.

Sus recuerdos:

"Iba detrás del caucho y al lado de los envases de cerveza. Cuando el avión comenzó a fallar, me acurruqué y me agarré de los mamparos a esperar el totazo. De un momento a otro no sentí más. Nada.

"Se me borraron varios días. Por cuentas que hice más tarde, debieron pasar... El accidente fue un martes: creo que pasaron ese martes, miércoles, jueves, viernes, pero no retengo casi nada de lo que sucedió en ese tiempo. Una tarde llegué a donde los caucheros. Ellos me dijeron que era sábado.

"Algunas veces se me alumbran recuerdos: me desperté una madrugada, por allá a las cuatro de la mañana, porque por debajo de la selva alcancé a ver luces de estrellas".

—¿Qué estrellas?

—Iwinai. Dos grupos.

Según los científicos colombianos que han estudiado el tema, Iwinai es la constelación de Taurus, con un par de racimos de estrellas, abiertos y resplandecientes: las Pléyades y la Híades.

Las Pléyades emergen en el lomo del toro, arriba de Aldebarán, encima de las Híades, hacia Andrómeda y para quienes conocen el firmamento, son la formación más bella y maravillosa de nuestros cielos.

En las madrugadas de junio es posible ver a ojo desnudo aquellas siete de que hablaron Safo y Hesíodo y cuyos nombres memoricé un amanecer:

Aleione, la Ninfa Atlántida, compañera de Poseidón y madre de Irieo. Maya, la hija mayor y la más bella de todas las hermanas. Electra, una pléyade perdida... Su resplandor se empañó por el dolor que le causó presenciar la destrucción de Ilión (Troya), ciudad fundada por su hermano Dárdano, igual que Mérope, cuyo castigo vino por haberse casado con un mortal. Es tanta su vergüenza, que hoy lleva la cara tapada por un halo. Tyjete, Celeno y Sterope, son las otras tres.

Los campesinos griegos cosechan en mayo cuando las Pléyades surgen junto con el sol y aran cuando aquéllas desaparecen.

Para los indios kogui de la Sierra Nevada de Santa Marta, en Colombia, el año comienza cuando aparecen por primera vez en las madrugadas de fin de junio y comienzos de julio, en un punto por el cual momentos después se asomará el sol.

Pero los indígenas del Vaupés, cuando miran al cielo ven tan lejos como los griegos o como sus hermanos sabios, los kogui.

La doctora Elizabeth Reichel encontró que para algunos de nuestros indígenas, Iwinai, como se llama este racimo de estrellas, tiene toda una mitología:

Iwinai o las Pléyades, dígalo en griego o en piratapuyo, como quiera, era la esposa de un hombre engañado. Ella tenía relación con un chigüiro y para poder huir con él, le cercenó al marido una de sus extremidades. Él, sin embargo, los persiguió. Después de un tiempo logró alcanzarlos, mató al chigüiro, pero la mujer continuó huyendo. Finalmente cuando llegaron al horizonte, ella saltó al cielo y se convirtió en Iwinai. Su amante se transformó en las Híades y el hombre en Orión.

Esto lo han aprendido los indios del Vaupés y de la Sierra a través de sus padres y de los padres de sus padres, que como los griegos, los romanos y los árabes tienen la misma imaginación desbordante, pero siempre cargada de desastres.

Eran las cuatro de la mañana.

Aquella madrugada, a esa hora, Graciliano no sabía dónde se encontraba, "porque lo primero que hice fue estirar los brazos a ver si podía tocar las paredes de mi habitación en Villavicencio. En esa época yo vivía en el Parque Infantil, pagaba una piecita y por más que estiraba los brazos no tocaba ninguna pared y más bien sentí un hormiguero picándome la cabeza, la cintura y un brazo. Donde tenía heridas.

"En ese momento me di cuenta que estaba al pie de una palma, en la mitad de un hormiguero. La sangre estaba seca, el pantalón vuelto nada y los tenis rotos por los vidrios de las botellas. Tenía el cuerpo cortado y yo decía, ¿pero, por qué? ¿Qué me pasó? ¿Dónde estoy? Como a las dos horas empezó a aclarar el día.

"Estaba borracho. No sentía maltrato, no sentía dolores, ni nada. Si yo hubiera despertado con mis sentidos normales, creo que no hubiera salido porque no habría sido capaz de caminar. Estaba vuelto nada: tenía la herida de la cabeza y una cortada muy grande en la cintura, atrás. Otra en el hombro derecho y en la pierna derecha y debajo de la nalga derecha.

"Ya de día, yo no sabía que iba en el avión, ni vi avión, ni vi nada. Después los médicos me dijeron que yo había caminado inconsciente, desde el miércoles hasta el sábado. Es que yo empecé a darme cuenta de algo, apenas el sábado en la madrugada, en la misma selva.

"Una noche, no sé cuál noche, sentí que no podía respirar y no podía respirar. Asfixiado. Me imaginé un matapí y cuando ya lo tenía bien presente en la cabeza, lo abrí por abajo. Y cuando lo abrí, Fuuuuuu. Respiré"

Como no entendí la historia, más tarde se la conté a Tomás Caicedo y él con sus palabras lentas y llenas de sabiduría en estas materias, descifró el enigma:

"Hay comunidades indígenas que consultan al payé —sacerdote— para buscar curación. Otras, aplican directamente el remedio que nos da la selva. Y otras, como los piratapuyos, de donde viene Graciliano, simplemente se imaginan el remedio, lo fijan en su cabeza y se curan con la fuerza de la mente".

—Y, ¿lo del matapí?

—Un matapí puede ser una trampa de pescar, armada en forma de embudo. Él lo trajo a la mente, abrió el embudo por abajo y al abrirlo, ¿qué sucedió? Pues que dejó correr el aire.

Graciliano y sus recuerdos:

"A ratos veo que estaba caminando, a veces casi corriendo y me caía. Volvía y me paraba, me sentaba y seguía, pero no sabía para dónde iba, hasta que llegué a una especie de rastrojo, luego una bajada y abajo un caño. Bajé hasta la orilla del caño. Me fui a agachar para tomar agua pero no pude por el dolor de la herida en la cintura. Con las manos logré agarrar un sorbito de agua, subí y seguí caminando hasta que encontré una pica que es como un caminito por entre la maleza. Por ahí seguí y ya salí a una trocha, que es un camino más anchito y de esa desemboqué a la trocha principal de los caucheros.

"Fui saliendo a las cuatro y media de la tarde a un sitio donde habían sacado yuca y tumbado caña. Una chagra de cultivo de la gente y rastros de personas. Y un poquito más adelante ya vi como cinco ranchos y pensaba: Pero, ¿dónde será esto? ¿Cómo resulté por aquí?, hasta que llegué al rancho:

—Buenas tardes.

Salió una señora:

—¿Usted de dónde viene? ¿Qué le pasó?

—Yo resulté por allá. No sé nada.

"Me dijeron, acuéstese en esta hamaca para que descanse. Me quedé dormido y no volví a despertar sino hasta las cinco de la mañana del domingo. En Radio Santa Fe dijeron que el avión de Tío Barbas continuaba desaparecido y no se sabía de su paradero. Y ahí, en ese momento me acordé y le dije a un cauchero:

—Pero, si yo iba en ese avión.

"Ese día, para pararme, me tenían que agarrar entre varios porque solo no podía. Me dieron ropa. Estuve varios días hasta cuando pude caminar solo. De ahí me sacaron para otro campamento, dos horas de camino, a pie por la orilla del mismo caño. De ese campamento me sacaron hasta otro caño pequeño y de ahí nos fuimos en un potrillo (canoa pequeña) hacia abajo para llegar donde un morocho que tenía su campamento. Un viaje largo.

"Ese señor me llevó a Mitú en una embarcación con motor fuera de borda, quince caballos: salimos a la una de la tarde y llegamos a las cinco de la mañana.

"Me subieron a un avión y volamos. Que reconociera el sitio del accidente, pero llegamos allá con mal tiempo y no se veía nada. Solamente pude distinguir los campamentos a donde salí. Estaba asustado.

"Luego bajamos y nos metimos varios días por la selva, siguiendo un camino que lleva hasta el campamento y no encontramos nada. Regresamos y me trajeron al hospital de Villavicencio para que me curaran".

La semana siguiente encontré a don Manuel Pinto, un viejo conocedor que llegó a la selva hace treinta y cinco años, se enmaniguó y se quedó a vivir allí.

Manuel fue quien habló con Graciliano el día que llegó a Mitú y cuando le conté lo que había escuchado, dejó a un lado la palanca del pilón con que machacaba un maíz y me contó su versión:

"Si no los voy a conocer a todos, dijo. Imagínese usted que yo iba en ese avión cuando hizo el penúltimo vuelo desde Villavicencio. Había salido a comprar repuestos para un motorcito y aproveché a traerme a mi mamá y, caramba, se le abrió la puerta en vuelo y me tocó amarrar a mi madre con una manila y venirme todo el camino teniéndola. Luego dijeron que se cayó el avión.

"Salió una comisión a buscarlo y un hombre que llaman Capibara, encontró al pie de una palma los tenis, el pantalón y la camisa del indígena. Uno sabe que por instinto aquél se desnudó allí y se arrimó a la palma, habitada por una hormiga pequeña llamada majiñá, buscando curación como es su costumbre, cuando una herida comienza a engusanarse.

"La majiñá contiene un ácido que cauteriza las heridas. Los indios en esos casos se pegan a la palma y la hormiga los cubre, se come los gusanos y sana. Pero es que sana de verdad.

"El indígena salió hasta donde un cauchero que yo conocí y allá lo endeudaron. Mejor dicho, le dieron fiados a precio escandoloso, pantalón, camisa, tenis, un potrillo y un remo y él se bajó por un caño hasta el Vaupés y gastó veintidós días navegando. Esos son caños veraneros que a veces no dan sino agüita para comer y en invierno bajan por el lecho, bombadas, como se le dice a la creciente. Él bajó en invierno.

"Por el camino comía pupuñas, que es lo que llamamos en el interior chontaduros, pero aquí se dan del tamaño de una naranja. Puro aceite. Es el fuerte de la alimentación del indígena. De esa sacan chicha o la rallan y sacan una harina que tuestan, rica. Por aquí lo que se encuentra más fácilmente son pepas que agarran los micos, muerden y las dejan caer. Eso lo persigue el indio para no irse a envenenar: patabá, ibacaba, mirití, todas con mucha grasa. De esas sacan aceite de seje, valiosísimo, sirve como lubricante para máquinas y como remedio para seres humanos. Lo más puro que hay en aceites.

"Cuando llegó aquí, el muchacho tenía varias heridas, una muy grande en la cabeza, pero todas limpias, con cicatrices sólidas. Ese día me contó que se abrió la puerta, él se agarró de una canasta de cerveza y el avión lo lanzó afuera con canasta y todo. Debió caer lejos de donde chocó el avión.

"A los poquitos días llegó una comisión de rescate al mando de un tipo alto. Llevaba un overol que tenía por lo menos ciento cincuenta bolsillos y entre los bolsillos, anzuelos, agujas de arria y agujas medianas y pequeñas para coser la carne y la piel —por si acaso quedaba algún sobreviviente herido—, cuerdas de diferentes calibres, alicates, brújula, altímetro, termómetro, decámetro, tensiómetro, sales para reanimar, sales para la deshidratación, la rasquiña y la piquiña, ácido fénico, muriático y revoliático, vendas de tela y ligas de caucho para detener la hemorragia, alka-seltzer, mejoral, medio cántaro con aguardiente, bálsamo tranquilo. Cuanta vaina usted se imagine llevaba ese hombre entre el overol: un overol de tela gruesa, ajustado al cuello y trincado sobre las botas. Y además, cámara fotográfica, rollos, grabadora y pilas. Y yo le pregunté:

—Amigo, ¿usted va a entrar a la selva con esa ropa?

—Por supuesto: si yo he hecho cursos de búsqueda, rescate y sobrevivencia en Miami.

—Bueno, lo felicito —le dije— pero yo le aconsejo irse en pantaloneta y camisilla y dejar todo eso aquí, porque a la media hora de camino le va a pesar hasta el reloj.

—No —respondió—. Hay que saber de esto.

"Se metieron a la selva por una trocha. Esa región está llena de caminos siringueros que hacen los caucheros para ir a rayar árboles y recoger el látex. Cada uno es como de diez horas, selva adentro, a paso de indio.

"Las instrucciones del tipo del overol eran que no había que perder de vista las espaldas del que iba adelante, que tocaba poner bien los pies en el suelo para no resbalar, mirar a lo alto de los árboles por si aparecían culebras. Bueno, eso hablaba y hablaba, hasta que por fin, se fueron.

"Como a las tres horas se devolvió el primero y luego otro y otro más. Y detrás, otros ocho con un guando sobre los hombros, como si fuera una camilla y entre el guando, el del overol, espernancao y sin pronunciar palabra. Suspendida la búsqueda.

"En la región hay mucha marandúa, mucho rumor. Pero lo que se sabe es que luego de fracasar la columna encabezada por el tipo del overol de los mil bolsillos, vino otra, formada por indios y algún blanco, y ellos sí llegaron al sitio. Allá enterraron a los pilotos, sacaron documentos y algunas otras cosas y regresaron.

"El que guió a esa comisión se fue para Villavicencio y de un momento a otro desapareció. Lo confinaron en San Martín a estudiar sastrería: ocho meses sin hablar del accidente, ni aparecerse por Villavo.

"Mientras tanto, alguien cobraba los seguros del avión.

"Pero, por otro lado, unos cacharreros dejaron transcurrir el tiempo —porque todos estaban con el ojo abierto y hablando de la nave perdida— y cuando pasó el bochinche y todos decían que se la había tragado la manigua, también llegaron hasta el sitio y se alzaron los bultos de caucho y las piezas del aparato que podían sacar a vender como repuestos. Ahí está el cuento del tal avión".

Bajo el Moisés había crecido un jardín de plantas de sombra y el tren de aterrizaje y las llantas, aplastadas contra la greda, se veían calados por una telilla de sarro que medía cien días y cien noches de lluvia.

El hombre que iba a cubrir con lona algunas superficies, halló entre los agujeros de la cola nidos de pájaros y la cabina recuperó el ambiente avinagrado que habían logrado diluir seis meses atrás, pero finalmente el avión quedó presentable al viento.

Un martes temprano pusieron aceite nuevo en los motores y gasolina para un vuelo de prueba, pero cuando Giovanni fue a subir se le apareció un indígena:

—Capitán, avión no saliendo de aquí, porque avión teniendo cabeza de guaracú.

El guaracú es un pez y allí creen que quien toma caldo hecho con la cabeza, que es de muy buen sabor, se enmanigua: es decir, se queda para siempre en la selva.

Giovanni lo miró fijamente y le soltó una de las suyas:

—Cabeza de guaracú tendrá su tía, carajo.

Inició el decolaje pero tan pronto como cruzó por frente a la torre —que está prácticamente en la terminación de la pista, diga usted a unos ochocientos metros—, Giovanni haló el avión para que volara, éste se elevó treinta metros y a esa altura paupérrima falló el motor izquierdo.

En aquel punto no contaba con pista para abortar el decolaje, de manera que le tocó seguir adelante podando casas y copas de árboles, mientras detenía el motor y colocaba las hélices como cuchillas para cortar el viento y con la fuerza del motor sano esperó alcanzar la velocidad suficiente para mantenerse a esa altura y si era posible, ascender algunos pies.

Claro que sí. El Moisés empezó a subir suavemente. Se elevó doscientos metros y cuando el piloto ya no veía los techos de las casas rasguñando la barriga del avión, hizo un viraje normal y le dio la espalda al viento. Volaba con el favor de la brisa ganando centímetros, metros de velocidad. Con la poca ganancia intentó un nuevo viraje y encaró la cabecera, pero al mandar abajo el tren de aterrizaje sintió que no aseguraba, porque —por falta de equipos apropiados— no habían podido realizarle una prueba de funcionamiento y como si se tratara de un ser humano, era necesario someterlo a un proceso de fisioterapia. Al fin y al cabo había permanecido cerca de dos años con las piernas rígidas y a la hora de trabajar acusó atrofia.

De todas maneras, Giovanni se aventuró en una segunda circunferencia. Un nuevo aliento. Y ya con la pista al frente y el avión a punto de sentar ruedas, por fin logró asegurar el tren gracias a que la presión fue aumentando poco a poco, e hizo saltar los seguros hasta dejarlos "en posición". Pero actuaron casi en el momento de estar tocando tierra, cuando el avión ya no volaba por falta de velocidad.

Asegurada la pista en el sentido de que, definitivamente iba a posarse sobre ella, que no iba a quedarse corto ni a seguir derecho, tocó el jabón de greda, primero con dos puntos, llevando la cola un poco arriba del horizonte y a medida que empezó a deslizarse sobre el fango aplicó suavemente el freno y comenzó, por fin, a perder rapidez. La cola descendió, se posó con tranquilidad y poco a poco fue deteniéndose.

Cuando terminó el carreteo y colocó el avión en el sitio donde habían hecho las reparaciones, se encontró con el mismo indígena silencioso que lo miró y luego dijo:

—Capitán: ¿vio? Avión teniendo cabeza de guaracú.

En ese momento su ánimo no estaba para escuchar profecías y cuando logró respirar empezaron a bajar el motor y dos días más tarde regresaron a Villavicencio.

"Ese cambio se demoró cerca de un mes porque yo tenía vuelos acumulados que debía cumplir antes de parar el avión bueno para poder quitarle uno de sus motores y traérselo al Moisés", recuerda Giovanni.

La estrechez ha generado en la aviación del oriente colombiano una cultura que comienza por medir el tiempo en términos de paciencia y eso la hace diferente, no sólo a la del resto del país sino a la del mundo.

Un atardecer, surgieron al lado de la historia del Moisés la de El Naúfrago, un avión pequeño que fue rescatado del fondo del río Apaporis, y la de otros que volaban sin radar, porque entonces éste no se había generalizado y fueron absorbidos por las tormentas tropicales.

"Pero son casos de casos —dijo Giovanni Bordé— porque de lo contrario no hubiera quedado vivo nadie en este medio tan complicado. Es que las tormentas tienen sus secretos y nosotros nos los hemos aprendido. Por eso sobrevivimos. Por ejemplo, sabemos que entre las diez de la mañana y más o menos las dos de la tarde, se ve la sombra de las nubes en el piso. Cuando uno se encuentra frente a una pared de esas, la técnica es mirar de lejos esa sombra y por la parte más clara y más delgada es por donde uno se debe meter. En el piso uno ve reflejado el volumen del cúmulo. Pero los inexpertos lo que hacen es descender para tratar de pasar por debajo y ahí se matan. Uno debe cruzar el cúmulo entre los cinco y los siete mil pies".

"Desde luego que la falta de medios ha obligado al piloto llanero a desarrollar su propia tecnología en todas estas estas cosas" —dice Fernando Estrada—; "cuando hay mal tiempo y no se tiene más alternativa que irse de frente porque no encuentras por dónde pasar, uno se le debe meter a lo más negro que ve. A eso que todo el mundo le saca el cuerpo, es lo que hay que enfrentar. ¿Por qué es negro? Porque la nube ya se está diluyendo, ya está en disipación y cuando está en disipación hay lluvia y agua pero no turbulencia".

"En cambio" —interrumpió Giovanni— "la que tú ves blanca está viva y ésa te desbarata. La gente le tiene miedo a lo oscuro...

"Ahora: el radar marca lo negro como si fuera el diablo y yo sé que no es el diablo, auncuando aparezca rojo en la pantalla. Por eso, cuando estoy metido en una tormenta, a veces apago el radar porque, hombre, ese aparato no marca las nubes transparentes que son las peligrosas".

"Estamos de acuerdo" —dijo Fernando—. "Yo por eso llamo al radar cine rojo y también lo apago muchas veces. Como todo en este medio, la experiencia de los pilotos que volamos durante muchos años sin radar y aprendimos a conocer las nubes, no se puede comparar con la de un muchacho de hoy, acostumbrado a guiarse solamente por instrumentos.

"Todas estas cosas son" —dice el capitán Luis Arias— "el resultado de la necesidad que ha formado a un hombre lleno de imaginación, con una capacidad de sufrimiento increíble, con arrestos, con talento.

"Los mecánicos, por ejemplo, son inteligentes, ingeniosos, no se dejan vencer ante las situaciones más adversas. Es que, por ejemplo, en el caso del DC-3, tiene que hacerse físico reciclaje, porque, ¿cuántos años han pasado desde cuando el fabricante dejó de producir esos motores? Entonces nuestros talleres les están alargando y alargando la vida, gracias a la inteligencia, a la capacidad, al ingenio, a la malicia, a la intuición, a la creatividad de los ajustadores de motores, que no existen, por lo menos en los países que nosotros conocemos. Ajustar es bajar el motor, abrirlo, meterle los componentes, reciclados también y volverlo a armar para que sirva. Desde luego, no le dan las mismas horas de vida que tiene uno nuevo, pero se la prolongan una y otra vez. Es que no tenemos más y ese avión sigue siendo necesario en nuestro medio".

Como todos los atardeceres, los pilotos se van reuniendo poco a poco en las cafeterías de Vanguardia y surgen las historias en forma espontánea. Mientras hablaba el capitán Arias fueron llegando otros y se sumaron al tema.

Sergio Zapata retomó el hilo de los motores:

"Es que son el dolor de cabeza de este avión. Mire una cosa —dijo— si lo produjeran hoy, el DC-3 podría volar otros cuarenta años sin problema porque es un avión maravilloso.

"Aquí, cuando tú vas a que te reparen un motor atendiendo a los boletines que envía el fabricante diciendo que, por ejemplo, hay que cambiar el cigüeñal, el mecánico lo revisa detenidamente, dice que aún sirve y si lo dice es porque tiene, primero, buena fe y segundo, conocimientos suficientes para que uno le crea. Un cigüeñal vale casi lo mismo que el motor, pero no es fácil conseguirlo.

"Esa es parte de la ciencia que nos ha enseñado la escasez, porque aquí tenemos que hacer lo contrario del hombre que vive en los países industrializados: allá la gente utiliza un martillo para clavar una puntilla. Y para sacarla, usa otra herramienta. Aquí con ese martillo no sólo se clava, sino que con él también se saca la puntilla. Y si hay que arreglar el tacón de un zapato, lo hacemos con el mismo martillo y si se necesita en determinado trabajo utilizar una cuña y no la hay, use el martillo. Si toca enderezar la punta de una lata, válgase de las orejas del martillo y si no tiene con qué quitarle la tapa a una botella de cerveza, pues ése también le sirve. En cambio un europeo tiene a la mano una caja completa de herramientas, pero seguramente la abundancia no lo pone en el dilema de imaginarse tantas cosas".

Alfredo Luque es un piloto que llegó al Llano y tuvo que olvidar parte de lo que había aprendido en Bogotá, sencillamente porque cuando empezó a volar, descubrió que había retrocedido en el tiempo y se vio obligado a aprender un arte nuevo:

"Con los motores de los aviones —dice— tiene que ver la parte comercial, conjugada con la necesidad. Como cada día el margen de utilidades de un avión es menor, entonces se crea el instinto de arreglar y reciclar, porque la cosa económica y la comercial están cada vez más distanciadas. A la gente que trae los repuestos al país y a la fábrica que los produce, no les importa qué está sucediendo en Colombia, Suramérica, Llanos del Orinoco. Entonces llegan a unos costos muy altos para nosotros que tenemos ingresos mínimos. Ahí entra la magia de los mecánicos que le dicen a uno, capitán, esto puede servir, esto, no. Esto ajustémoslo. A esto hagámosle un servicio, a esto hagámosle una reparación. En un taller de licencia elegante —en otras ciudades— abren el motor, lo desbaratan y el presupuesto es hasta treinta veces más de lo que nos cuesta aquí. Eso sucedió con el mío. En un taller de Bogotá lo miraron. Presupuesto, veinticuatro millones de pesos. Lo llevé a uno donde reparan los motores de Villavicencio y cobraron ochocientos mil pesos. Ahí está volando, con garantía de servicio para mil horas.

"Y esa escasez nuestra, ha creado mañas que no se ven en ninguna otra parte del país, por ejemplo, si hablamos de lo que es el despacho en el aeropuerto, de la policía, de la forma como se consiguen los pasajeros.

"Y la manera como se vuela: en el Llano y la selva se navega al ojo o a la estima, pero no hay navegación real. Es que muchas veces, si uno conoce la geografía, tiene que irse sin contar con la ayuda de un A.D.F o de un V.O.R. Un piloto con mucha instrucción sobre navegación con instrumentos modernos, viene aquí y no vuela. No puede volar. ¿Cómo? Aquí la navegación es como un embrujo, como todo lo que es el Llano".

**Luis Arias** —"Pero, por lo menos ahora vemos allá abajo casas, algún tipo de caminos y carreteras que le sirven a uno de guía. Anteriormente, todo el Llano era igual y toda la selva igual. Hoy por lo menos contamos con un V.O.R. en San José, un A.D.F. en Miraflores, pequeño, de poca capacidad, pero uno sabe que llegando a cierta distancia ya lo coge. Y hace cinco años de para acá ha sido de gran ayuda el G.P.S. en los aviones. Eso ya nos defiende. La de hace unos seis años, era pura y física navegación mental. El piloto debía tener todos sus procedimientos en la mente. Orientarse como el ave, desarrollar un G.P.S. en su cabeza, en su propio estómago. Era un tipo de aviación magnífica desde el punto de vista del ingenio y de la inteligencia del ser humano. Aquí es más importante que en muchas otras partes el criterio de los pilotos, porque todo lo tienen que resolver ellos. Todo. Todo: el viento, el estado del tiempo, las condiciones adversas de la pista, el cargue, el descargue, el peso y balance".

**Alfredo Luque** —"Nosotros vivimos en un divorcio total con el resto del país y con el resto del mundo, porque de la cordillera para arriba se vuela completamente diferente. En eso somos dos naciones distintas".

**Luis Arias** —"Sí. Es una aviación única".

**Alfredo Luque** —"Yo soy nuevo en el Llano y vivo impresionado por su belleza. Esto es, si se quiere, más aventura y por eso se necesita mayor concentración, mayor empeño, más responsabilidad. Vea: es muy diferente cuando uno despega de Bogotá y va al V.O.R. de tal punto y de ése vuela al V.O.R. de Pereira y ahí desciende, encuentra el circuito y aterriza. Todo por instrumentos, con un computador de vuelo y un piloto automático. Aquí despega uno y tírele ojo a ver dónde está el río. Y va por el caño y calcule más o menos el tiempo y después busque la casita con techo rojo. Donde pinten la casa, queda uno loco. Ahí juegan la astucia del piloto, su memoria, sus cinco sentidos funcionando a la perfección. Y además, los pasajeros ayudan".

Luque volteó la cara y se quedó mirando a Santos Cuintaco, "un indio blanco" como dice él mismo, porque es hijo de un colono que vino del interior y se internó en las selvas, que entonces estaban cerca de Villavicencio porque apenas comenzaban a sonar las hachas en estos territorios.

Con el tiempo, este conocedor de la manigua por tierra, se volvió comerciante y se radicó en un sitio llamado La Comunidad, situada en lo más remoto de la Amazonía y para transportar sus mercancías, voló tanto que llegó a conocer de aviación como la mayoría de los habitantes de estas regiones.

"Tenía un almacén en La Comunidad, que es una zona de colonos —dice—. Eso queda en los límites del Vaupés y el Guaviare, margen izquierda bajando, cerca de la pista de Dos Ríos que estuvo ocupada por campamentos caucheros de Jorge Sánchez y una comunidad indígena. También están por ahí, Cachiporro y Dando y Dando, también sobre el Apaporis. Todo colonización.

"Para llegar allí también hay salida por tierra desde Miraflores. Las gentecitas van de allá a los lagos de El Dorado en embarcación. Salen a las seis de la mañana y si les va bien, llegan a un lugar que se llama el Yavilla a las seis

de la tarde. De ahí se sigue bajando por el río Apaporis.
Con buena agua se puede llegar en nueve horas y cuando
se seca, son ocho días. En verano hacen desvíos por tierra,
a través de la selva, recortando curvas grandes del río.
A esos caminitos les dicen paraná o guachinacán. Por allí
se arrastra la canoa y así, parte navegando y parte arrastrando, se gastan cuatro días más. La mayoría son colonos
y comerciantes que llevan víveres o gasolina para mover
la canoita. Imagínese la aventura.

"En verano, los ríos de la selva se bajan de aguas casi
hasta secarse. En tramos inmensos donde la selva ha sido
respetada, más de la mitad de los caños se secan y el agua
que queda es bañadero o bebedero de los animales silvestres y para uno no parece haber ni una gota. En la selva el
hombre bebe el líquido que transportan algunos bejucos o
tallos de arbustos como la cañagria que parece una espon-
ja. Bueno, pues cuando tuve mis primeras conexiones, me
olvidé del viaje por tierra y encontré la manera de hacer
una pista en la selva, comprar la gasolina y la mercancía a
crédito en la ciudad y luego fletar un avión por mi cuenta.
Pero, para decir verdad, la pista me quedó corta, mala,
húmeda y con mucho barro, pero allá entrábamos. Total,
que de tanto volar y volar de pasajero, uno aprende bastante y se vuelve un comandante de ojímetro porque va
viendo que al lado derecho queda un cerro, que el río Itilla,
que el Imilla o el Ajajú, o el Bernardo, o el Puré: tiene puntos de referencia.

"En una ocasión yo necesitaba llevar unas tejas de cinc
de tres metros con quince centímetros de largas, pero para
que cupieran había que quitarle todas las sillas al avión y
como en la parte de atrás tiene un escalón, rellenamos por
debajo con papa, con víveres, con mercancía y colocamos
las tejas encima.

"El capitán con que íbamos ese día acostumbraba tomar la ruta que comienza aquí pasando por el Cristo y por Almaviva. Ahí le colocaba a la brújula rumbo ciento cincuenta y cinco grados. Pero cuando tocó Almaviva, dijo ciento cin... y se quedó viendo que la brújula estaba marcando el Polo Norte. ¿Por qué? No dijo más y como tenía tanta experiencia en esa ruta, nos fuimos sin brújula. Hicimos dos procedimientos y como él mantenía volando todavía bajo los efectos del alcohol de la noche anterior, le dijo a Curramba, el copiloto: "De aquí en adelante el avión es suyo. Llame a Lomalinda". Llamó a Lomalinda, íbamos corridos a la derecha y le dijo al copiloto: 'Déle así que ahí vamos bien'.

"De todas maneras, un poco adelante pareció preocupado y le dijo: 'Corrija un poquito a la derecha'. Llegamos al Guayabero y, 'Corrija más a la derecha'.

"Cuando los veranos son muy acentuados, se forma bruma y en partes se pone tan espesa que hay que volar por instrumentos porque es muy poco lo que se ve. Y para ver algo hay que bajarse mucho y volar casi rasante. Estábamos en ésas y de pronto dijo el capitán: 'Huy, ¿qué es lo que se ve adelante? ¿No son sabanas?'. Y le dije: "Qué sabanas por esta ruta', y él volvió a ordenarle al copiloto que le diera otra vez a la derecha. En ese momento divisé un río y le dije: 'Capitán, pero si este río lo acabamos de pasar. Estamos dando vueltas. Cuidado'. Entonces me dijo: 'No. Ahí vamos bien'. 'Capitán, yo creo que vamos mal'. No contestó.

"Yo sabía que nos habíamos regresado porque él a cada rato era, 'Curramba, corrija más a la derecha', entonces pensé: 'Cruzamos por segunda vez el río Gayabero' y a esa altura íbamos de frente para la Serranía del Chiribiquete y le repetí: 'Comandante, nosotros vamos mal' y responde: '¿Por qué? Santos. Dígame a ver' 'Porque yo he viajado en este avión y siempre que vamos para La Comunidad, nunca me hago detrás del lado suyo porque el sol me cae perpendicular a la cara y al brazo izquierdo y dése cuenta que a esta hora, nueve y media de la mañana, el sol le está pegando a la cola del avión'.

"Él no me quería aceptar la razón. Entonces le dije: 'Capitán, ¿tiene una hoja de papel en blanco?' Me alcanzaron la del plan de vuelo y por detrás les dibujé la ruta con rumbo ciento cincuenta y cinco grados y les dibujé el sol y les hice otro esquema de cómo estaba yendo el avión en ese momento, al contrario y con el sol por las espaldas. Ibamos para lo que ellos llaman el whyski, o sea, el occidente, volando muy bajo, con el tiempo brumoso y muy poca visibilidad. Mejor dicho, contra las montañas. Él se puso a pensar y le insistí: 'Capitán, analice bien' y al fin aceptó: 'Usted tiene toda la razón' y ahí mismo le dijo al copiloto: 'El avión es mío', lo cogió él y a mí me dijo: 'Pase aquí atrás' y comenzó a virarlo a la izquierda, a la izquierda. Cuando ya me pegó el sol a ese lado, le dije: 'Esta es la ruta. Déle derecho'. Y preciso, allí nos encontramos un río y preguntó: '¿Cuál es ése? ¿Para qué lado está corriendo el río?' Ahí vi el producto del alcohol después de una fiesta, porque a la altura que llevábamos, unos dos mil pies, nadie puede ver para dónde va el agua. Que para dónde corría el río... Sólo sobre una cascada se podría saber. Entonces le respondí: 'Capitán, déle que ahí vamos bien'. Volamos como unos veinticinco minutos y encontramos ya la Serranía de Dos Ríos que son Cerro Azul y Cerro Quemado y ahí comenzó a volar visual porque el tiempo mejoró. Así, encontramos la unión del Macaya y el Ajajú y la pista de Dos Ríos y él me agradecía:

"Santos, si usted no me hubiera dicho eso, nos habíamos chocado contra un cerro".

**Alfredo Luque** —"Hablando de todo, aquí en Villavicencio me ha llamado mucho la atención lo que es el mostrador, el 'counter' de pasajeros, la manera como se maneja todo ese mundillo: el del despachador, el del marañero, el del fletador. Todavía me impresiona cuando el avión aterriza en cualquier sitio, ver el sistema de bajar las maletas y quién es el que las saca y cómo. Ahí mismo, el piloto empieza a conseguirse sus pasajeros para regresar.

"El negocio entre los pilotos, cuando el que tiene el turno se quiere quedar y el otro quiere irse, es único en el mundo porque el que sale primero, se lleva la gente, pero le deja el dinero del pasaje de uno o dos al que se queda, para que coma y pague su hotelito en el pueblo. Eso es tan interesante como el mismo vuelo".

**Luis Arias** —"Todo lo interesante que sea, pero valga una aclaración y es que eso ya se da en un grado de poca ética de los pilotos. Que usted cede el turno y el que se viene le deja lo de un pasajero para que pague hotel, comida, unos tragos... y obviamente ganarse una platica —porque le va mejor vendiendo el turno que viniéndose, por el porcentaje que gana como piloto— eso es cierto, pero en algunos casos. Eso no está generalizado".

**Alfredo Luque** —"Bien. No está muy generalizado, pero son normas pactadas y establecidas. '¿Usted quiere irse? Bueno. Me da platica".

**Luis Arias** —"Una costumbre dentro de la anti-ética".

**Alfredo Luque** —"En otra situación, en otro lugar, no sería lo lógico, no sería lo presentable. Pero aquí es lo que le plantea la vida a la gente".

**Luis Arias** —"Con todo este mundo nació otro gremio de la aviación, diferente al marañero o despachador, que se llama 'el fletador'. Tampoco lo hay en otras partes del país.

"Aquí no hay comerciantes que copen toda la carga de un DC-3. Entonces alguien dice: 'Déme su carga'. A otro, 'déme su carga'. A otro, igual. Reúne lo de varios, contrata el vuelo, les cobra el flete a los interesados, paga el expreso y se coge la compensación que es lo que trae el avión de allá para acá. Hoy, un fletador gana muchísimo más que cualquier piloto y que cualquier empresa. Pero es el fruto del rebusque que plantea el medio. Una gente que se ingenió esa manera de ganarse la vida honradamente, porque se la están ganando muy honestamente".

**Alfredo Luque** —"Pero es que hay fletadores, hay despachadores, hay marañeros que viven mejor que muchos pilotos".

**Luis Árias** —"En este momento, de las treinta y ocho empresas que funcionan, el diez por ciento tendrán sus propios despachadores, contratados por nómina, asegurados, con sus prestaciones sociales. El resto dependemos de ellos. Porque mi empresa era un avión, desde hace tres meses son dos, con el del capitán Ernesto y próximamente se afiliará uno más— y habrá que pensar en un despacho. Pero así como estaba yo, hay muchos que dependen de ellos. En esta aviación hay cantidades de microempresas".

—¿Con sitio en los mesones del aeropuerto?

"—No, es que aquí no se usa sitio en el mesón del aeropuerto. Aquí están los escudos de las empresas pero no más. Aquí no es como llegar a un aeropuerto grande en donde cada compañía tiene su lugar".

**Alfredo Luque** —"Aquí los despachadores no están, ahí sí es cierto, en su despacho, sino afuera: donde llegan los taxis y ahí consiguen el pasajero".

**Luis Arias** —"Se reunieron varios grupos de despachadores y el piloto y el microempresario del avión tienen que decirle al marañero, 'Consígame pasajeros'. Cobran un porcentaje. Eso sale muchísimo más costoso para la empresa, pero desafortunadamente llegaron a tomar una fuerza tremenda. En este momento, pequeña empresa que quiera volar, tiene que depender de ellos. Eso no se ve en ninguna otra parte".

**Alfredo Luque** —"La experiencia que traigo es diferente. Hasta ahora yo había volado arriba, de la cordillera para allá. Llegar aquí no es fácil, es un círculo cerrado. Aprendí a volar arriba y en el exterior. Cuando empecé a venir al Llano vi este mundo y me di cuenta de que la aviación es parte de la manigua del Llano, es parte de esta maraña de la selva. Es una aviación que corresponde al clima, al ambiente y que responde a todas las costumbres que transmite el medio. Y si el medio te transmite rudeza, las cosas son rudas. Y si te ataca la pobreza, entonces te ves forzado a desarrollar la imaginación y el valor para vencerla. Así de fácil.

"Voy a contar una historia pequeña que resume todo esto: cuando hice mi primer vuelo chequeando a una copiloto, la dejé de comandante y fuimos a Caño Jabón y luego a Puerto Alvira y ella se consiguió dos pasajeritos. Recuerdo que luego de aterrizar, sentí el ruido de un altavoz y me senté e tomar café, pero la veía bregando a conseguir pasajeros para el vuelo de regreso. Había un piloto que llegó primero que nosotros y por tanto tenía turno para regresar antes. Entonces la llamé y le pregunté qué estaba sucediendo y me dijo: 'Están haciendo una colecta para una pareja de colonos a los que se les murió su bebé. Reunieron ochenta mil pesos, pero los pasajes de los padres valen cien mil. Para salir primero, me toca pagarle lo de un pasaje al piloto que tiene el turno. Nos quedarían cincuenta mil. Pero los pasajeros dicen que dan ochenta. O sea que nos quedan cuarenta. ¿Nos vamos?' 'Pero vamos a perder dinero por llevarlos', le dije . '¿Y dónde está el bebé?' La mamá lo traía alzado y envuelto en una tela como si estuviera dormido. Venía tibio por el calor que le daba su madre.

"Luego sacaron una caja con carne, medio bulto de limón y otro hombre le dijo: 'Véndame un poco de gasolina de la que trae el avión'. Como en esos puntos hay avionetas de base, les compran combustible a los que llegan.

"Cuando veníamos en vuelo, pregunté si les había dicho a los padres que en el aeropuerto de Villavicencio no podían decir que el bebé venía muerto. Dijo que no y me tocó voltearme y los vi abrazados durmiendo con su bebé en el canto. Desperté al hombre y le expliqué: "En Villavicencio, diga que el niño viene dormido". Venían sin los permisos de ley para mover el cadáver y eso podría significar un problema para todos.

"A mí eso me impresionó y me puse a pensar: 'Gracias a Dios tengo un plato de sopa, un techo. Esta gente viene casi sin dinero a hacer un entierro. Saqué diez mil pesos y se los di.

"Al llegar aquí, la muchacha me entregó ciento sesenta mil pesos. Quince mil por el transporte de la caja con carne, diez por el bultico de limón, cuarenta de los padres y el bebé muerto, cien mil pesos de los dos pasajeros que llevamos y el timbo de gasolina de diecisiete galones lo vendió en cincuenta mil pesos. A eso réstele cincuenta y cinco mil que le pagó al piloto por el turno para poder salir nosotros por delante. Fíjate que aquí la cosa no es saber montarse en un avión y vámonos... En este caso lo del transporte de la carne y los limones y lo de la venta de la gasolina, es lo que se llama "polilla" y eso es para el comandante".

**Luis Arias** —"Pero esta aviación tiene otras cosas: cuando llegué a volar aquí, Alfredo Reyes que era mi patrón, me enseñó que herido o enfermo, con plata o sin plata, era prioridad número uno. Si no tenían para pagar, debía abordarlos por encima de quienes tenían dinero. Mucho se conserva de estas reglas. Desgraciadamente la aviación se ha contagiado de la deshumanización del mundo. Pero, bien que mal, así como yo, hay un gran porcentaje de pilotos que crecimos con esas enseñanzas".

Cesaron las lluvias y una mañana los indígenas dijeron, "volando avión". Era una época de quietud porque escaseaba el caucho y se movían pocas embarcaciones en el río. Por consiguiente, llegaban menos vuelos a Mitú y el anuncio sonó como una fiesta. Recibir aviones es un acontecimiento en cualquier punto de estos territorios, porque significa la comunicación con un planeta que allí llaman civilización.

Veinte minutos después brillaron las luces de un Curtiss que rumbaba más allá de la cachivera y cuando se detuvo en medio de una nube de tierra, aparecieron por la puerta Giovanni y dos hombres con cajas de herramientas.

Llegó el motor para remplazar al que seis semanas antes claudicó en el ala izquierda del Moisés. Pero no era un motor nuevo, sino uno de los viejos que impulsaban al avión viejo, pero bueno, que tenía Giovanni en la civilización.

A los ocho días terminó su instalación y cuando Giovanni se acercó al Moisés para alistar el vuelo de prueba, apareció en la pista el mismo indígena con la misma sentencia:

—Capitán, avión teniendo cabeza de guaracú.

"Se ganó su madrazo porque yo no estaba de humor para esos cuentos", dice Giovanni y recuerda cómo, pese a la contrariedad que le ocasionó aquella frase, decolaron unos minutos después.

"Pero exactamente en el mismo sitio de la vez anterior, falló el segundo motor. Nuevamente estábamos podando casas y haciendo el procedimiento de la vez anterior, también en condiciones muy críticas. En esta oportunidad el tren aseguró bien y felizmente logramos tocar tierra, pero cuando me bajé vi al indio esperándome allá al frente y, claro:

—Capitán: avión teniendo cabeza de guaracú y no saliendo de selva.

"Esa vez no le nombré la madre ni le dije una sola palabra. Eran demasiadas coincidencias. Sencillamente nos sentamos ocho días a esperar a que viniera un avión para salir de allí. Por fin llegó uno y volvimos a Villavicencio".

En Vanguardia se enteró de que unos días antes se había accidentado el Trece Quince —un DC-3 construido al comienzo de los años cuarentas—, que le gustaba mucho. Él lo había volado algunas veces y sabía que sus estructuras se hallaban en perfecto estado porque, desde cuando lo trajo La Urraca, no había sufrido maltratos y más de una vez soñó con comprarlo.

Según le contaron esa tarde, el accidente del Trece Quince fue un cachondeo o, como se dice en Colombia, una mamadera de gallo, porque después del cimbronazo contra el suelo la nube de tierra que inundó el avión y la lluvia de zapatos, —"lo primero que se le zafa a uno son los chagualos"—, todo quedó en silencio y los veintiún sobrevivientes sólo empezaron a gritar cuando vieron que pasaba por allí una carreta llena de cerveza y partieron a su encuentro.

Eran las siete de la mañana. La llanura estaba desierta y sólo se veían la carreta halada por un tractor que roncaba en el caminito que va de Monterrey a Barranca de Upía y dos ancianos que salieron del único rancho a pesquisar de dónde venía el estruendo.

Cuando Leonel Aguirre fue a partir, un llanero de alpargatas y maletera al hombro lo atenazó por el cuello y sin darle la menor oportunidad le soltó en la cara un par de palabrotas y mientras sacaba del cinto su revólver treina y ocho largo, le decía: "¿Usted es el técnico del avión? ¿Usted es el mecánico? Ahora me va a tener que explicar por qué se barajustó ese motor. ¡So jodío!"

Ahí fue cuando le comenzó el culillo al hombre —que había permanecido tranquilo durante la emergencia—, porque el llanero le rastrillaba cada vez con más arrebato la punta del cañón sobre la cabeza, hasta que alguien se dio cuenta y dijo: "Don Tito, deje de ser faramallero y suelte a ese cristiano que no tiene velas en este entierro".

Mientras tanto, los pasajeros habían convencido al hombre de la carreta para que les vendiera la cerveza y venían rodeándola con gritos y aplausos, dispuestos a descargarla al lado del avión, "porque ahí era donde había que ahogar el desaliento".

A las ocho estaban bebiéndose las primeras botellas cuando zumbó el motor de un avión pequeño. Era el Cessna de Jairo Rueda que escuchó por radio el reporte de la emergencia y aterrizó en el caminito en plan de auxilio, pero como no había víctimas ni heridos para evacuar, dio aviso a Villavicencio y antes de partir con sus tres pasajeros se tomó un par de agrias y se fue.

Como de costumbre, el accidente se originó cuando el DC-3 decolaba de Monterrey y el motor derecho lanzó una explosión y más adelante aterrizó de barriga en una sabana ganadera llevándose con el ala primero a un toro gordo y luego a dos novillos ya entrados en carnes que quedaron tendidos por el camino.

El avión se deslizó unos trescientos metros, halló una zanja y al cruzarla se partió por la mitad, "pero siguió arrastrándose y remolcando la cola que se movía como la de un pescado cuando muerde el anzuelo" y cuando se detuvo, vieron que también tenía destrozada el ala con que despanzurró al toro y a los novillos.

Ocasión única para celebrar con carne el acontecimiento y a las ocho y media alguien dijo: "Don Tito, deje el susto y traigamos la carne de esos bichos y nos la comemos". Sí señor. Recogieron unas cuántas arrobas y allí mismo empezaron a cortar ancas, piernas, costillares, murillo, mientras otros hacían fogatas y ensartaban las mejores presas encima de la lumbre.

A las once de la mañana habían consumido parte de la carreta de cerveza y les anunciaron que en la pista de un caserío cercano que se llama El Iguaro, se hallaba otro DC-3 de La Urraca que venía a evacuarlos, pero mandaron a decir que no querían saber nada de aviones y continuaron celebrando, tal vez hasta el atardecer, porque el piloto y sus auxiliares se retiraron cuando la gente empezó a acusar los efectos de la euforia.

Más allá del Iguaro está Barranca de Upía que se comunica por tierra con Villavicencio y el chofer del bus de la tarde contó después que la celebración terminó a la madrugada porque la mayoría tampoco quería saber de buses.

A los tres días, el capitán Álvaro Henao, dueño de La Urraca, envió a un técnico para saber exactamente las condiciones en que había quedado la nave, pero el tipo sobrevoló un par de veces y regresó con la noticia de su destrucción.

Sin embargo, buscaron a Óscar Arenas, un experto en estructuras y lo mandaron en el avión de Cuco Torres. Él observó desde el aire y antes de regresar dijo que quería meter primero el dedo en la llaga, lo que le pareció de fundamento al viejo Pompilio Brito —un ganadero del lugar— que ordenó ensillar bestias y se fueron hasta el sitio de la fiesta.

A su regreso a Villavicencio, Arenas dijo: "Yo puedo" y el dueño del avión le respondió: "Proponga".

—Necesito mecánicos y ayudantes, materiales, una cocinera, comida y dinero.

—¿Cuánto va a durar la reparación?

—Seis meses.

—Escoja su equipo.

Arenas cobró doscientos cincuenta mil pesos por la reparación de un avión que, en ese momento, valía el doble si estaba volando, pero cuando cerró el trato no pensaba en ganar o en perder dinero, ni en salvarle el avión al patrón, porque sí, sino... "¿Sabe qué? Por el reto. Es que era un trabajo complicado, de mucha precisión y en condiciones difíciles, sin los equipos ni las ayudas técnicas que se utilizan en cualquier otra parte del mundo".

Ese mismo día se lo comentó a algunos compañeros y todos dijeron, "Sí". Entonces invitó a Fabio Moreno a quien hizo su socio en el contrato, de manera que la alineación quedó así:

Óscar Arenas, especialista en estructuras. Fabio Moreno, en motores, estructuras, sistemas hidráulicos; un todero o lo que se llama en esta aviación, un mecánico misceláneo. Jimeno Flórez, técnico en láminas y como ayudantes, Leonel Aguirre —el mismo del altercado con don Tito—, Gustavo Torres, Celestino Velásquez y el maestro Cárdenas, carpintero de magnífica reputación...

—Ah, y la cocinera, una mujer paciente y buena guisandera que trabajaba en el restaurante de La Urraca: la gorda Amelia. Esa se llevó a su hijo de seis años, apunta Óscar.

Auncuando el avión se hallaba en un sitio desierto, ellos contaban con la pista de Monterrey a dos horas de camino, la de Barranca de Upía a cuatro horas en tractor y una tercera en El Iguaro a hora y media. Diariamente salían de Barranca de Upía dos buses con destino a Villavicencio, pero para el viaje inicial escogieron el primer punto y la mañana de un lunes se bajaron de un avión.

Llevaban una planta eléctrica, compresores de aire con motores de gasolina para mover pistolas y taladros neumáticos, combustible, cajas con toda clase de herramientas para mecánica y para carpintería, dos decámetros, más de cien metros de hilo de cáñamo, utensilios de cocina, comida, jabón y dos petacas con aguardiente llanero. A las cuatro horas llegó el tractor con la carreta de la cerveza y

los llevó hasta el rancho aquel de los viejitos, a medio kilómetro de los escombros del avión.

Durmieron sin comer y a la mañana siguiente Óscar le
propuso al viejo Anastasio que le alquilara la casucha y
éste dijo que sí: veinte pesos al mes. Le adelantaron lo de
dos mensualidades y él agarró un caballito rucio, le trepó
una bolsita con ropa, se acomodó encima y arrancaron paso
entre paso por esa sabana, Anastasio adelante, encaramado en su mocho y la viejita detrás, pisándoles el rastro con
su pata pelada.

El rancho era cosa de ver: paredes de barro, una alcoba
y al lado la cocina con telarañas, separada de un cuartico
pequeño por divisiones de soropo —un empalmado amarillento y raído que remplazaba las paredes—, dos puertitas a medio sostener porque las aldabas estaban carcomidas
por el tiempo y más allá un árbol de caramacate, fuerte y
corpulento.

"Esa mañana", cuenta Celestino, "la gorda Amelia prendió candela y la cocina se llenó de humo y al minuto cayó
una culebra que estaba dormida entre el techo de palma.
Y, carajo, al minuto cayó otra y después otra. Esa sola mañana se descolgaron catorce y varios alacranes. Por la tarde, sin exagerar, habían caído treinta culebras de toda clase:
cascabeles, corales, unas que son muy ponzoñosas, ¿cómo
se llaman?… Pues las cuatro narices. Cuando cayó la primera y la gorda Amelia pegó el grito, nosotros llevamos
un tarro con gasolina, le echamos un poco y detrás le dis-
paramos un fósforo. Y a la segunda lo mismo... Mejor dicho: ese día nos lo pasamos chamuscando bichas".

"Pero también encontrábamos culebras en un pozo cerca de la casita —de donde sacábamos el agua para prepa-

rar los alimentos y bañarnos—. Tocaba cerrar los ojos, co-
lar el agüita y cocinar", agrega Leonel.

Fabio Moreno vivió mucho tiempo en Aguazul y dizque
se amañaba en el Llano y antes de salir, les dijo: "Muchachos, por allá la vida es muy sabrosa, es una vida muy
tranquila. Claro que solamente se comen yuca y topocho,
pero yo no cambio esa vida por la de la ciudad". Bueno, si
él lo decía...

El martes a eso de las diez fueron hasta el avión y lo
primero que dijo Óscar era que había que arrastrar la cola
de alguna manera y conectársela al resto. Fabio y los demás debían quitarle las piernas para agacharlo de adelante y a Celestino con los ayudantes les puso la tarea de
echarle mano a las dos hachas y conseguir horcones para
levantarlo y ponerlo "en nivel de vuelo".

Estaban echándole cabeza a la arrastrada de la cola,
cuando vieron que alguien se acercaba por el caminito y le
pidieron que buscara en Monterrey al hombre del tractor
porque necesitaban una carreta para trepar la cola del avión,
pero como no llegó nadie, a las cinco de la tarde se sentaron frente al rancho y abrieron la primera petaca de aguardiente para tomarse "una botellita" y guardar el resto para
envenenar zancudos, pero llegó la media noche y la petaca continuaba abierta.

El miércoles temprano llegó Nicasio con el tractor y dos
carretas y casi simultáneamente aparecieron cinco vaqueros pacienciando un ganado y Óscar dijo, "Esos son los
hombres". Total, que entre todos encaramaron la cola en
una de las carretas y la trajeron al punto.

Lo demás era nivelar y colocar una mitad contra la otra,
pero como hubo destrozos, quedaba un área "huérfana" y

Óscar dijo que todos debían abrirse por la sabana a buscar cuanto trozo de lámina hubiera quedado desperdigado por allí. Pero no podía faltar ni un pedazo. "Pero ni uno, porque de lo contrario no vamos a ser capaces de dejar esta cosa perfecta".

Así lo hicieron. Al comienzo trajeron lo más grande: pedazos de ochenta centímetros, de cincuenta centímetros, pero cuando se acabó lo que estaba a la vista, vino el verdadero problema que era buscar y encontrar trocitos de cinco centímetros, de cuatro, de dos. Era necesario hallar cuanta partícula hubiera quedado esparcida en un área que ellos calcularon en quinientos metros a la redonda. Como quien dice, cinco manzanas de ciudad.

Y las hallaron. "En ese trabajito gastamos diez días bien contados. Eso era como con lupa. Un pasito y busque, agáchese, escarbe entre la hierba, busque, busque. Pedazo que encontrábamos lo íbamos arrumando al lado del avión que ya estaba cubierto por una empalizada y una carpa grande que le templamos encima para protegernos del sol porque era verano. Mejor dicho, allá lo que hicimos fue como un hangar. Pues bueno. A medida que íbamos recogiendo, Óscar y Fabio enderezaban los pedazos de aluminio en un yunque y luego, entre todos nos pasábamos horas y más horas ensamblando pieza por pieza, como quien arma un rompecabezas... Es que era eso: un rompecabezas. Íbamos completando alguna pieza y faltaba un pedacito. Váyase a la sabana a buscarlo. Así lo reconstruimos todo. ¡Pero todo! Y a medida que lo íbamos presentando, los lamineros medían cada figura y según las medidas, la dibujaban igual en una lámina nueva y cortaban. Eso no podía tener error. Era un trabajo milimétrico. Pero así como se lo estamos diciendo: milimétrico, porque cuando se fuera a armar el conjunto, si el fuselaje llegaba a quedar siquiera un centímetro desalineado, el avión iba a quedar torcido y eso así no vuela. Olvídese. No vuela", explica Celestino.

Reconstruir lámina por lámina era, como se dice ahora, "un camello". Pero un tremendo camello.

"Y eso era lo fácil. Un juego de niños. Lo difícil era cranear la manera de que el avión quedara perfectamente reglado, es decir, alineado, sin torcerse para acá y sin torcerse para allá".

Bueno. Pues a la hora de dar ese paso, Óscar Arenas dijo que el problema era sencillo de resolver: "Se mide de la punta de un ala hasta la punta de la cola de ese lado. Y después se mide de la punta de la otra ala, a la punta de la cola de su respectivo lado. Se iguala y se empata".

¿Y cuál ala? Si la derecha quedó estripada por el impacto contra el toro y los novillos.

"Muy fácil", respondió Óscar. "Quitemos la que está dañada, midamos muy bien la otra, confirmemos con los planos del avión y la reproducimos en el suelo. Una vez reproducida, tomemos las medidas y a igualar por lado y lado.

"—No entiendo, dijo Celestino.

"—Váyanse los ayudantes y consigan estacas pequeñas. Cien, doscientas, yo no sé cuántas y las traen. Aquí los espero".

Mientras tanto, Óscar volvió a medir el ala buena, luego estudió por décima vez los planos del avión y cuando llegaron las estacas empezó a poner puntos muy seguidos sobre la tierra y los fue uniendo uno a uno con la cuerda de cáñamo, hasta que la pieza quedó reproducida en su integridad.

Duraron quince días tirando cuerdas, tomando medidas, rectificando trazos y, "ahora sí, los decámetros" —dijo Óscar— y empezó a medir de la punta del ala a la punta de la cola y a dar instrucciones a los demás para que fueran moviendo la sección trasera con cuidado, hasta obtener una posición más o menos aceptable.

"En ese momento tuvimos una presentación clara del avión", explican.

Mientras tanto, el maestro Cárdenas —guiándose por las medidas y los dibujos que Óscar había realizado basándose en un DC-3 en buen estado— amoldaba en madera liviana una a una las cuadernas, que no son nada diferente a las costillas del avión.

Desde los primeros días ellos habían observado el terreno, los vientos del lugar y decidieron construir simultáneamente una pista que se extendiera más allá de la nariz del avión, calculando que cuando terminaran la reparación no iban a tener oportunidad de trasladarlo a alguno de los "aeropuertos" del lugar. Pero además, pensaban que aquella pista permitiría recibir directamente materiales, así que a través de los comerciantes de Monterrey que transitaban por allí pidieron machetes, picas, palas, azadones, carretillas y se dedicaron a eso, generalmente después de las tres de la tarde.

Así, durante varias semanas rozaron la hierba y eliminaron chaparrales, espinos, estoracales y una buena extensión de matamargales altos y tupidos que podían convertirse en la mejor trampa para las ruedas de un avión.

A todas estas el sol y el compromiso les resecaban el gaznate y ellos se cuidaban de humedecerlo. Tanto, que las dos petacas de aguardiente les duraron apenas tres días: entonces, cada vez que pasaba por allí Nicanor con su carreta con cerveza, lo llamaban:

—Nica, déjanos diez palos.

—Nica, déjanos ocho.

La cerveza venía entonces en cajas de madera. Les decían palos. Y cuando no pasaba Nica, salían hasta El Iguaro y se sorbían cuanta botella estuviera a la mano.

"Óscar Arenas venía lesionado y andaba renquiando porque un año antes se cayó en Cali otro avión de La Urraca, un Dart Herald y lo mandaron a repararlo. Pero estando en ésas, una tarde regresaba a la ciudad y el auto chocó contra otro y se jodió la pierna. Entonces en cada excursión al caserío, el maestro Cárdenas se lo echaba a las espaldas para que pudiera cruzar los cañitos. Al maestro no le importaba el esfuerzo, con tal de llegar y encontar su agria destapada en la tiendita de doña Carmen. Le decíamos Carmentea, como en la canción llanera: 'Ay, Carmentea, cuando estés bajo la luna...'"

"Y a otro que había que alzar era al perrito de Celestino, porque le tenía miedo a los charcos. El día que se apareció con él en el aeropuerto, nos dijo: Este es pequeño pero muy valiente. Me lo llevo porque Fabio dice que por allá hay mucha fauna y tocará ir de cacería por las tardes". Pero la primera vez que lo llevaron, el mastín vio un charquito y se engarrotó del susto. Le pusieron Tarzán, pero Fabio Moreno le decía Johnnie Weissmuller.

"Allí donde Carmentea supimos una noche que el dueño de los tres novillos había ido a cobrárselos al capitán

Henao y que él le dijo: 'Eso no es conmigo, eso es con la compañía de seguros'. Él ya se los había cobrado a la compañía de seguros y como el ganadero no era bobo, le acercó a la cara la manota llena de callos y dizque le dijo: '¿Seguros? So, jijueparriba. Yo no como de ese cuento. Usted me los paga, ¡Ya!' Tuvo que pagárselos".

"Al otro día, un domingo por la mañana, nos despertamos enfermos por los tragos de la víspera y la gorda Amelia nos sirvió un plato de yuca y topocho. Lo mismo que habíamos comido durante más de un mes y Fabio Moreno, el llanero, el vaquiano, lo recibió, se quedó mirándolo y le hizo cara de hombre. '¿Topocho? ¿Yuca? ¡Ja!' y lo aventó lejos.

"El platico cayó por allá y Johnnie se fue a tragar los pedazos de topocho y tan pronto lo vio Fabio, estiró el cuello, lo miró por encima y dijo: 'Y ahora, qué hacemos con tanto perro con nombre de artista de cine. ¿Ah?"

Cuando comenzaba la noche, algunas veces el viento silbaba por entre la estructura del avión y al día siguiente comprobaban que habían perdido el trabajo porque todo estaba descuadrado. La carreta que sostenía la sección trasera nunca amanecía en el lugar que la habían fijado la víspera. El pescado seguía dando coletazos.

"Es que dejábamos el avión listo para meter los tornillos y al día siguiente lo primero que hacíamos era tomar las medidas a ver cómo estaba, y no. No cuadraba. En eso nos gastamos casi dos semanas. ¿Qué se podía hacer? Hombre, en ese descontrol alguien dijo que enterráramos un poste detrás del avión. (Uno cómo se demora a veces para encontrar las soluciones). Clavamos el palo y tiramos un cable entre el poste y la cola y con una polea hicimos lo que se llama un torniquete. Eso quedó muy fijo. Entonces

*El caminito en El Iguaro y taller improvisado*
*con una carpa en el sitio de la emergencia.*
(Foto archivo Leonel Aguirre)

acercando o alejando la cola, a medida que ellos precisa-
ban la distancia a la cual debía quedar una sección de la
otra, pudimos comenzar a unir las vigas y a armar el
conjunto con unos ángulos que van a lo largo del avión,
llamados larguerillos", explica Celestino y Óscar complementa:

"Ya con el torniquete funcionando, un jueves trabajamos hasta el medio día y dejamos las cosas así porque por
la tarde arreciaba el viento.

"Ahí lo que estábamos era casándole una pelea al reloj
porque había que madrugar y ganarle al viento que comenzaba, qué carajo: a las once de la mañana, a las doce, a
la una. Mire una cosa: yo sé de sistemas, de instrumentos
de precisión, de centímetros, de milímetros. Sé manejar un
nonio —también se le decía vernier— pero, de ¿viento?
¡Hombre! De la hora en que se despierta el viento no sabe
nadie. Pero teníamos que atinarle.

"Esa noche no dormí. Me levanté a buscar la tinaja y a
chupar agua y me fumé casi una cajetilla completa de cigarrillos. Por la mañana me di cuenta que los demás también estaban desvelados. No durmió nadie. Por ahí a las
cuatro y media nos encontramos todos en la puerta del
rancho, esperando a que amaneciera. En verano, en El
Iguaro amanecía como a las sesis menos cuarto. Y espere y
espere. No hablábamos, pero todos andábamos pensando
en lo mismo: 'A ese hijueputa hay que agarrarlo por donde cogió don Tito a Leonel: por el cogote', que es encima
del cuello y si uno logra agarrarlo por ahí, el verraco no va
a tener tiempo ni de mover un pelo.

"Esa noche tampoco bebimos. Nadie tocó una botella
de cerveza, ni una copa de aguardiente. ¡Cosa rara! Comimos poco y no quisimos desayunar y antesitos de las seis

*De izquierda a derecha, Óscar Arenas, Fabio Moreno,
Leonel Aguirre y Celestino Velásquez, frente al Trece Quince,
tres lustros después de su reparación en El Iguaro.*

ya estábamos debajo de la carpa. Cuadramos a conciencia y empezamos a empatar larguerillos, pero con tornillos por si acaso había que desbaratar".

Celestino recuerda que Óscar dijo: "Muchachos, tenemos tres o cuatro horas. Háganle con verraquera". Cuadramos una vez más, empatamos cada larguerillo, cada cuaderna, Óscar volvió a medir... De la punta del ala derecha a la punta de la cola de ese mismo lado y de la punta del ala izquierda... Carajo, y corra, pero tampoco corra mucho. Hágalo con cuidado.

"Una vez empatado lo más importante, empezamos a puntear con remaches la parte superior. Pero trabajábamos todos en un punto para que no se fueran a correr. Ya le repito: si quedaba un centímetro descuadrado, el avión iba a volar de medio lado. ¿Se imagina?

"Bueno, cuando ya logramos apretarle el cogote, nos fuimos a desayunar, duramos unas dos horas y otra vez, Óscar cogió un decámetro, tomó las medidas y estaban exactas. Ahí seguimos con remaches para asegurar el costillar y en ésas pasó un avión y tiró el periódico. Casi nos da en la trompa.

"Es que durante todo ese tiempo los pilotos se portaron bien con nosotros. Siempre que cruzaba un avión por allí, especialmente el del capitán Jairo Rueda y el del capitán Salamanca, nos tiraban la prensa, cajas con pan, enlatados, cartas... Y otros que pasaban ocasionalmente, no dejaban de lanzar regalitos, cosas de comer, cosas para que nos entretuviéramos. Eran gestos de solidaridad que entendíamos como un reconocimiento al trabajo".

La construcción de la pista avanzaba con alguna rapidez y una vez el terreno estuvo libre de malezas, empezaron a rellenar huecos y zanjas con una greda consistente que hallaron a unos cien metros del trazado y para compactarla aún más, le cortaron un par de brazos al caramacate y con ellos apisonaron lo mejor que pudieron esas zonas, cortaron unas láminas en forma de triángulo y marcaron las cabeceras. La pista tenía unos setecientos metros, longitud suficente para que, a esa altitud, pudiera decolar un DC-3.

Simultáneamente, la reparación del Trece Quince se cumplía de acuerdo con las metas trazadas por Óscar Arenas.

"Nosotros habíamos llevado un radiecito de transistores y desde el primer día nos metimos en la frecuencia de la torre de control de Villavicencio, porque, mientras terminábamos la pista, teníamos que saber cuándo venía el avión carguero de línea regular a Monterrey y, más o menos periódicamente, nos turnábamos para salir a visitar a las familias.

"Un día escuchamos que se había accidentado en Villavicencio un Dart Herald de La Urraca en el cual murieron el piloto, el copiloto y el mecánico. Inmediatamente corrimos para Barranca de Upía y de allí a Villavo en bus. Viajamos de las cinco de la tarde hasta la media noche, pero cuando llegamos allá vimos que no éramos necesarios porque el avión quedó reducido a cenizas. A los tres días regresamos a El Iguaro".

"Se dormía con toldillo por la nube de zancudos, pero a lo que más le temíamos era a las culebras que zumbaban especialmente en los alrededores de la casa, auncuando aparecían una que otra vez en el lugar de trabajo, enchipadas entre los pajonales de la sabana. Allí manteníamos otro tarro con gasolina y tan pronto las descubríamos, les lanzábamos la gasolina y detrás un fósforo".

Como las regletas del avión van aseguradas sobre las cuadernas, colocaban primero las de madera que había hecho el maestro Cárdenas y usándolas como formaleta, las copiaban allí mismo con metal, atornillaban, medían una o dos veces por arriba y por abajo y cuando estaba todo cuadrado, remachaban. El siguiente paso era cubrirlo con láminas de aluminio. "Eso se llama ponerle la piel".

En ese momento era necesario conseguir un ala derecha y la empresa localizó una en perfecto estado en los talleres de Avianca en Barranquilla y enviaron por ella a Alfonso Díaz, el jefe de mantenimiento de La Urraca, pero tuvo problemas y regresó con las manos vacías.

Pero el tiempo corría y a medida que el viento resecaba la sabana, empezaron a observar que sobre la pista estaban anidando millones de hormigas que formaban montículos de tierra harinosa sobre la superficie y realmente no les prestaron mayor atención, hasta que una mañana aterrizó allí un avión con materiales.

El piloto divisó los hormigueros al llegar y dijo que, para esquivarlos, intentaría un decolaje de máximo rendimiento, se tomó una taza grande de guayoyo —como se le dice allí al café suave y dulce— y colocó el avión en la cabecera de la pista, puso la máxima potencia y a pocos metros de haber iniciado la carrera de decolaje se hundió entre el primer nido y quedó con la trompa clavada y la cola apuntándole al cielo. Al Once Setenta y Cinco, que era el número del avión, se le destripó la nariz contra el piso y a partir de ahí todo el trabajo se distrajo porque debieron sacarlo de la trampa y comenzar a repararlo, mientras otros

*El Trece Quince después del accidente
y luego durante su reparación.*
(Fotos archivo Leonel Aguirre)

regaban gasolina, quemaban los hormigueros y traían más tierra para afirmar. A los dieciséis días estuvo listo y pudo abandonar El Iguaro.

Pero, ¿el ala para el Trece Quince? Faltaba el ala derecha.

Ante el fracaso de Alfonso Díaz, el dueño de La Urraca le pidió a Óscar Arenas que saliera de la manigua, se afeitara y fuera a buscarla. "El capitán Henao me dijo: 'Aquí no se me aparezca si no viene con ella. Esa es su misión".

Y Arenas lo consiguió. Inicialmente la transportó por tierra a Ciénaga y allí la embarcó en tren hasta Bogotá. De Bogotá a Villavicencio viajó con ella en el camión de Jaime Galvis y se la entregó a Celestino Velásquez.

"Teobaldo Díaz, un laminero costeño, dijo que él me ayudaba a colocarla en el sitio de trabajo y nos dieron un dinero para viáticos y gastos ocasionales", dice Celestino. "Con esa plata contratamos otro camión que nos trasladara a Barranca de Upía y de ahí para adelante nosotros teníamos que arreglárnoslas por nuestra propia cuenta porque allí estaba el obstáculo del río Upía que entonces no tenía puente.

"Bueno, salimos a las cinco de la mañana y llegamos a las diez y media de la noche. No conocíamos a nadie, descargamos el ala y la dejamos en la orilla del río y al ver la dificultad que nos esperaba al día siguiente para atravesar ese caudal con el ala a cuestas, Teobaldo dijo que se tenía que ir porque se le había olvidado que la mujer iba a dar a luz. Que tenía que irse urgentemente. Que su mujer. Que el hospital. Que qué cabeza la suya... Olvidarse del parto de la vieja, hombre. Lo que sí recordaba muy bien era el dinero y me dijo:

"—Déme la mitad de la plata que recibió y yo me voy en el camión, hago un giro a la casa y mientras regreso, usted me espera. Yo no me demoro nada—. De mala gana tuve que darle la mitad del dinero y él se largó.

"Esa noche busqué dónde quedarme y al otro día madrugué al río. Con la ayuda de la gente atamos dos canoas con unas varas, las aseguramos con cuerdas, trepamos el ala, la amarramos y una vez amarrada, tiramos un par de cables a la orilla opuesta y empezamos a halar la balsa.

"Al otro lado, con parte del dinero que quedaba contraté el tractor con la carreta, hicimos encima una camareta con madera y arrancamos: ocho horas atravesando la sabana. Dejé el ala al pie del avión, regresé a Barranca de Upía y de allí a Villavicencio porque se necesitaba traer algo urgente. Yo recuerdo que en ese momento sólo tenía lo del transporte y no me quedó ni para comer.

"Pero bueno. Llegué a Villavo y empecé a escuchar la historia de Teobaldo Díaz por todo Vanguardia. Pero no era la historia de que me había dejado embarcado con un problema, ni que se había alzado con la mitad del dinero de los gastos. No. Él andaba de taller en taller y de cafetería en cafetería diciendo que había sufrido mucho, pero que gracias a su ambiente de costeño y por tanto a su espíritu de trabajo, había resuelto una cantidad de dificultades, no joda, sin ayuda de nadie. Y que todo lo había pagado con sus viáticos. Como a la hora me lo encontré y apenas me dijo: 'Hermano, no le vaya a contar nada de esto al capitán Henao, porque me mata'. No chisté nada.

La lejanía no significó mucho para el equipo de Óscar Arenas, porque, por un lado sobraba trabajo y por otro, no escaseaba el "lúpulo de la vida", pero ahora cambiaron de

carreta y ya no le compraban la cerveza y el aguardiente a
Nica sino a don Jeremías Vacca que transitaba también por
allí, llevando víveres y bebidas de Barranca de Upía a
Monterrey y como don Jeremías era cliente de La Urraca,
le pedían que dejara las cajas de cerveza y luego arreglara
en Villavicencio con el capitán Henao. Jeremías las dejaba.

"De todas maneras se gastaba dinero y vivíamos cortos. Un día salió Óscar a Villavicencio y regresó con materiales, provisiones y tan pronto lo vio, Fabio Moreno le
preguntó:

"—Arenas, y... ¿aluminio? —se refería al dinero—. ¿Trajo aluminio? Y Óscar le dijo, Sí. Aquí vienen remaches y
láminas y él repicó otra vez:

—No. Aluminio, tengo el bolsillo vacío, necesito aluminio.

"A Fabio Moreno le decían El Llanero Solitario porque
a toda hora estaba disparando por plata.

"La que nunca salió de allí fue Amelia, porque tenía
que cargar con la parte dura que eran la cocina y el lavade-
ro de ropa. Buena mujer, muy paciente, muy colaborado-
ra... ¡La gorda Amelia!"

Unido el tabaco del avión y rectificadas las medidas,
comprobaron que no le sobraba un solo centímetro ni le
faltaba un milímetro. A los cuatro meses terminaron de
cubrirlo con aluminio y entonces lo levantaron con gatos
hidráulicos y le pusieron el tren de aterrizaje. Faltaba colo-
carle los motores que habían sido despachados ocho semanas atrás en una carreta hasta la pista de El Iguaro y de
allí trasladados en avión a los talleres en Villavicencio.

Pero, a pesar de contar con pista propia, la carreta continuaba siendo vital:

"Ya casi terminando el trabajo, un sábado pasó como a las tres de la tarde y nos dio sentimiento: la mejor tarde de la semana, las familias lejos. 'Qué caray', dijo Fabio Moreno y se fue hasta el caminito y le pidió a don Jeremías que dejara unas seis cajas de cerveza para toda la semana. Las dejaron y dijimos, 'Destapemos una, ya estamos terminando este camello'. La destapamos y después de ésa, otra, otra, otra. Como teníamos allí unas botellas de aguardiente, abrimos una y después la otra. Por ahí, tipo seis de la mañana del domingo, quedaban dos canastas de cerveza y la gorda Amelia se acercó y levantó la voz: 'No me toman más cerveza ni más aguardiente porque yo no me voy a aguantar gente borracha' y se paró en la puerta. Fabio Moreno fue a sacar otra caja y la gorda se ranchó en lo suyo: 'A mí no me sacan nada de aquí'. Y Fabio se le colocó al frente, puso las manos sobre la cintura y meneando la cadera, empezó a decir: 'Y ahora qué hacemos con esta madam, ¿Ah? ¿Con esta madam? Me desocupa la pesebrera, hágame el favor. Me la desocupa... ¡madam!'

"Esa señora duró como cuatro días llorando porque la habían echado y Fabio le pidió excusas".

Por fin llegaron los motores reparados, los colocaron y realizaron varias pruebas en tierra, inicialmente en el sitio de trabajo y luego mediante carreteos por la pista. Todo funcionaba bien y un día apareció el capitán Álvaro Niño con un copiloto, él probó también el avión, lo encontró perfecto y a las dos de la tarde se ubicó en la cabecera de la pista, rotó a velocidad normal y se elevó.

"Llegamos a Villavicencio y encontramos el aeropuerto cerrado por mal tiempo, pero como el Trece Quince llevaba la gasolina medida para un vuelo de traslado, tuvimos que meternos de emergencia y aterrizamos en medio de un chubasco que no permitía mayor visibilidad.

"La llegada del avión fue un acontecimiento. Media hora después de aterrizar, pasó el aguacero y abrió el día y de todos los talleres fueron a mirar el trabajo que se le había hecho porque por Vanguardia habían circulado fotografías que mostraban los destrozos con que quedó después del accidente. Lo mismo que cuando regresamos con el Uno Dos Cuatro, que se había estrellado contra otro DC-3 en la pista de Pacoa y se le destruyó parte de la nariz. Esa vez también nos fuimos con una carpa y para repararlo, canibalizamos la cabina de un avión de marimberos gringos que estaba abandonado en un potrero, en alrededores de la Sierra de La Macarena. A ése le quitamos la cabina, la cortamos por la mitad para poderla meter entre un avión, la trasladamos hasta la selva y allá la pegamos y se la injertamos al accidentado. Lo crítico de esa reparación era que en la cabina de mando van todos los controles. Ahí está el cerebro de una nave. Pues los reconstruimos y regresamos volando en él", recuerda Óscar Arenas.

**Capitán Niño** —"Un DC-3 normalmente desarrolla ciento veinticinco nudos de velocidad en crucero, pero el Trece Quince ese día me señalaba diez más. Y usted le soltaba la cabrilla y volaba sin moverse un ápice hacia los lados. Reglaje perfecto. Fue una reparación inmejorable".

A partir de aquella tarde el Trece Quince continuó volando con La Urraca, luego lo compró el capitán Castro de Arauca para la empresa Ransa, después Ezequiel Angulo para El Venado, de allí pasó a Trans Amazónica y ahora tiene los colores de Taerco.

*Choque del Uno Dos Cuatro, en Pacoa*
*(Foto archivo Leonel Aguirre)*

Desde entonces, han pasado veintitrés años. La tarde que encontré a Óscar, trabajaba con algunos de los protagonistas de esta historia, justamente en una reparación general después de mil horas de vuelo en el Trece Quince y dos semanas más tarde lo vi elevarse con veinticinco almas a bordo por la cabecera Dos Dos. Era una mañana de septiembre de 1996.

*El Trece Quince decola de Miraflores*
*después de su reconstrucción.*
(Foto archivo Taerco)

Tomás Caicedo continuaba piloteando el viejo Aeronca de tela, pero gracias a él ahora tenía un techo propio en Villavicencio. Era una casita sin terminar, en la que el gris del hormigón y las vigas de cemento se tragaban parte de la luz que ingresaba por unas ventanas, también pequeñas y por el hueco de una puerta en el fondo, a través del cual se veía el solar —aún invadido por los residuos de la construcción—, pero a Candy le pareció "bella porque era lo primero verdaderamente nuestro. Era... parte de la independencia después de tanto tiempo arrimados aquí y allí, sin un lugar fijo donde recostar la cabeza por las noches".

Mientras ella se refugiaba en el hato de su padre, a Tomás lo saludó la suerte y una mañana le dijeron que el Estado le había adjudicado vivienda, pero debía pagar una cuota inicial de veinte mil pesos, tres veces más de lo que devengaba mensualmente, de manera que buscó al dueño del avión y "como yo había sido cumplido y bueno con él, me los prestó esa misma tarde".

Candy encontró allí un colchón y unas telas colgando como cortinas, dos ollas, dos platos, dos cucharas, dos vasos y una cuna para el hijo y luego de asear el solar, adaptaron una especie de taller en el cual, a partir de ese momento, los dos entelaban algunas superficies de aviones para mejorar sus ingresos. Por las noches tapaban el hueco con una puerta más grande que les prestó la mamá de Candy y detrás de ella afincaban una caneca vacía y encima las ollas, a manera de alarma.

Un poco después Tomás dejó el Aeronca y restando el dinero de su liquidación laboral quedó debiendo once mil pesos de la casa, "pero el doctor Gilberto Hurtado, mi patrón, que era muy buen hombre, me dijo que se los pagara cuando pudiera y no me cobraba intereses por la deuda".

En ese momento pasó a comandar un monomotor Cessna 172 para tres pasajeros matriculado como avión privado en el que se le permitía transportar ingenieros agrónomos de una firma llamada Agro Llanos, pero su sueldo seguía siendo la mitad del que ganaba cualquier piloto comercial.

En todo ese tiempo, las paredes de la casa continuaron desnudas porque cualquier centavo que no fuera para comer iba a parar a un fondo cuyo único fin era continuar con el curso de piloto comercial que había iniciado y suspendía cada vez que se le agotaban los ahorros.

En esa casa creció Jhimmy, el hijo mayor, nació Erica Bibiana y cuando Candy esperaba a Anderson, el tercero, Tomas dejó el Cessna para continuar adelante con el curso, pero una mañana sintió la cara abrasada en llamas y una punzada en el vientre. Tomaron un taxi y al ingresar al hospital el portero les señaló los servicios de maternidad porque la barriga de Candy apuntaba hacia allá, pero ellos preguntaron por urgencias.

Tomás ingresó a lo que se llamaba entonces el servicio de caridad, reservado a los indigentes, "porque en ese momento no tenía ni patrón, ni trabajo. Sólo los amigos".

Esa misma tarde fue intervenido y le extirparon el apéndice y tres días después salió de allí por sus propios pies, pero al llegar a casa sintió que aún su cara ardía y el dolor en el vientre era cada vez más intenso. Tres días después y como se había apoderado de él un color amarillento, un médico le dijo que cruzaba por una crisis de malaria.

Al cuarto día caminó con dificultad asido al brazo de Candy, tomaron un taxi y en el Instituto de Malaria subieron dos pisos y luego de un examen le dijeron que ésa no era su dolencia.

Al quinto día la fiebre persistía y el techo desnudo de la casa se enturbió ante sus ojos.

**Candy** —Vi que el estómago se le abultaba y un día le dije, "Mi amor, usted tiene algo grave. Esa herida..." Le hice presión, explotó y salió materia. Estaba infectado.

**Tomás** —Candy se comunicó con Fernando Estrada, el líder de la Asociación Nacional de Aviadores Civiles, Anac, él se compadeció de mí y le dijo que me llevara nuevamente al hospital, que la Asociación pagaba los servicios. Esta vez entré como pensionado a una habitación especial pero no me atendían bien. Estaba abandonado. Se olvidaron de mí y así pasé un día y una noce, otro día, otro. Tal vez fueron cinco. De pronto alguien se asomaba y si me escuchaba, entraba y me daba calmantes. Los calmantes no servían para nada, hasta que un día llegó un médico y dijo que me bajaran al pabellón de caridad y allá me sentaron en una silla a esperar a que algún enfermo fuera dado de alta para acostarme en su cama. En ese momento los médicos dijeron que yo tenía hepatitis. Creo que llevaba ya ocho días en el hospital.

**Fernando Estrada** —Inicialmente le hicieron tratamiento para hepatitis y estuvo más de una semana consumiéndose, consumiéndose, hasta que por fin lograron descubrir cuál era realmente su enfermedad, pero cuando me enteré, Tomasito estaba en "caridad" y fuimos varios pilotos a formar un lío. Nos explicaron que habíamos cometido el error de no señalarle médico y como estaba sin atención, prefirieron bajarlo y allí ya tuvo atención médica. La culpa fue nuestra ignorancia.

**Candy** —Mientras tanto, los médicos hacían pruebas. Yo recuerdo que con unas jeringas grandes lo martirizaron mucho, extrayéndole materia del estómago y no lo querían abrir nuevamente porque... Tal vez ellos habían dejado algodones o algo entre la herida. Es que desde el día que llegó a la casa, lo toqué y le dije: "Tienes fiebre" y él dijo, "No, eso es calor por el clima". Sudaba mucho.

**Tomás** —Hubo junta de médicos y me dijeron que tenían que operarme nuevamente pero que necesitaban sangre y en ese momento llegó Fernando Estrada a visitarme. Los enfermos de caridad no tenían derecho a visitas en cualquier momento, pero a él lo dejaban entrar por ser piloto y cuando lo vi, le conté: "Capitán, el médico dijo que yo necesito que alguien done sangre". "¿Qué tipo tienes, capitán?" me preguntó y le dije que cero positivo. "Espera a ver cómo hago, cómo consigo plata, cómo me muevo, pero yo te voy a ayudar", dijo y salió. Después supe que se fue para el aeropuerto y a cada piloto que veía le preguntaba qué tipo de sangre tenía. A los que le respondían cero positivo, los metía en el auto y se los iba trayendo a donar.

Me operaron, se me calmó la fiebre y me sentí mejor, pero duré muchas semanas con debilidad, sin fuerzas, ido completamente y un día supe que la plata de la Asociación, que era una Asociación pobre, se había acabado por la ayuda que me daban. Entonces los pilotos comenzaron a reunir dinero entre ellos y se lo entregaban a mi señora. Casi todos los días llegaban los pilotos. Unos llevaban mercado a la casa, otros frutas, pan, otros dinero. En Bogotá, algunos que habían estado vinculados con el Llano supieron de mi enfermedad y empezaron a venir. Yo recuerdo que una tarde dijeron que Mauricio Quijano apareció con un mercado muy grande.

Pero como mi señora estaba esperando al niño, no volvió más y los que iban eran mi suegra, una cuñada y los pilotos que son mi familia.

**Candy** —Estando Tomás tan enfermo en ese pabellón de caridad, yo sentí los dolores del parto y dije: "Voy a ir a donde una comadrona a que me reciba al hijo, sale más barato y nos evitamos líos". Fue un parto terrible porque yo no me concentraba en lo mío sino que pensaba en Tomás y la señora me regañaba: "Usted no va a poder tener ese niño. Si no se concentra, la mando para el hospital y allá la rajan". Una mujer dura. En esa época una cesárea era algo complicado y uno sentía miedo.

Bueno. Pues fue un parto largo, tal vez unas cuatro horas. El hijo nació un poco antes de la media noche y al otro día mi mamá me llevó en taxi para la casa. Yo pensaba en Tomás a toda hora. Me dijeron que no fuera al hospital porque había peligro de contaminación. Hacía mucho tiempo no lo veía.

Cuando fui por fin, una tarde le mostré al hijo a través de una ventana y me di cuenta de que se había emocionado. Trató de sentarse pero no pudo. Eran días de Navidad.

**Fernando Estrada** —A él la Navidad no le decía nada. Pero nada. Le explicamos la importancia que tenía para nosotros y le llevamos algunos regalitos para que se los diera a sus hijos. Es que estas fechas no estaban en la codificación de su cabeza y eso es bien explicable. Yo le pongo el ejemplo, de qué... Del Día de Acción de Gracias de los norteamericanos. Eso no significa nada para nosotros. Tomás viene de un mundo diferente.

**Tomás** —El veinticuatro de diciembre estuve solo en ese pabellón. Por la noche, las hermanas pasaron repartiendo dulces y unas toallitas pequeñas que partían en dos para que alcanzaran. Eran regalos. Ese día por la tarde los enfermos salieron para sus casas y el hospital quedó casi vacío. Quedamos los más graves, pero después de la una de la mañana se volvió a llenar de heridos por accidentes, de intoxicados por el alcohol. Se llenó otra vez.

A lado y lado de la mía, había dos camas vacías. A la una de la mañana llegó un herido grave. Lo bajaron de cirugía y lo dejaron ahí y él se quejaba mucho y más tardecito entraron los médicos, lo examinaron y lo volvieron a subir. Después lo volvieron a bajar y murió ahí, al lado mío. Yo bien enfermo y el otro ahí muriendo... A la media hora trajeron uno más y lo colocaron en la otra cama vacía. Ese también murió y cuando lo estaban envolviendo en una sábana yo dije: "La muerte pasó por encima de mí. Me voy a salvar".

La gente iba a visitarme. Todos los días llegaban amigos, pilotos. Había mucha unión entre los pilotos. Eran como una familia. Iban dos, tres y a veces hasta diez.

El treinta y uno de diciembre dijeron que podía irme. Me puse mi ropa, salí caminando, pero estaba muy débil. Una enfermera me llevó y me dejó en la puerta del hospital, pasó un taxi y me fui para la casa.

**Candy** —Llegó solito y yo le dije: "¿Por qué no me llamaste?" Caminaba torcido y despacito.

Anderson, el tercer hijo, tiene hoy diecisiete años. Es tan alto como él y como su madre y en medio de la alegría se queda pensando un segundo, apoya la quijada en la palma de la mano, clava el codo sobre una mesa y sin permitir una pausa dice:

"Hay una parte que a mí me llama la atención de la vida de mi papá, contada por mi mamá y es ésta: cuando yo nací, él estaba muriéndose. Un mes antes de yo nacer, mi papá estaba sufriendo en el hospital y todo el mundo lo daba por muerto. Hasta mi abuelito materno que le decía a mi mamá: "Véngase para Cabuyaro que él ya se muere", en lugar de ayudarle a ella para que siguiera adelante. Los pilotos sí lo querían. Nos ayudaron, nos dieron cariño.

"Ahora: lo que tengo bien presente y que me hace sentir orgulloso, es saber que lo que ha conseguido mi papá ha sido con coraje y con honestidad.

"Cuando se salvó de la enfermedad, mi mamá me puso en sus brazos y dizque no tuvo alientos para sostenerme. Que le dijo: "Cójalo, cójalo que se me va a caer" y que mi mamá le explicó: "Este es nuestro último hijo" y él respondió: "¿Y por qué tan blanco?... Yo sé que voy a seguir viviendo porque Dios me está dando una segunda oportunidad".

"Yo no sé si esa enfermedad fue un castigo, o un aviso, porque desde entonces mi papá cambió. Le dio un giro a

*Tomás Caicedo*

su vida como de ciento ochenta grados. Dejó la bohemia de los pilotos y se encerró a pensar en las oportunidades que se le niegan a la gente para poder sobresalir.

"Mi papá siempre ha sido muy organizado en sus cosas. Nos ha enseñado a respetar las ideas de la gente, los derechos de la gente y a cumplir con nuestros deberes. Es que él todo lo respeta. Es un señor. Yo lo admiro por lo que ha hecho en su vida. Conozco desde su cuna, cómo nació, cómo se crió, solito. Si algo nos deja mi papá es su ejemplo de hombre honrado y limpio. De verdad".

Durante los nueve meses que siguieron a la enfermedad, los pilotos hicieron sentir su solidaridad a través de donaciones permanentes que solucionaron parte de sus aulagas y cuando pudo mantenerse en pie, se dedicó a entelar y un año más tarde subió a Bogotá y le dijo al director de la escuela de aviación que estaba listo para seguir estudiando.

Después de muchos días y muchas noches en vela presentó sus exámenes finales de meteorología, navegación y motores. Perdió navegación. El puntaje mínimo era setenta por ciento y llegó a sesenta y ocho.

"Eso era un problema porque en ese momento necesitaba trabajar, necesitaba dinero. Hablé con el profesor y le dije: 'Pero jefe, considere, yo estoy muy mal. ¿Por qué no me sube dos puntos?' y él, con muucha razón me contestó que no, porque eso no era como regalar exámenes en una escuela: 'Aquí estamos haciendo algo peligroso y si le subo, le hago un mal a usted y a sus pasajeros', recuerdo que dijo.

En cambio le dieron un plazo de veinte días para rehabilitar y se clavó en libros, manuales y simuladores de vuelo y en un segundo examen superó ampliamente el puntaje requerido. Entonces mandó a imprimir una tarjeta de presentación, que dice:

"Tomás Caicedo Huerto -piloto comercial-. El progreso se adquiere por el esfuerzo propio".

Esfuerzo inmenso pero estéril porque, una vez más, parecía haber regresado al punto de partida, a ese golpear puertas que nunca se abrían. A la soledad.

Ahora necesitaba una experiencia de quinientas horas de vuelo para que las compañías cobijaran sus seguros como comandante y él solamente había hecho las doscientas cincuenta de escuela. El reglamento es uno y la ilusión otra. La suya era más poderosa. Una noche miró un mapa y le saltaron frente a los ojos las letras de Leticia, un puerto colombiano sobre el río Amazonas y antes de que saliera el sol, preguntó en Vanguardia por los aviones que deberían salir hacia el sur. Buena suerte: en uno de ellos volaba como copiloto un compañero de la primera escuela de aviación y él lo acomodó entre la carga.

A las dos de la tarde el calor de Leticia era abrumador, especialmente si uno no había dormido bien y aún tenía las tripas vacías. En la mano, una bolsa con tres camisas, dos pares de calzoncillos y dos de medias, una toalla, un jabón, un cepillo de dientes, una peinilla y treinta pesos entre el bolsillo. En Leticia era un extraño, nadie lo conocía, no hablaba siquiera la lengua ticuna, porque una hamaca no se niega en las malocas indígenas y en el hotelito más modesto costaba quince pesos pasar la noche. Pero cuando estaba por tomar una decisión entre dormir bajo techo o echarse un bocado al estómago, alguien gritó allá atrás: "Capitán Caicedo, capitán Caicedo... ¿Qué hace por aquí?" La voz de Pedro Ruiz era respuesta a su ilusión.

Media hora más tarde en su casa, Pedro le señaló una pieza y una cama y su mujer colocó sobre la mesita del comedor un plato con pescado y una bandeja con fariña.

—Para volar aquí, hay que venir contratado —le dijo el hombre, que era controlador en la torre del aeropuerto— pero la gobernación tiene un monomotor anfibio y necesitan pilotos.

¿Anfibio? Eso significaba otro curso. Más dinero, más tiempo, más espera.

En el aeródromo el capitán Omar García, amigo suyo, le preguntó por su lucha y sin que Tomás insinuara algo, le metió unos billetes entre el bolsillo de la camisa. "Algún día me los pagarás", le dijo. Eran mil quinientos pesos.

—La única salida que tienes —le aconsejó Pedro— es buscar al capitán George Tsalickis, un gringo buena gente que tiene un avión igual al de la gobernación y él te puede dar el curso. Hay que buscar que la gobernación lo pague.

El gobernador dijo sí pero Tsalickis le contó que esa institución no pagaba sus deudas y que le gustaría mostrarle un cartapacio de facturas sin cancelar que coleccionaba en su oficina.

Otra vez visitó al gobernador: que sí, pero que era necesario hacer el curso primero. Después vio nuevamente la sonrisa de Tsalickis y escuchó el cuento de las facturas.

Duró un mes rodando de un sitio a otro y finalmente el gobernador le dio un pasaje aéreo para que regresara a Bogotá. Allí tomó un bus y a los dos días estaba entelando en el solar de su casa y embadurnándose de grasa en algunos talleres de Vanguardia, hasta que una mañana cruzó por allí Fernando Estrada y le dijo que tirara la ropa de

trabajo y se pusiera al mando de uno de sus aviones. Pero...
tenía que hacer un curso previo.

Se trataba de un Cessna 170 XP, con un motor más potente que los que había volado antes y capacidad para transportar tres pasajeros.

—¿Curso? ¿Otro curso?

—Mira —le dijo Darío Herrera— hay una señora que
vuela ese equipo. Se llama Irene, es argentina y quiere a la
gente. Ella no te cobra.

—¿Y el avión?

—El mismo en que vas a volar. Tú conoces el tamaño
del corazón de Fernando Estrada. Él te lo presta.

Unas horas después el Cessna se elevó llevando a Tomás en el asiento izquierdo y a su derecha, Irene. Hicieron
un tráfico largo y fueron a aterrizar en una pista de
fumigación con bastante dificultad porque Irene dijo que
esa sería la prueba máxima. A los dos días ella se reunió
con Fernando Estrada:

—Tomasito es un magnífico piloto —le dijo y él sonrió:

—¿Por qué crees que lo busqué? —respondió.

Media hora después llegó Tomás y anunció que tenía
contratado el primer vuelo con un poco de carga y pasajeros. No conocía la pista, pero sabía qué ruta lo llevaría hasta el río Cusiana. Por la tarde decoló hacia Monterrey. Luego
fueron Mapiripán, Vuelta Larga, Yucao, Chaparrito,
Zaracure, Matasola, Morichal, Aguazul, Carreño, Puerto
Inírida, Tame, Puerto Arrendajo... ¡Mitú! Su sueño. Atrás
estaban todo el Llano y toda la selva. Ni un sobresalto a
pesar del viento huracanado del verano y las tormentas
del invierno.

—Fernando tenía dos aviones —recuerda Tomás—. El Uno Nueve Cinco Cinco y el Uno Nueve Cinco Seis. Luego él compró otro avión y se fundó Arall y después de algún tiempo fui jefe de pilotos. Y después de otro tiempo trajeron dos aviones más. Necesitaban más pilotos. Yo les daba entrenamiento, les enseñaba las rutas, programaba los vuelos y también volaba. Y me pagaban bien.

Una tarde fue a la oficina del doctor Gilberto Hurtado, el dueño del Aeronca y colocó sobre su escritorio once mil pesos. Era la deuda pendiente por el préstamo para la cuota inicial de la pequeña casa en Villavicencio que ahora tenía pisos, puertas, paredes encaladas y una cocina con lumbre a toda hora.

Gracias a un préstamo de la compañía, compró un pequeño Renault 4 y como el sueldo se lo permitía, vieron que había llegado la hora de darle paso a otra prioridad y Candy ingresó a estudiar bachillerato, meta que coronó unos años más tarde.

**Fernando Estrada** —En esa época, Tomás tuvo que llevar un avión para que le dieran servicio en Bogotá y me avisaron que había algún problema porque el avión estaba parado y el piloto se había venido. Me fui para su casa:

—Tomás, ¿qué pasó?

Me contó que cuando entró al área de Bogotá, reconocieron su voz y empezaron a burlarse de él y a tratar de enredarlo y de complicarle la vida y él se confundió un poco en el tráfico del aeropuerto de Guaymaral que es muy congestionado, porque allá operan todas las avionetas de esa zona. De todas maneras aterrizó, se le apareció un inspector y él le entregó la licencia, el libro y las llaves del avión y se vino. Se descompuso, estaba desmoralizado.

Yo hablé con él, le volví a subir la moral y le dije: "No, usted va y trae el avión. Camine a ver".

Llegamos a Bogotá, el inspector le devolvió el libro y le dijo: 'Tomás, es que yo no lo iba a sancionar a usted. Yo venía a preguntarle qué le había sucedido'. Así es él de delicado.

El siguiente vuelo fue a Mitú, un itinerario largo y complicado porque había que cubrirlo sin ningún tipo de radioayuda, en un avión de un motor, con un colchón de nubes en buena parte del recorrido que le impedían tomar puntos de referencia, pero se fue lleno de emoción porque iba hacia su tierra. Abajo estaba aquella selva que conocía como la palma de la mano, cruzada por caños angostos, unos de aguas oscuras, otros blancos, otros color crema. Él sabía el por qué de cada curva y de cada corriente de viento que jugaba en la nariz o al costado del avión.

Al llegar allí, la gente le dijo que se quedara en la región porque había muchas necesidades de transporte. Él le consultó a Fernando Estrada por teléfono y como el panorama económico era claro, acordaron que el monomotor volara teniendo como base a Mitú y él le llevaría diariamente la gasolina en un avión Curtiss de gran capacidad.

**Fernando** —El primer día en Vaupés los indígenas no creían que Tomás fuera piloto y no consiguió empleado que le ayudara ni a tanquear ni a cargar, ni a lavar la avioneta. 'Hágalo usted', le dijeron, pero cuando ya lo vieron volar y empezó a entrar a las pistas de las comunidades indígenas, vino otro problema: cuando yo aterrizaba en el Curtiss con la gasolina, no lo encontraba. Era que en cada comunidad, su llegada se festejaba como un acontecimiento especial porque el que bajaba del cielo era uno de los suyos y hacían aquellas fiestas que pueden durar hasta tres días y me lo emborrachaban.

¿Dónde está Tomás? No, que salió para Tucunaré. Que está en Acaricuara, que está en Yavaraté. ¿Por qué no llega? Hombre, porque anoche le celebraron las alas. Se volvió un semidiós que bajaba del cielo y entonces ya consiguió quién le cargara y quién le lavara el avión. Y le tenían respeto hasta los payés, que son los jefes de las tribus. Al parecer, en ese momento él estaba por encima del jefe natural de la comunidad y eso no se había visto nunca en esos sitios. Según decían en Mitú, el poder del payé estaba por debajo de su imagen de piloto.

Sin embargo, Tomás nunca pensó que en el Papurí —su tierra— la profesión de piloto lo colocara por encima, no sólo del payé sino de las castas indígenas que tradicionalmente han sido superiores a la suya:

"Allá yo soy del tercer nivel, porque entre nosotros hay hombres superiores y a ellos me toca saludarlos y respetarlos como jefes porque son mayores en sabiduría frente al medio y frente a nuestra vida en esas selvas. Y también hay castas. Allá en el Papurí, que es de donde vengo, están primero los tucanos: clase alta. Después, los cubeos y yo soy desano, digamos que de tercer grado".

Un tiempo después, Fernando vendió su parte en la compañía y posteriormente Tomás perdió lo que se llaman prestaciones sociales, tales como seguro de salud y de vida, cesantía y otras ventajas laborales, porque las empresas aéreas acordaron hacerlo y adoptaron el sistema de pagar por cada vuelo que realizara el piloto. Como consecuencia, se redujo su salario.

Luego voló aviones más modernos, "en esa época los turbo". Voló bastante y de allí pasó a Ades, una empresa seria y bien organizada. Entonces tenía muchas horas de vuelo y una gran experiencia.

Ricardo Bernal, el dueño de Ades, recuerda hoy que cuando Tomás alcanzó su licencia de piloto comercial y nadie le daba trabajo, "fue un piloto a mi casa y me dijo: 'No le vaya a soltar el avión a Tomás, porque se lo rompe'.

Pero a él yo lo conocía de tiempo atrás y sabía de su habilidad como piloto, porque el hecho de tener una licencia privada y operar un Aeronca, por ejemplo, al Vichada que es una zona tan difícil, significa calidad. En esa época el mayor peligro era afrontar una emergencia en las extensiones y en las soledades del Vichada, no porque se fuera a accidentar en el terreno sino porque, ¿quién lo iba a auxiliar? ¿Dónde iba a conseguir comida? Es que ésa era una zona muy despoblada: veinticinco, treinta minutos de vuelo en los cuales usted no encontraba un rancho.

"A eso súmele que en esas latitudes los tiempos son muy bravos: tormentas y vientos. Decolar, generalmente es peligroso. Cuando se despega con vientos cruzados de noventa grados, hay momentos en que los tableros no le indican porque se ha caído la velocidad y llega uno a la mitad del recorrido con sesenta nudos y cuando marca ochenta, se ha comido toda la pista. Eso en un avión de dos motores. Ahora: en un avión de tela, con un solo motor, todo es el doble de complicado. Si usted suma todas esas dificultades, encuentra que Tomás era el mejor especialista en esa región.

"Nuestra ruta fuerte era un punto llamado San Juanito, a seis mil pies de altura, sobre la cordillera. La pista tiene un desnivel de treinta metros en sólo seiscientos metros de extensión. Esa es una pendiente bastante pronunciada. Usted con el motor prendido no veía la cabecera contraria.

Allí usted no despega el avión: el avión da tres brincos, suena el pito de pérdida y sale a volar porque se acaba la pista —como en un portaaviones— pero inmediatamente hay que dejar que el avión por sí solo aumente la velocidad y ahí mismo, virar, porque encuentra al frente una pared de roca. Allá lo chequeé y demostró que era un veterano. Entró a volar con nosotros y jamás tuvo un incidente.

"Yo creo que Tomás fue un explotado durante muchos años, porque las condiciones en que él trabajaba el Aeronca no eran las más justas. Además del alto riesgo que implicaba volar ese avión, él era piloto y mecánico.

"Pero más allá de todo, para mí la parte clave era que ese hombre se conocía la selva perfectamente. Se la conocía a pie y navegando por los ríos. Entonces cuando yo fui a enviar un avión para que se quedara con base en Mitú, una mañana lo senté aquí y le dije: "Capitán, hágame el favor de explicarme estas pistas". Tomé un mapa y él las analizó una a una, agregando las condiciones meteorológicas que se presentaban en cada mes del año, la situación geográfica de cada región, las características físicas y las pudimos clasificar.

"A mí me interesaba su experiencia. Es que la falta de comunicaciones, los malos tiempos, la falta de radioayudas hacen que se vuele sobre la selva por el conocimiento del área que tenga el piloto. Hoy mismo, por ejemplo, la torre de control de Mitú no funciona sino medio día porque la Aeronáutica no les paga horas extras a los controladores. Frente a esta falta de infraestructura técnica usted tiene que contar con gente muy capacitada en el medio. Y Tomás era tan importante en eso, que le inventaron, o tal vez él decía algo que muestra su capacidad: "Tomasito no volar instrumentos, Tomasito volar visual. ¿Por qué? Porque con instrumentos, avión volando piloto. Y visual, piloto volando avión".

A manera de burla, algunos personajes en Vanguardia repiten una frase de Tomás y luego sonríen: "Cuando hay tempestad, si gallinazo no vuela, Tomasito tampoco". Ellos piensan que desafiar el mal tiempo es más un acto de hombría que de inteligencia. Un día se lo pregunté al mismo Tomás y realmente repitió con naturalidad: "Sí, yo hago como los gallinazos: vuelo, vuelo y si no me puedo meter en una nube cargada de electricidad, regreso. ¿Sabe por qué? Porque allá hay que volar como las aves: ojo a los astros y a la geografía y olfato al viento. Y cuando estoy en tierra, afino los oídos antes de decolar. Por ejemplo, con el Aeronca que era lento y liviano, aprovechaba corrientes de aire caliente para ascender y ganarme algunos pies y agarraba otras más arriba, para impulsarme y ahorrar tiempo y combustible".

Posteriormente hablé con el doctor Thomas McNish, un sanandresano experto en aves del Llano y me preguntó: "¿Usted ha visto alguna vez un pájaro entre una tempestad? No, porque son sabios. La naturaleza los dotó de una serie de mecanismos de los cuales carece el hombre, que no está hecho para volar".

—Y los gallinazos, ¿cómo vuelan?

—Con las alas horizontales. De vez en cuando dan aleteos rápidos y poco profundos. Llevan el cuello en posición normal y las patas atrás, pegadas debajo de la cola. El gallinazo planea aprovechando las corrientes de aire que soplan en contra y también las corrientes ascendentes. Hacia el medio día, el sol calienta el suelo y éste calienta el aire que sube en forma de remolinos y los aprovecha para ascender y cuando ya está encumbrado, halla otras corrientes para tomar velocidad o para mantenerse arriba.

En la Facultad de Ciencias de la Universidad Nacional consulté con el profesor Gary Stiles, un especialista en aves y me dijo: "Ellas se orientan por el sol y por las estrellas porque vuelan visual. Esa es su brújula. Los grandes migradores captan el campo magnético de la Tierra y, desde luego, saben olfatear el viento. En cuanto al campo magnético, lo manejan gracias a millones de cristales de hierro o magnetita que tienen en una membrana que cubre la parte frontal de su cabeza".

—¿Y cómo captan las tempestades?

—Pues algunas son visibles. En ese caso regresan o bajan a tierra y esperan a que pasen. Otras veces las captan mediante la lectura de sonidos de baja frecuencia que uno no puede percibir por la amplia longitud de onda y la frecuencia pobre. Además, hay aves que, estando en Leticia, lo más al sur de Colombia, pueden escuchar el sonido de las olas del mar de Cartagena de Indias —en la parte norte del país—, a más de mil kilómetros de distancia. En esta forma, también registran el ruido de las tempestades que se agitan a centenares de kilómetros y complementan esa señal, percibiendo de cerca los cambios de la presión barométrica.

Pero, más allá de la burla, la mayoría de quienes hablaron de Tomás durante el trabajo de campo de este reportaje, dejaron ver su respeto por él y el convencimiento de que, en su época, fue el mejor piloto del Llano y de la selva, gracias a sus conocimientos y a la prudencia que lo acompaña.

"A mí me decían 'el piloto brújula' porque nunca me perdí' —dice Tomás—. Volaba visual. Al principio hacía mapas y trazaba las rutas y a medida que volaba, iba tomando mis puntos de referencia, miraba la posición del Sol en diferentes sitios y a determinadas horas y por las tardes, la de algunas estrellas tempraneras y, claro, me ayudaba mucho con la brújula y el reloj. Así fui conociendo. Después no trazaba mapa ni nada. Volaba al ojo'.

Como entonces era dueño de un buen prestigio, el gobernador del Vichada, Jairo Hernán Benjumea, le ofreció el cargo de piloto al mando del avión oficial del Departamento. Era una buena oportunidad porque recobraría las primas y prestaciones laborales que había perdido en el sector privado y no dudó en aceptar.

"Al día siguiente subí a Bogotá por el avión para volar a Yopal, en el piedemonte, recoger allí al gobernador y llevarlo a Puerto Carreño que está en todo el extremo de los Llanos —dice— y decolé con mecánico y copiloto a bordo. Pero nos cogió un frente de tormenta muy cerrado a veinte minutos de vuelo y regresamos. Al día suguiente pudimos cruzar y volamos sobre un colchón de nubes. En un punto llamado Upía hay radio faro. Nos fuimos a Upía y allá les dije: 'No bajemos porque nos estrellamos. Vamos a prolongar diez minutos más, para descender sobre tierra plana porque en ese punto tenemos que encontrar una pista petrolera'. A los diez minutos bajé a mil pies pero no encontré visual. Bajé a ochocientos y pude ver la llanura. Ahí sintonicé una emisora comercial de Yopal y nos fuimos detrás de la señal. Llegamos y recogimos al gobernador. Como a las tres horas aterrizamos en Carreño en pleno huracán".

Durante los dos años en ese cargo, se familiarizó con el poder y la política, con el manejo de las cosas oficiales y empezó a comprender que un cargo dentro del Estado le permitiría servirle a su gente. Idea vaga en ese momento, que tampoco descartó del todo y cuando el gobernador terminó su periodo, regresó a ese mundo inverosímil del sector privado.

La compañía que le abrió las puertas esta vez tenía una flota de aviones tan grande como las excentricidades de su dueño, un viejo menudo, muy rico y muy avaro. Vestía mal. Dormía en una hamaca en el mismo taller para ahorrarse el sueldo del celador y a las tres de la mañana se despertaba y aunque tenía dos teléfonos a la mano, caminaba hasta el terminal de pasajeros del aeropuerto en busca de una aparato que funcionaba sin monedas y desde allí llamaba a los pilotos para despertarlos:

—Levántese, flojo. ¿Qué hace durmiendo a estas horas? Por eso es que está pobre, ¡carajo!— les decía.

Un día Tomás le preguntó por qué no usaba sus propios teléfonos y él respondió:

—Mijo, es que cada impulso vale mucho dinero.

El hombre pagaba igual que en cualquier otra compañía de aviación y lo hacía a tiempo, "y comía, sólo cuando lo invitaban. Al medio día entraba a la cafetería y si lo encontraba a uno almorzando, decía: 'Los pobres comen mucho, por eso son pobres'. Pero, eso sí, se sentaba al lado y decía: 'Présteme un pedacito de carne', lo cogía y se lo echaba a la boca. Y se iba de mesa en mesa pidiendo de a poquitos y cuando terminaba, pedía un café, pero regalado. Ahí decía: 'ya estoy lleno, ya almorcé' y se iba a trabajar.

"Por las mañanas iba a las bodegas y se robaba, de la carga que íbamos a transportar, una naranja, una manzana, un banano, se los comía y decía: 'Ya desayuné'.

"Y por las tardes se reunía con los pilotos que rendíamos las cuentas del día y con el dinero que le entregábamos llenaba una mesa con montoncitos de billetes y siempre repetía la misma cosa: 'Me fue como mal hoy' '¿Por qué?' 'Porque no me gané sino cinco millones. Muy mal'.

"Cinco millones de esa época.

"El viejo murió sin saber qué era vivir bien. Dejó dieciocho aviones, el hangar más grande de Vanguardia y muchos millones de pesos en los bancos".

En ese momento Tomás llevaba catorce años en el aire y ya no anotaba en su bitácora las horas voladas, porque cuando llegó a diez mil creyó inoficioso continuar haciéndolo. La gran experiencia de un piloto se mide a partir de las cinco mil.

Ese patrimonio le permitía ahora escoger las empresas en que deseaba trabajar y regresó a Ades con el aliciente de volver a volar con base en su tierra. Una vez allí, volvió a recibir la admiración de las comunidades indígenas y una noche revivió en su cabeza la idea del poder político. ¿Por qué no? ¿Por qué no lanzarse como candidato al Congreso de la República en representación de su gente?

En Villavicencio, Giovanni duró quince días consiguiendo dinero prestado aquí y allá, convenciendo a la gente, pidiendo favores y por fin logró quitarle el segundo motor al Uno Dos Cuatro, el avión bueno y regresó a Mitú con dos mecánicos.

El plan era lograr que el Moisés rompiera su sino y se trasladara a Neiva, una ciudad también cercana a la selva pero con proyección a las inmensidades que se extienden hacia el sur, donde la vida parecía tener ahora mayor vigencia. Allí se le haría una reparación definitiva, tal vez en menos tiempo que el requerido hasta ahora y debía quedar en condiciones de desquitarse de su pasado en el Vaupés.

Aquellos territorios selváticos, que también son Amazonía, están bañados por otros ríos caudalosos: el Caquetá, el Putumayo, el Yarí que corre por entre cadenas de rocas de baja altura, el Caguán, el Orteguaza. La misma selva, pero en medio de ella, sabanas en las cuales se desarrollaba una ganadería próspera.

"En esa época se volaba especialmente a los llanos del Yarí, porque allí había ganado, había bastantes fincas, la gente manejaba dinero, se respiraba prosperidad. Por ejemplo, tenía proyectado hacer los domingos una línea que visitara puntos como El Recreo, Caquetania, Ciudad Yarí, Candilejas, pueblos sentenciados a la lejanía, habitados por ganaderos y colonos que le habían robado tierras a la selva o domado miles de hectáreas en las sabanas naturales, pero aislados, sin carreteras y con un servicio aéreo deficiente".

El segundo motor quedó instalado pronto y una mañana le colocaron al Moisés cuatrocientos galones de gasolina y por fin decolaron sin sobresaltos con rumbo a Neiva en un avión desocupado y con el mínimo de combustible.

Cruzaron Tío Barbas a ocho mil quinientos pies de altura, luego Carurú, más adelante Giovanni pensó entrar a Miraflores para chequear y continuar, pero cuando se hallaban encima del río, con buena altura y el avión volando bien, lo alertó un pensamiento:

"¿Para qué bajo aquí? Esto todavía es el Vaupés y de pronto me resulta lo de la cabeza de guaracú y se agravan las cosas. No, no bajo. Ese indio tiene... Lo voy a sacar de mi cabeza".

Siguió de largo, cruzó el Yarí y finalmente entraron a Neiva muy cerca del atardecer —a punto de que se cerrara por falta de visibilidad—, con poco combustible pero sin contratiempos.

Una semana después le quitaron los motores, los trasladaron a Villavicencio y se los repusieron al avión bueno que debía trabajar más que nunca, porque en ese momento Giovanni... tampoco tenía dinero.

Por fortuna era mayo y la temporada alta en las ganaderías generaba trabajo y plata en los Llanos, donde el avión y algunos ríos son los medios más importantes para comunicarse.

Por ejemplo, los hatos o haciendas ganaderas manejaban su dinero a través de un avión que aterrizaba en cada pista y a bordo del cual funcionaban todos los servicios de una oficina bancaria.

El comercio ganadero irrigaba la economía y las compañías aéreas eran tal vez las más favorecidas durante esa temporada, corta pero intensa y por tanto Giovanni buscaba acomodarse bien en el mercado.

En ese momento la guerra había terminado, pero sobre las tumbas la vida seguía siendo insólita, singular, incomprensible para el resto de los colombianos.

"Cuando empecé como copiloto, tal vez lo primero que aprendí a manejar fue el botellograma —dice el capitán Fernando Estrada—. En ese momento, la gente llegaba a la compañía a pedirnos el favor de que lleváramos razones a los hatos del centro del Llano. Por ejemplo, que tuvieran el ganado listo porque el remolcador subía dentro de cuatro días por el Río Pauto. Uno escribía el mensaje en un papel, tomaba una botella vacía, metía el papel y en la boca de la botella le amarraba una cinta amarilla o anaranjada. Al llegar, sobrevolaba sobre la casa, la gente salía a mirar y uno lanzaba la botella.

"Cuando lo hice la primera vez, me dijeron: 'Debes lanzarla lo más cerca a la casa porque es un mensaje urgente'. Yo arrojé la botella, continué mi camino, aterricé en otra pista que quedaba a una hora de allí, regresé a Villavicencio y a los cuarenta y cinco días tuve que ir a aquel hato y cuando llegué, pregunté:

"—Don Horacio, ¿recibió el botellograma? Y él dijo:

"—Sí capitán.

"—Y, ¿qué?

"—No, pues que me lo dejó en la sala de la casa.

"Lo había lanzado tan cerca que la botella bajó, perforó el techo de palma de moriche y fue a parar adentro".

Don Hernán Bryle era otro pesonaje de Casanare, recordó el capitán Jairo Arango:

—Sí, hombre —respondió Estrada—. El viejo tenía grandes extensiones de sabana y una casa muy llanera, con paredes de bahareque, es decir, bambú mezclado con barro, techo de moriche y pisos en tierra, llamada Miramar. Una mañana me dijeron que debía recogerlo. Aterricé en el sitio y en un conuquito cercano a la pista, que quedaba retirada de la casa, vi a un señor de baja estatura, grueso, con un apero al hombro, el pantalón remangado hasta las espinillas y las alpargatas al hombro porque el Llano estaba inundado. Abrí la puerta del avión, el señor subió su silla de montar, se acomodó y yo me senté en el conuco, a esperar a don Hernán, ese hombre de tanta fortuna del que había oído hablar y de pronto el hombre se acercó y me dijo:

—Capitán, ¿qué esperamos?

—A que venga don Hernán Bryle —y él dijo:

—Don Hernán Bryle soy yo.

Pues ese es un buen retrato de lo que era la mayoría de los ganaderos ricos del Llano —anotó Jairo—. En Arauca, vivía por ejemplo don Pablo Canay, dueño de miles de hectáreas en Caño Negro o el Capanaparo, que es lo mismo. Un día aterricé y encontré en el corral unos veinte peones capando y marcando becerros y pregunté por don Pablo. "Yo soy", dijo uno que andaba como los demás, sin camisa, descalzo y con un sombrero pelo'e guama en la cabeza. El momento de distinguirlo de los demás fue cuando se bajó del avión un comprador de ganado y ambos se pararon en la puerta del corral. A cada novillo que iba saliendo, el comprador le entragaba el dinero correspondiente y llegó un momento en que el tipo le dijo: "Don Pablo, no saque más. Se me acabó la plata". Y don Pablo le respondió: "No. Lo que sucede es que a mí me sobra ganado".

—Hombre —manifestó Estrada—, conocí luego a don Abelardo Bravo, dueño de otro gran hato que se llama Canarias, también en Casanare. Yo llevaba a don Libardo Forero, que iba a comprarle doscientas cincuenta reses. Hicieron el negocio, de palabra, sin firmar un papel, sin nada más que la palabra de los dos y cuando cerraron el trato, traje a don Abelardo a Paz de Ariporo y regresé a Villavicencio a recoger el aerobanco.

El sábado con el aerobanco listo, mejor dicho, con una buena cantidad de dinero en efectivo, recibos de consignación, obligaciones por cobrar y todas esas cosas, me encontré con Motas Benavides —un ganadero muy rico— y me dijo, "Necesito un vuelo para Canarias". Por el camino me contó que iba a comprarle ganado a don Abelardo Bravo. No le dije nada. Él se bajó allá, le hizo la propuesta y don Abelardo le respondió:

—Motas, ese ganado se lo vendí a Libardo Forero.

— ¿A cómo te lo pagó?

— A tanto.

—Te doy más que él —dijo— y don Abelardo le contestó:

—No. Ya está vendido.

Y no había un solo papel para respaldar aquella venta. Solamente la palabra de llanero. No estoy hablando de historia. Eso es de ayer. Lo de hoy es otra cosa. Es el petróleo. Mire: cuando se empezó a explorar, traje a un técnico norteamericano. Contrataron el avión y él me entregó un mapa con coordenadas y me dijo, vuele este rumbo. Ahora vuele éste. Lo hice varias veces con él y algún día le pregunté al viejo:

—¿Qué es lo que usted hace?

—Por la morfología del terreno, por sus características, yo digo y apunto dónde hay posibilidades de encontrar petróleo para que exploren y perforen.

Luego estuvimos en el Caguán, en La Macarena, en La Uribe, por Casanare. Y le pregunté otra vez:

—¿Qué posibilidades hay de hallar petróleo? Y me respondió:

—Muchas, muchísimas. Pero el de ustedes es muy costoso. El día que valga por encima de los diez dólares, va a ser rentable para su país. Luego vino la guerra en el Oriente Medio, se dispararon los precios y empezaron a encontrar las cantidades de petróleo que hoy explotan en el Llano.

"Pero al lado del aerobanco y del petróleo y de los negocios, estaba el ser humano. Pero ese ser humano por encima de lo demás. Usted sobrevolaba estas sabanas y desde arriba observaba los rincones por donde iba pasando y desde las casas la gente salía a saludar. Algunas veces colocaban una sábana encima de la pista y entonces uno bajaba inmediatamente porque había alguna emergencia en el hato. Generalmente era un enfermo que había que sacar rápidamente para llevarlo al hospital en Villavicencio.

"Una tarde, venía por Arauca y distinguí abajo el trapo blanco y a un tipo que hizo señas. Yo no veía pista pero escogí un banco de sabana y me aterricé y el tipo salió a la carrera:

—Capitán, mi señora tiene los dolores del parto hace como dos o tres días. Yo creo que se me va a morir.

"Quitamos la silla del copiloto, trajeron una esterilla, se armó una camita en el piso del avión, la subieron y le dije: "Camine vamos" y me contestó:

—Capitán, yo no me puedo ir.

—¿Cómo que no?

—Mire los niños. El vecino más cercano vive a seis kilómetros. Yo tengo que cuidarlos. Pero, reciba este dinero, este número de teléfono, cuando llegue, llame y diga que vayan al aeropuerto a recoger a mi señora.

"Despegué y la señora con los dolores del parto y empecé por radio a preguntar lo que debía hacer. Estaba naciendo un niño en el avión y yo no llevaba ni copiloto, ni nada. Los dos solos. Como se burlaban, les dije: "Carajo, pónganle seriedad". Pues nadie sabía nada sobre partos. Pidieron una ambulancia para que saliera a recibirnos y yo alcancé a llegar con la señora a la plataforma. Dio a luz en la ambulancia.

"Unos días después aterricé con el aerobanco en el hato de don Erin Delgado, en Arauca, me invitó a la casa y allí lo vi sacar de una alacena, fajos y fajos de billetes que necesitaba consignar... Y tengo fotografías de un borracho haciendo una consignación en Rondón: caído de la borrachera, sacaba dinero de un bolsillo, del otro, del otro. Y cuando acabó, me dijo: "Falta un cheque". Y le dije: "A un hombre tan ordenado como usted, ¿cómo se le va a perder algo?" Ahí estaba el borrachito, con su dinero, en presencia de todos y a nadie se le ocurrió tocarle un billete. Es que ni la guerra pudo cambiar estas cosas.

"Después se accidentó el aerobanco en Miraflores. El dinero quedó esparcido en el sitiò, la gente lo recogió y lo devolvió. Faltaron diez centavos.

"Pues claro —dijo Giovanni—, es que una cosa es escuchar estas historias y otra venir y ver cómo es la realidad.

"Recién salí de la escuela, volaba un Cessna 195, viejo, para cinco pasajeros que funcionaba con un magneto de motor de avión y una bobina y un distribuidor de automóvil. Y tenía un motor radial muy grande que impedía la visibilidad y para mirar algo tocaba asomarse por la ventanilla.

"Una tarde estaba yo varado por radio y sin dinero y apareció el Mono Torres que era el operador de la Torre de control de Arauca:

—Ay, capitán, ¿cómo le parece que se me murió la mujer? —y le dije:

—Lo felicito.

—No capitán, es que no tengo cómo llevarla.

"Un vuelo a Arauca valía seis mil pesos y como yo estaba varado por falta de radio y el arreglo costaba tres mil y no los tenía, le dije:

—El vuelo vale tres mil pesos.

—Bueno.

"Como él era el operador de Arauca, pensé que me dejaban despegar con el solo plan de vuelo y le salí al negocio.

—Nos vamos.

"Eso fue un cinco de febrero, la época del humo en esas sabanas, un humo espeso que no permite ver más allá de diez metros, porque la gente está quemando el pasto.

"El Mono apareció con el cajón de la muerta y lo metimos al avión. Él, el hermano de la difunta y otros dos dolientes se acomodaron encima y decolamos a las tres y media de la tarde. Como yo sabía en lo que iba montado, me trepé a ocho mil pies... Es que era un motor para quinientas horas, —cuando lo habitual es que los demás vinieran para mil horas, mil quinientas— y eso no lo hacía muy confiable.

"De todas maneras, calculé que habíamos cruzado Yopal —por estimado de tiempo porque uno miraba para abajo y no veía nada, absolutamente nada por la cantidad de humo que cubría la llanura—, cuando comienza ese motor a estornudar, chof, chof, chof y el avión empieza a sacudirse y a botar un chorro de aceite que cubrió totalmente el vidrio delantero del avión y con el aceite apareció humo y más aceite y más humo. Me quité las gafas y le dije a uno de los deudos que iba sentado sobre el ataúd, "Téngame ahí, tengame ahí" y él agarró las gafas y las apretó contra el cajón y las estripó.

"Y empiezan las dos viejas a gritar y a chillar y a mí me dio rabia porque dije, "Carajo, ¡se me van a esfumar mis tres mil pesos!" Y el avión para abajo, para abajo, perdiendo altura porque el motor estaba fundido.

A falta de baterías de tierra, buena es la soga de los llaneros para darles encendido a los motores del DC-3. Una escena común en estos parajes.

(Foto de Abelardo Valsecchi)

"Siempre he cargado un rollo de papel higiénico, entre otras cosas porque cuando se manchan los vidrios con aceite, uno puede utilizar el pañuelo, la camisa, los calzoncillos, los de uno y los de los pasajeros y no es capaz de limpiarlos. En cambio con un poquito de papel higiénico, uno abre la ventanilla, saca la mano, lo pasa por el vidrio y queda limpio.

"Corté un pedazo, saqué la mano y, ¡claro! Se despejó un pedacito y pude ver que volábamos hacia Pore. Pero entre Yopal y Pore no hay Llano, sino manchas de selva y yo decía: "No me bajo a buscar Yopal porque el terreno es peligroso. Voy a seguir a ver a dónde salimos".

"No sé cuántos pies íbamos perdiendo por minuto, pero el tiempo se me hacía una eternidad. Planeábamos y por ahí a los cuatro mil pies todavía no sabía dónde me iba a meter. A los tres mil quinientos, tampoco. Desde ahí alcanzaba a ver algo de terreno, árboles, huequitos de sabana, pero nada apropiado para bajar. Seguimos descendiendo cuando, tal vez a unos dos mil pies, vi a un ladito algo que se parecía a una pista larga y ancha. ¡Miércoles! y empecé a trabajar ese maldito avión, a ordeñarlo, a tratar de que no perdiera mucho, a mantenerlo a cierta velocidad y baje y baje y colóquelo así, vire un poquito, vire más y le llegamos a la pista, pero de la mitad para allá se veía ganado.

"Me dio por deslizarlo y enfilé hacia donde había visto libre y cruce sabana y cruce sabana y la pista no aparecía. De golpe pasó debajo de la barriga del avión una zanja inmensa, la jijuemadre de grande. Subí las patas dentro del avión porque la sentí, carajo, encima. Pasamos la zanja y cuando me reponía del susto, ¡Tras!, vi los dos triángulos de lata que anuncian la cabecera.

"Los dolientes venían llorando, pero después del aterrizaje y durante toda la noche estuvieron en silencio y les pregunté qué sucedía:

—¿Llorar? Nosotros lo que quedamos fue apagados con el susto. Así, ¿quién suelta una lágrima? —decían.

"Al día siguiente sobrevoló "Detallitos", que nos estaba buscando. Aterrizó, echó el cajón entre su avión y me dijo:

—Hermano, camine llevamos a la difunta a Arauca —y le contesté:

—Vaya llévela usted. Yo me quedo y me recoge después, o me deja aquí, pero con esa muerta no más, porque ella lo que quiere es irse acompañada a chupar azucena en el cementerio.

— Hombre —continuó Estrada— una vez aterricé en Pacoa y antes de salir pasé y vi entre el avión a un indígena tendido sobre algunos bultos de caucho, llegué a la cabina y me dijo Néstor Villarreal:

—¿Miraste la pierna del indígena?

—No. Eso es una especie de bastón, algo que lleva al lado para apoyarse.

—No, vaya mírelo —insistió.

"Pues era el resultado de una picada de la famosa pudridora, una víbora de gran tamaño. Al tipo le habían detenido la muerte pero no la destrucción de la pierna y lo llevaban para tratar de devolverle algo, porque, según me explicaron, de lo contrario iba a convertirse en un ser menos importante que los ancianos y las mujeres dentro de su comunidad.

"Todo aquí parece insólito. Es que la vida es insólita. Se carece a veces de cosas muy elementales. Por ejemplo, un día de vuelo a Buenaventura del Túa, a unos treinta y cinco minutos de Villavo, me subo a la avioneta y me encuentro con una piedra colocada sobre el asiento del copiloto. Por supuesto, me bajé hecho un tití y dije: "¿Quién es el gracioso? ¿Quién es el mamagallista?" Y el dueño del vuelo, el señor Barrera, se me arrimó y me dijo: "Capitán, le cuento que es que por allá no hay piedras de amolar y tenemos que llevarlas de aquí".

—Es que estamos en Locombia —dijo Jairo Arango—. En el Curtiss, más de una vez me tocó volar a Mitú llevando gallinas y de regreso, cargaron gallinas. ¿Alguien entiende eso?

—A mí, de animales me tocó un despegue en el Tres Dos Nueve —continuó Estrada—. Me subí y un tipo llevaba un mico cargado. Cerramos la puerta, se prendieron los motores, nos ubicamos en la cabecera de la pista, iniciamos la carrera de despegue y cuando estábamos rotando, es decir, rodando muy rápido, sentí un chillido agudo: la brújula estaba agarrada a la estructura del avión por tres cauchitos para evitar variaciones magnéticas. Pues allá fue a dar el mico, con el agravante de que el registro de los magnetos está muy cerca de la brújula. El piloto me dijo: "Cójalo". El mico chilló y cuando chilló, se movió y le advertí: "Tiene los magnetos en la espalda". Un movimiento brusco los corta, se apaga el motor y nos vamos a caer en plena selva con tres toneladas de carga. Entonces el comandante gritó: "Haga algo. Haga algo". En ese momento entró el dueño a la cabina y le dije: "Usted lo distrae" y yo cogí un paño, me envolví la mano para recibir el mordisco y le expliqué: "Voy a arrancarle la cabeza al mico porque de ahí es de donde lo tengo que coger. Si hace un movimiento distinto, nos saca un magneto de servicio". Efectivamente. Él lo distrajo y yo lancé la mano derecha y ¡rín!, a la nuca. Cuando lo agarré fue a echarme muela y no pudo. Entonces se cogió con las manos, con las patas y con la cola de mi brazo y yo se lo entregué al dueño y cerramos la puerta.

—Cuando los cargueros se quedan parqueados en esas pistas, lo más normal es encontrar animales adentro, porque se transporta comida y bueno, pues nunca hemos sido los más cuidadosos para limpiarlos entre servicio y servicio y no es nada raro que en pleno vuelo tengas una culebra en la cabina. A mí me tocó en pleno decolaje una rata grande, erizada, rata de selva, corriendo por encima del tablero de instrumentos. No sé si a ti te tocó...

—A mí lo que me tocaron fue ratoncitos de campo. Una ratona hizo el nido en la sección de magnetos y de pronto tuvimos falla. Le cambiaron bujías al motor, tomaron compresión a los cilindros, todo bien, pero descartando, llegaron a un punto y encontraron los cables roídos porque la ratona vivía ahí.

—Ahora, llevar botellas de cerveza vacías es un problema si no se tiene precaución porque como las ponen al sol y al agua, se llenan y termina uno trayendo un sobrepeso que puede ser mortal. Entonces optamos por hacerlas desocupar. Y desocupándolas, entre algunas se encontraban culebras y arañas y uno le decía a los cuadrilleros: "Pilas, que puede venir premio en ese envase". Ahora: lo más común es encontrar ratas o ratones en los cargueros. Y aquí prácticamente todos son cargueros.

—El capitán Córdoba venía de los llanos del Yarí y traía en el avión un cerdo salvaje —contó Estrada—. El cuadrillero lo cogió de mala forma y el animal se rebeló y como es sumamente agresivo, empezó a morder y lo único que el tipo encontró para defenderse, fue tirarlo entre el baño. Lo lanzó, cerró la puerta y empezaron a escuchar gritos: "Quítenmelo, quítenmelo, me va a matar este animal". Era la voz de un pasajero que estaba adentro. Al pobre hombre lo sacaron de allí con los pantalones abajo, pero destrozados, vueltos miseria. En pleno vuelo.

Los cálculos de Giovanni fueron optimistas porque el Moisés permaneció algo más de un año en los talleres de Neiva, donde lo desarmaron con el fin de repararlo cuidadosamente. Pero el trabajo se volvió tedioso e interminable. Cuando alguno de sus sistemas estaba en perfecto estado, alguien llamaba de Villavicencio diciendo que se necesitaba algún repuesto para reparar el avión bueno —el que daba de comer— y tenían que quitárselo al Moisés.

No obstante, al cabo de ese tiempo fue trasladado a Bogotá, pero la historia continuó repitiéndose durante un mes y otro. "Es que esta aviación es así. Uno siempre vive al día: lo que se gana volando es para pagar deudas y para medio comer. Yo nunca conté con el dinero suficiente con qué reparar al Moisés".

A estas alturas, Giovanni resolvió vender sus dos aviones y abandonar el país y el Moisés fue adquirido por el capitán Jimeno González, socio de Transamazónica.

Desde cuando escuchó la noticia de la venta, a González, un veterano empresario de aviación en el Llano y la selva, le llamó la atención quedarse con el Moisés, porque ya lo conocía y le tenía afecto.

"Y me gustaba" —dice hoy— "porque había sacado adelante a La Urraca. Él fue el que nos hizo esa empresa, cumpliendo, sin enfermarse de nada, trabajando como un caballo un día y otro también durante ocho años y posteriormente fue el que también sacó adelante a Transamazónica.

"En estas cosas el profano dice: 'Pero si un DC-3 es igual a otro', y no hay tal. Hay aviones de aviones, como hay automóviles de automóviles: algunos tienen más nobleza, tienen carácter. Y además, uno los quiere porque lo han sacado adelante.

"Transamazónica era una empresa pequeña y a partir de la adquisición del Moisés empezamos a crecer, a crecer, a crecer y ya pudimos comprar el Once Siete Cinco, el Dos Cuatro Nueve Cinco... Bueno, eran siete DC-3 y además teníamos cuatro Trislander, dos Islander, un Evangel, pero todo gracias al Moisés que producía y producía.

"Ese avión se hacía, por ejemplo, la triple a Miraflores todos los días, con un piloto estrella que se llamaba Jairo Medina, hijo del capitán Jaime Medina, el hombre que lo acuatizó unos años antes sobre la superficie del río Vaupés, y hermano de Ricardo, el capitán de la emergencia cerca de la cabecera de la pista de Villavicencio, la víspera del Domingo de Ramos.

"Al Moisés duramos tres años volándolo con pasajeros y carga, pero nos daba más utilidades con pasajeros, porque en ese momento empezó la explosión de la selva: la gente vendía sus casitas en el resto del país y se venía a estas inmensidades a tumbar selva y a engrosar las filas de los agricultores. Y empezamos a transportar gente y gente a Miraflores y a Carurú —las puertas de entrada a estos territorios—, a tal punto que con todos esos aviones teníamos tiquetes vendidos con seis meses de anticipación. Y con semejante trajín, al Moisés no le dolió nunca una muela, no se le desgarró un ala, no se le rompió una pierna.

"Yo creo que en un momento dado el avión vio que fuimos agradecidos con él porque vivimos con él y lo cuidamos en La Urraca y entonces en Transamazónica nos demostró su agradecimiento.

"Pero bueno: la historia es la historia. Un buen día tuve que viajar fuera del país y mi esposa con la esposa de mi socio, que veían esa nube de gentes que apareció de la noche a la mañana y se perdió en la selva, demandando diariamente centenares de motosierras, toneladas de comida, de gasolina, de cerveza, resolvieron hacer negocios y yo les había dicho varias veces antes que no se embarcaran en nada. Estaba prohibido utilizar la compañía para cualquier actividad diferente a nuestro trabajo. Pero me fui y ellas compraron quince tambores de gasolina, buena cantidad de Coca-Cola en lata y resolvieron mandar al Moisés con esa carga para venderla en Carurú, un puerto sobre el río Vaupés.

"Ellas allá no tenían conexiones, no tenían nada, pero en su deseo de demostrarnos que también podían trabajar y también podían hacer crecer la empresa, tomaron la decisión prohibida.

—Echemos un vuelito, que Jimeno no se entera —le dijo María Victoria a Lucía y ésta aceptó el negocio".

María Victoria recuerda que primero compraron catorce tambores de cincuenta y cinco galones de gasolina cada
uno, "y para completar el cupo de tres toneladas, acomodamos en el avión veinte cajas de Coca-Cola en lata. En aquellas lejanías, la gasolina y la Coca-Cola valen precios de
oro y las pagan de contado, un billete sobre otro. Pero se
necesitaba que alguien lo vendiera todo y trajera el dinero. Alguien de confianza. Entonces mandamos a los hermanos de Lucía, Pedro y Luis Ospina".

El avión decoló de Villavicencio un día de mayo a las
once y media de la mañana al mando del capitán Jairo
Medina y a los veintidós minutos, volando a nueve mil
pies, llegó al Caño Casibare, un río tan ondulado que parece una serpentina en medio de la selva y divisó por el
lado derecho a San Carlos de Guaroa, lo que le indicó que
iba en su ruta.

De allí voló otros veintidós minutos hasta el Guaviare,
un río caudaloso —mil doscientos kilómetros de longitud—,
formado por el Ariari y el por el Guayabero, que bajan de
los Andes y marcan la frontera entre las tierras aplanadas
de los Llanos y las selvas amazónicas.

Desde ese punto divisó a San José, sobre la banda opuesta del río y a los veinte minutos cruzó, por el lado izquierdo, los cerros del Inírida.

A los doce minutos a partir de aquel punto encontró el
Caño Bacatí, una corriente de agua verde clara que desemboca en el río Vaupés y sobrevoló las sabanas de Carurú,
planicie de roca que se extiende más allá de la punta del
plano izquierdo. Mantuvo su rumbo y ocho minutos después —o sea, una hora y cuarenta y cinco luego del decolaje—, empezó a descender sobre Carurú.

*Última foto del capitán Jairo Medina antes
de perecer con el Moisés en Carurú.*
(Foto Familia Medina)

Cuando empezó a hacer su aproximación final a la pista, el capitán Medina vio un avión atravesado y resolvió realizar un sobrepaso bajo, rasante, para pedirle que se quitara de allí.

Lo hizo y cuando salió, viró sobre el plano izquierdo para tomar el camino del viento y volver a entrar, pero en ese instante le falló el motor izquierdo y lo sorprendió inclinado, bajito, con una velocidad crítica y bien cargado. Sin embargo, logró un segundo viraje, se enfrentó a la pista flotando ya muy suavemente y cuando tenía la cabecera cerca y volaba perfectamente nivelado, tocó unos árboles con la cola y se clavó de cabeza entre un pantano que forman las lluvias.

**Pedro Ospina** —"Además de la carga volábamos nueve personas, incluyendo a la tripulación, a Rafael Corral, cuñado del capitán Medina y un amigo suyo y a un agente de la policía que era pasajero normal. La polillita de los tripulantes.

"Adelante habían acomodado dos filas de siete tambores de gasolina cada una y en el centro las cajas con Coca-Cola.

"Cuando llegamos a Carurú, el capitán Medina hizo el sobrepaso volando muy bajo y cuando salía, preguntó si le había dado a una cerca con el avión. Saqué la cabeza por una ventanilla pero no distinguí nada. Un segundo después, vi que él estaba perfilando el motor derecho y pensé que nos íbamos a caer entre el río que está ahí, al lado.

"Inmediatamente me fui para la cola, seguro de que nos íbamos a matar, llamé a mi hermano para que se sentara en la silla de lona lateral que hay atrás y le dije, 'Agárrese como pueda'. Nos sentamos de adelante para atrás,

*Final de El Moisés.*
*(Foto familia Medina)*

el policía, el cuadrillero del Moisés, luego estaba yo y al final, mi hermano. Luego salió el mecánico, pálido, muy asustado y se metió al baño. Allí había un tambor de dieci- siete galones de aceite que podía matarlo. Me solté la cor- bata, me saqué la camisa pensando en caer en el río y vi los árboles por encima del avión. Luego vino un golpe tan fuer- te como un estallido y cuando desperté estaba metido de cabeza entre el barro. Salí de allí y el agua me daba a la cintura. Cuando me reincorporé, todavía caían hojas secas de los árboles y a mi lado hervían entre ese pantano algu- nas piezas del motor. Empecé a gritar y vi a mi hermano, distante pero vivo. Luego apareció el mecánico y escuché quejidos de los pilotos que duraron metidos entre su cabi- na unos veinte minutos mientras llegó la gente del pueblo en lanchas y a pie a auxiliarnos. El policía y el cuadrillero que estaban a mi lado se mataron y Rafael Corral, el cuña- do del piloto que iba adelante, se salvó".

El copiloto y el capitán Jairo Medina murieron algunos días después a causa de las heridas y el Moisés quedó para siempre sepultado de nariz entre aquel pantano, al lado del río en cuyas aguas estuvo sumergido cerca de un año.

Tenía cabeza de guaracú.

En la sala de su casa, Jimeno González se queda miran- do una fotografía del Moisés y luego de algunos segundos en silencio parece trazar parte de un epílogo:

"Ese accidente fue el golpe de gracia para Transama- zónica porque ahí comenzó a decaer, a decaer, hasta que nos fuimos al suelo. La gente empezó a desconfiar de la empresa y la marandúa que va de boca en boca por la selva, creció hasta cubrirnos con una nube mala como es la de la inseguridad y llegamos a la quiebra.

"El Moisés marcó el florecimiento de Transamazónica y determinó también su ruina".

Esa misma tarde, el capitán Rolando Medina volvió a abrir las hojas de un álbum con fotografías de su padre y de su hermano mayor y repitió una frase que le martilla las sienes, siempre que cuenta parte de la historia de su familia: "Los aviones a los cuales se les pone el nombre de un piloto muerto, traen tragedia".

El Veintidós Trece en que se mató el comandante había sido bautizado como "Potroloco", aviador fallecido en forma violenta. Aquel del Domingo de Ramos se llama "Capitán Pin", un veterano que murió estrellado contra la cordillera. Y el Treinta y Dos Trece, otro DC-3 que compraron los hemanos Medina, se llamaba "Capitán Jaime Medina". En ese se mató el Loro Jiménez.

El Loro Jiménez era un hombre sencillo pero después, qué vaina: se volvió humilde. La vida lo volvió humilde. Había llegado a los sesenta años y como se dice en el Llano, era de piel bermeja, rostro lleno y buena geometría —ni alto ni bajo—, pronto en deponer la ira, porque nunca guardó rencores en el alma y tenía una nariz, bueno, imagíneselo: el Loro.

Primero fue piloto de Catalina en la Fuerza Aérea y luego comandó aviones DC-3, la gran escuela de la aviación colombiana y como trabajó tantos años en eso, logró acumular veteranía.

El mayor Carlos Sánchez, uno de sus instructores en la Fuerza Aérea Colombiana, lo conoció en la Escuela Marco Fidel Suárez de Cali cuando era joven y recuerda que gracias a su capacidad, fue enviado a hacer curso de aviación aeronaval en los Estados Unidos. Posteriormente "fue uno de los pilotos con mayor experiencia en el Llano y la selva".

"Pero" —comenta luego— "en el Llano no había aprecio profesional por una persona de su experiencia. Y no se retiró como muchos otros, de su trayectoria, porque llegó a viejo siendo pobre y lo único que tenía era el amor por su trabajo".

Luz Dary, su tercera esposa, guarda el libro de grado de Héctor Jiménez Granada, natural de Roldanillo, Valle, obtenido en la Base Freese de la Fuerza Aérea de los Estados Unidos, en Texas, el 20 de julio de 1954.

Su grupo fue el 3500 y en él se recibieron como pilotos militares ochenta y cuatro alumnos. Él era el único extranjero y figura en una de las páginas del libro al lado de Hook, Hooten y H. T. Home, que como él, realizaron sus entrenamientos en el pequeño y clásico PA-18, en el T-6 —el mismo con que fue bombardeado más tarde el Llano—, en el T-28 y en un B-25, bombardero liviano con que también fueron arrasadas algunas montañas de Colombia cuando él ya no pertenecía a la Fuerza Aérea.

A su retiro de la aviación militar se dedicó a fumigar con pequeños aviones. Entonces pagaban bien ese oficio y ellos eran los pilotos que mejor vivían en el país. Pero gracias al afán y las medidas de los gobiernos, qué gobiernos, empezaron a arruinarse la agricultura y la ganadería y claro, la aviación en el Llano tuvo un vuelco.

En esa región llegó a haber más de mil pistas, con sus latas en triángulo, sus mangaveletas o sus palmas indicando la dirección del viento, con ganado entre los pastizales (¡la vaca sorda!). Eran mil. Cada una de ellas correspondía a un hato, pero se deprimió aquella actividad y paralelamente las pistas fueron declaradas ilegales —por la aparición del narcotráfico en la región—, sin tener en cuenta los miles de intereses limpios que se movían a través de ellas.

También en aquella época, en Villavicencio había algo más de treinta aviones pequeños que volaban diariamente sobre la sabana transportando gente de un lado a otro, se realizaban grandes negocios de ganado, se llevaba comida y se traían productos. Había vida.

Cuando cerraron las pistas el Llano guardó silencio, sencillamente porque los dueños de los hatos —llaneros honrados, de alpargata, que en parte no sabían leer ni escribir—, veían difícil subir hasta Bogotá —otro mundo para ellos— y solicitar que no los castigaran. Comunidad sin voceros ni líderes naturales que respondieran a su angustia, disminuida a pesar de su fuerza económica, frente a una burocracia rampante que exigía sinnúmero de certificados, documentos, licencias, sellos, firmas, estampillas y declaraciones, además de prebendas que no figuraban en el diccionario de la honestidad llanera.

Y como si fuera poco, detrás de la coca llegaron los bandidos y llenaron los espacios que nunca había ocupado el Estado. Ellos se volvieron la nueva ley del Llano, atemorizando, secuestrando y robándole el dinero y los bienes a la gente.

Como consecuencia inmediata, los pilotos no volvieron y la economía se hizo jirones, porque quien tenía su ganado prefirió venderlo al precio que le ofrecieran antes de perderlo todo y con ese dinero se fueron a las ciudades a verlo desaparecer. No estaban preparados para un cambio tan radical, de llanero que se mueve libremente en una inmensidad sin cercas, a ratón de barrio urbano. Allí invertían en negocios que desconocían y lo perdieron todo. Hoy están sin tierra, sin ganado, sin cultivos, sin libertad y en la miseria.

Desde luego, al Loro se le acabó la fumigación en todo el país, porque, como en el Llano, se redujeron los grandes cultivos y paralelamente con los araucanos y los casanareños honrados, él empezó a empobrecer y su destino fue refugiarse definitivamente en estas tierras, a las que regresó soñando con volar nuevamente DC-3.

Según Giovanni Bordé, "en el Llano ha sido siempre mal paga la hora de vuelo en ese avión. Aquí los pilotos no han ganado bien en ese oficio, porque es que, ni las mismas compañías son solventes. A eso súmele que el Loro se encontró con una proliferación de pilotos jóvenes, preparados, como se dice, a las carreras, de manera que sobraban capitanes.

"Antes era difícil llegar a comandante de DC-3. Se necesitaban muchas horas como copiloto para ascender al asiento izquierdo del avión. Después, eso se volvió tan simple como la falta de buena preparación.

"Y como todo es una cadena sencilla pero lógica, los pilotos con gran experiencia empezaron a ser desechados. No querían dejarlos trabajar: '¿Qué está haciendo ese viejo, si él ya tiene su dinero y ya vivió su vida?', decían, en lugar de querer volar con él y aprender algo de lo mucho que tenía para enseñar: algo de su maestría, algo que nunca va a encontrar ese hombre nuevo en los manuales. Es que la tradición no siempre se saca del papel.

"A pesar de todo, el Loro empezó a volar aquí y allá, pero se hallaba mal. Muy mal económicamente. Uno lo veía en la cafetería y algunas veces había que prestarle y yo le preguntaba: Loro, ¿usted de qué vive? y él respondía: 'De puro milagro'.

GERMÁN CASTRO CAYCEDO

"Tenía una casita pequeña en Restrepo, a unos seis kilómetros de Villavicencio y la mujer lo ayudaba con su trabajo, con buena voluntad, con solidaridad, pero, ¡carajo!"

"Se fue a vivir a Restrepo porque allí se sentía un personaje reconocido por las autoridades" —dice el capitán Sergio Zapata— "y andaba con el alcalde, era amigo del cura, amigo del personero, amigo de los concejales, convivía con la población. Era muy querido en el pueblo. Además, allá la comida es más barata que en Villavicencio y los arrendamientos también. Él inicialmente vivió en arrendamiento y posteriormente fue construyendo la casa donde finalmente vivió. Una casa muy bonita para el lugar y la hizo con gran esfuerzo y con gran cariño".

En otra entrevista, el capitán Luis Arias dice: "El Loro nunca pensó en el futuro. Lo que se ganaba lo gastaba inmediatamente y hubo épocas en que ganó muy bien. Fue un gran piloto y buen señor. Muy osado. A veces, demasiado. Y, eso sí: el rey de la polilla, o sea que ganaba mucha plata porque era magnífico trabajador pero así mismo se la gastaba. El único ahorro fue el que hizo al construir su casa".

Una tarde de agosto, Luz Dary se quedó mirándonos desde el balcón, pero cuando abrió la puerta su cara se había transformado porque vio al capitán Luis Guevara, 'el Guajiro', quien me acompañaba. Guevara se había relacionado con él unos años atrás, cuando volaba en República Dominicana y el Loro en Perla Haitiana, una compañía de Papá Doc y se hicieron buenos amigos. Luego la conoció a ella siendo la novia y en ese momento, la evocación la llevó a asociar al "Guajiro" con su esposo y el saludo fue callado. Elocuente.

*El Loro Jiménez*
*(Foto álbum familiar)*

La entrevista está llena de silencios, durante los cuales ella parecía lejana porque, a pesar de haber transcurrido algo más de un año de la muerte del Loro, aún no ha podido elaborar su duelo y los recuerdos se vienen humedecidos por las lágrimas.

La casa es amplia, brillante, llena de luz y está en una callecita angosta y limpia, limitada al frente por una hilera de manzanos del Brasil, árboles cónicos que se ven mucho en estos pueblos, detrás de los cuales se iluminaba el verde de los campos que rodean a Restrepo.

A la entrada hay un mueble bajo y sobre él una fotografía en sepia del Loro con gorra militar, chaqueta de cuero, bufanda blanca y audífonos, atuendo que caracterizaba a los pilotos seis décadas atrás y en el álbum, la figura de un niño con pelo rubio, largo, posando al lado de una mesa sobre la cual descansa el brazo izquierdo.

"¿Qué?... No... Mejor lean estos recortes de prensa", dice Luz Dary cuando le contamos que trato de hacer un perfil del Loro, pero ella se refugia en el silencio. Las lágrimas fluyen. El "Guajiro" está hundido en su silla. Lo miro pero tampoco se le ocurre despegar los labios. Ella va al segundo piso, trae un paquete con fotografías y nos lo entrega. Mientras las observamos, mueve la cabeza respondiendo a ese sentimiento de asombro que aflora luego de las despedidas y por fin el "Guajiro" rompe el silencio hablando del orden y el aseo de la casa, una magnífica casa de esquina, con dos plantas, pisos pulidos, un comedor sencillo y un gobelino de la Última Cena al fondo.

Silencio.

Para los que lo conocieron, el Loro fue un romántico y un bohemio y según el capitán Fernando Estrada, cargaba consigo el recuerdo de un drama que, para él, explica parte del calvario:

"Usted sabe de su bohemia, sabe por qué lo hacía. La tragedia del Loro estaba marcada por una historia sencilla, pero cruel: Tenía una hija de unos trece añitos. Su adoración. En ese momento él era dueño de una de las mejores casas de Neiva y allí llegaban personajes importantes, incluyendo al célebre embajador de la India. En cualquier momento la niña se puso a molestar a unos murciélagos, la mordió alguno y murió de hidrofobia. Eso arruina la vida de cualquier hombre".

"Pero, a pesar de todo, nunca perdió cosas como la osadía. Es que le gustaba mucho su trabajo. El gobernador del Guaviare me dio el contrato de transporte de dos plantas eléctricas italianas, bastante grandes y pesadas", dice el empresario Carlos Delgado, que también fue amigo suyo. "Cada una era del orden de los tres mil kilos y para reducirles peso, les quitamos accesorios y algunas piezas, de manera que nos permitieran hacer tres vuelos. Pero pasaban los pilotos y cuando las miraban, me decían: '¿Usted cómo va a llevar esos monstruos en un avión? Si se le va un motor, ¿cómo hace para tirar una cosa de esas?' Nadie se le midió a llevarlas hasta que una mañana el Loro dijo que lo podía hacer en un DC-3... Él buscaba su compensación con la polilla del vuelo de regreso y yo se la dejé por el favor que me hizo. Es que fue el único valiente... O el único loco".

Sin embargo, por esa época acudió a un chequeo reglamentario para los pilotos y un médico en Villavicencio le dijo que sufría de una afección cardiaca. Como consecuencia, la Aeronáutica Civil le retiró su licencia de piloto.

"Eso pareció consumirlo", dice Luz Dary. "Al principio la reacción fue decir, 'Qué bueno, no volver a volar más en esos tarros que molestan tanto. No vulevo a volar DC-3', pero, mentiras. Se deprimió y luego dijo: 'Esto es mi vida, yo tengo que volver a volar'. Durante todo el tiempo de inactividad me decía, 'Tú tienes juventud y tienes amigos. Pero yo, llego a esta edad y todo el mundo cree que soy un inútil, que ya no sirvo para nada... ¿Dónde queda entonces tanta experiencia?'

"Estuvo un año completo dudando antes de hacerse un chequeo a fondo. Tenía miedo de enfrentarse a esa realidad, hasta que una mañana se despertó y dijo: 'Me voy a Bogotá a hacerme el examen más completo que existe, a ver cómo es lo del pre-infarto que dijo ese médico'.

"Vas dispuesto a que te nieguen nuevamente tu licencia —le dije—, pero no te preocupes, tenemos cómo ponernos a trabajar y algo se hará'. Él reía y me decía: 'Yo no me imagino al Loro Jiménez en una ferretería vendiendo diez metros de alambre'.

"Le hicieron los chequeos médicos que tanto temía porque podían significar el fin de su carrera y cuando supo los resultados me llamó:

—Adivina.

—Que no te dieron licencia —le respondí y él soltó la carcajada.

—Tienes a un viejo con corazón bueno para muchos años.

"Le dieron nuevamente la licencia y estaba feliz. Pero la felicidad le duró solamente seis días. Recuerdo la noche del primer vuelo. Decía, 'Hoy volví a la vida. Esa es mi vida. Vengo rendido de cansacio pero es tanta la emoción que me siento nuevamente con quince años".

Esa misma tarde le había dicho a Giovanni:

—Estoy muy feliz. No hay nada como volar.

"El error del tal médico y la incapacidad y la arrogancia de la Aeronáutica Civil le costaron dos años de ruina", comenta Bordé y Cristina, su esposa, recuerda que le dijo:

—Ahora sí voy a tener con qué invitarlos a comerse un sancochito en la casa. Ahora sí voy a ganar. La vida cambió.

Y claro que cambió: uno de sus primeros vuelos fue a bordo del Treinta y Dos Trece, en el cual decoló hacia Miraflores llevando un lote de ganado.

"La víspera por la noche, vino el capitán Juan Carlos Ortiz a pagarle su primer vuelo", cuenta Luz Dary. "Fueron ciento cuarenta y cinco mil pesos. Veníamos adquiriendo deudas... Eran unos tres millones y él estaba enfermo por eso. Esa noche él colocó el dinero sobre una mesita y me dijo: 'Luz, mira: son ciento cuarenta y cinco mil pesos que no hemos prestado. Esos me los gané yo".

"Teníamos unas joyas empeñadas y volvió a hablar: 'Luz, los recibos están en tal cajón. Jamás los busqué porque no había dinero para sacarlas. Tal vez ahora...'

"Él se emocionaba mucho cuando abrazaba a Camilo, el hijo menor. Generalmente los ojos se le ponían colorados, húmedos.

"La mañana del vuelo me fui a llevar al hijo mayor al colegio y cuando regresé, me dijo: 'Mira, de lo de ayer podemos destinar algunos pesitos para los zapatos del niño',

porque andaba mal de calzado... 'Cómpramele unos zapatos.... Pero hazme el favor de irte y esperas hasta que abran
el almacén. Yo quiero que al volver, el niño esté estrenan-
do zapatos. Ya esos chagualitos están muy feos...' Y Camilo
le dijo: 'Papi, yo quiero unas botas'. 'Mi amor', le explicó,
'te las compro en estos próximos quince días. Por ahora
nos alcanza solamente para zapatos'. Camilo, que tiene cinco años, cosas de niño, le dijo: 'No te quiero papi' y él le
contestó: 'Yo tampoco te quiero'.

"A las ocho y media de la mañana, luego del desayuno, me pidió que le dijera al hijo que él lo quería mucho.
Razón viene, razón va y Camilo se vino y le repitió un par
de veces: 'Yo también te quiero mucho, papi' y se abraza-
ron muy duro. Durísimo. Ese día sí se le desgranaron sus
dos lágrimas.

"A las nueve y quince minutos lo dejé en el aeropuerto y
comentó que no estaba muy seguro de que hubiera vuelo".

A las nueve y media se encontró con Giovanni y fueron a tomar café. "No recuerdo por qué" —dice Giovanni—
"la charla era sobre algo que me cambió la manera de pensar. Yo le conté una historia y el Loro se quedó pensativo,
pidió otro café y dijo que lo había impresionado. Pero impresionado bien, ¿me entiendes?

"Le conté que una noche me quedé a dormir solo en
una casa nueva y desocupada en Cúcuta. Una casa recién
entregada. Allí había un cuartico con una cama, un ventilador de pata y una mesita y en lugar de cortina, colgaban
en las ventanas unos velos y me dormí.

"Antes de dormirme, yo saco todo lo que hay entre los
bolsillos y lo coloco sobre la mesa. Pero esto no fue un sueño, le decía. Es que tal vez yo estaba durmiendo con los

*Giovanni y Fernando Estrada en Vanguardia.*

ojos entreabiertos y cuando me desperté, sencillamente quedé viendo. No hice ningún movimiento. ¿Qué sucedió?

"Dos de la mañana. No me muevo. Dejo los ojos entreabiertos y veo a un tipo de pie, al lado del ventilador, mirando las tarjetas de crédito con una gran curiosidad. Era calvo... se parecía a Consuegra el de la Aerocivil, pero era más bajito, vestía camisa y pantalón y pensé que habían entrado los ladrones. Me quedé quieto. Quieto, quieto mirando a ese hombre. Le vi bien la ropa, todo. Lo detallé perfectamente y yo decía, ¿qué es lo que está mirando? Miraba las tarjetas con una curiosidad muy grande. Las tomaba, las observaba y las volvía a colocar en su sitio. Te juro, cinco minutos mínimo duré viéndolo y pensando que era un ladrón y, claro, empecé a sentir cosquillas en las espaldas porque creía que detrás de mí habría otro. Entonces me hice el bobo, el que me volteaba, así, así y cuando me moví, él me miró con unos ojos de terror, asustado, soltó todo y se tiró contra la pared y veo que se comienza a desintegrar de abajo para arriba. Pero yo veía la carne cuarteándose, reventando, sin ruido, a una velocidad impresionante, al tiempo que él iba saliendo por entre la pared y se desaparecía. Yo creo que ahí no sentí miedo porque lo vi asustado. En mi vida había oído decir que los espantos se asustan con uno.

"En el momento no caí en la cuenta de eso sino que al día siguiente el dueño de la casa me llevó a donde las hermanas que eran espiritistas y ellas me preguntaron si la cara del hombre era gris. Recordé y les dije que sí. La piel era gris porque así se ve todo a la luz de la luna. Y luego me preguntaron si yo lo había visto asustado en algún momento. Sí. Claro que sí.

"Todo eso cambió mi manera de pensar. Es que no fue visión, no fue un sueño, yo estaba consciente como estaba en ese momento en el aeropuerto hablando con el Loro.

"Cuando le conté al Loro eso, le dije: 'Hoy estoy convencido de que uno se muere pero no desaparece. Uno después de muerto, ve, oye, siente miedo y de lo único que no es capaz es de leerles el pensamiento a los humanos, porque de lo contrario ese espectro se habría dado cuenta de que yo estaba despierto. Pero después de muerto, uno sigue lo mismo que cuando estamos vivos: es que cuando está vivo, un ser normal no lee los pensamientos de los demás y al morir tampoco adquiere esa facultad".

Esa mañana se habló de la muerte. Los pilotos y la muerte. Unos segundos antes de terminar esta historia, Fernando Estrada habló del túnel y la luz blanca al fondo y Giovanni lanzó su teoría.

"Yo he averiguado —dijo— que cuando uno está muriendo se empieza a mermar el oxígeno que llega al cerebro y eso comprime el nervio óptico. Al comprimirse, uno ve la sensación del túnel y de esa luz al final. Ahora: tú tienes un susto y el organismo genera adrenalina. Pero averigüé que con la adrenalina viene otra sustancia que se segrega en muy poca cantidad. Esa hace que en un problema muy grande, tú no te enloquezcas. Es una sustancia que te dopa. Entoces cuando tú te estás muriendo, ella te narcotiza y sientes esa paz tan inmensa y agradable".

"Eso es cierto" —dijo Fernando—. "En un río me capturó un remolino. No sé cuántas veces subí y bajé dentro del agua, pero lo que recuerdo es que luché y luché y me cansé y en medio del cansancio, empecé a sentir una paz enorme, una gran tranquilidad, una gran alegría de morirme, un total deasapego a la vida y no seguí luchando.

Me entregué. En ese momento un amigo me rescató y cuando me volvió a la realidad, me indigné con él porque había terminado con ese momento tan agradable".

Luego hablaron de las condiciones en que se vuela en el Llano y llegaron a la conclusión de que la muerte no es una obsesión en la inmensa mayoría de los pilotos, aunque recordaron casos contados como el del comandante del Catalina que cayó en el Perú, el del accidente de Manuel Pulido, que siempre decía al terminar sus vuelos: 'Hoy no fue'.

—Yo sólo he pensado dos veces en la muerte porque la he sentido cerca y en ambas oportunidades se me han venido las lágrimas, anotó Fernando:

"Una fue un siete de diciembre en una emergencia, cuando ya vi los árboles encima y le pedí con todo corazón a mi Dios que me dejara conocer a mi primogénito. Me escuchó porque cuando volví a aterrizar, traía ramas enredadas en las ruedas y en la barriga del avión.

"Y la otra fue un trece de mayo. Iba para Mitú con veintiocho canecas de gasolina a bordo. Eramos una bomba. Ese día escuché una voz interior, una voz interior que he escuchado varias veces, que me decía: 'Aterrice en San José, no trate de llegar a Mitú'. Adelante había mal tiempo. Lo atravesé y continué y cuando creí que estaba cerca a la pista, vi que la chispa de un rayo había quemado el fusible de un aparato llamado radio compás. Se me fue un motor y me decían por radio otros pilotos: Mitú está podrido, hay tempestad. Haga algo, pero no se venga. Les dije que tenía un motor fuera. En ese momento le miré la cara al copiloto —el Ñero, que en paz descanse— y estaba llorando y pensé, 'Yo debo tener el mismo gesto'... Porque en ese momento se me había venido la película de la vida: la familia, la mujer, los hijos, lo que uno quiere y lo que le duele dejar. Cosa de segundos. Calculé que nos quedaría un minuto de vida y dije: 'Voy a vivirlo como me enseñaron, tratemos de botar carga'. Empezamos a botarla y un mecánico me dijo: 'No le haga caso a ese motor'. '¿Cómo que no me preocupe?' Y él repitió: 'No le haga caso, no le haga caso'. Efectivamente, alcanzamos a llegar a San José y descubrí que se trataba de una falla ficticia, provocada intencionalmente por ese mecánico para que cuando llegáramos, dijeran que él era capaz de reparar daños sofisticados'. Pero ese día sentí la muerte cerca y escuché aquella voz que me decía que bajara en San José. Y tuve finalmente que bajar en San José".

"He hablado con algunos sobrevivientes y algunos describen un silencio total antes del impacto. Otros no. Otros lo escuchan todo", comentó Fernando y Giovanni anotó:

"Lo llaman 'el silencio de la muerte', pero, por lo que he averiguado, eso lo viven aquellos que creen que han agotado todos los recursos o que realmente los han agotado todos y llega un momento en que se quedan esperando el impacto a ver si su buena fortuna sigue o se acabó. Pero hay otros que son conscientes hasta el último minuto de lo que está sucediendo. Esos lo oyen todo. Y saben que se van a morir. Es que uno lo sabe por la experiencia".

A las doce del día los cuadrilleros comenzaron a cargar el avión con ganado. "Para transportar este tipo de carga —explica Giovanni— instalan unos corrales dentro del avión y se acomoda determinado número de animales adelante y determinado número más atrás, con el fin de equilibrar el peso.

"Pero hablando de ese día, cabe el cuento de que el piloto no es el único que va tras la polilla: hay una cadena de trabajadores de segundo orden y a ellos no les tiembla la mano para trepar otros doscientos o trescientos kilos, escondidos a los ojos del comandante. Desde luego, el gran problema no fue cargar ese peso extra, sino el sitio donde lo acomodaron: atrás, en el baño de cola, lejos de la cabina de mando. A eso súmele que algunos operarios no conocían aquello de que el peso debe ir balanceado dentro de un avión, pero sí sabían de polilla. Les importaba más el dinero que la seguridad de la aeronave. Algunos, al fin y al cabo, se quedaban en tierra.

"Al Treinta y Dos Trece lo cargaron con quince animales mal ubicados porque iban siete en el corral de adelante y ocho en el de más atrás. Ya ahí la relación peso-balance estaba por fuera de los límites del centro de gravedad y automáticamente el avión se volvió inseguro. Pero como si fuera poco, situaron atrás al vaquero, a los mecánicos y encima de eso, como le digo, alguien le metió doscientos kilos de cerveza en el baño. ¡Doscientos!.. Y siga sumando: adelante iban seis pasajeros que eran polilla del Loro. Esos trataron de balancear la carga y eso les permitió elevarse".

Un poco después de la una de la tarde, el mismo Giovanni vio decolar el avión y asegura que "en ningún momento levantó la cola, que es lo primero que debe hacer al tomar velocidad y llegar a los cuarenta y cinco, cincuenta nudos, pero éste salió en tres puntos, como se dice técnicamente y eso quiere decir que la cola iba baja por exceso de peso.

"Me imagino que en ese momento el Loro se dio cuenta de que el avión estaba mal cargado y del peligro que lo esperaba, porque, desde luego, la rata de ascenso fue más lenta, el avión ya no era el mismo porque volaba en unas condiciones complicadas y en crucero no le iba a dar los ciento veinticinco nudos de velocidad que necesitaba. De acuerdo con la sobrecarga y el desbalance del peso, yo calculo que no le dio más de cien nudos de velocidad.

"En esos casos, normalmente uno regresa y hace ubicar la carga de una manera diferente. Pero si él lo hubiera hecho, inmediatamente le habría caído la Aeronáutica Civil para sancionarlo. Entonces, pensando en la polilla que significaban sus pasajeros —pesitos que necesitaba para comer—, tuvo que decir: "No. Me voy así".

A la una y cuarenta y cinco, Luz Dary salió con sus dos hijos y desde la carretera de Restrepo, que corre paralela a la pista del aeropuerto, vieron el avión decolando. "El niño me dijo: 'mira a mi papi. Allá va mi papito'. Nos cruzamos con él".

**Giovanni** —"El Loro se fue sobrecargado y además, mal compensado, con tan mala suerte que unos minutos antes de llegar a Miraflores le falló el motor izquierdo. Lógicamente, el avión cargado en esa forma no respondió. No tenía fuerza para hacerlo.

El día que traté de rehacer los diálogos de la mañana del accidente, Giovanni hizo su propio colofón:

"Siempre he pensado que en el último segundo, en el momento de rodar la película de la vida, el Loro se acordó de mi historia con el espectro que salió a través de la pared esa noche en Cúcuta y tal vez pensó: 'Esto no se acaba. La vida sigue' y que eso pudo haberle servido de aliciente para dar el paso al más allá con tranquilidad".

El día de su entierro, todos los aviones de Vanguardia, los grandes, los medianos y los pequeños, sobrevolaron el cementerio lanzando flores. Un reconocimiento tardío, según algunos.

Al día siguiente, Quico, hijo mayor del primer matrimonio del Loro le dijo a Luz Dary: 'Busca los recibos de empeño de aquellas joyas para saber qué deudas van apareciendo'.

Ella recuerda que entre algunos documentos, "encontramos tres fotos suyas que yo no conocía. Eran unas fotos de estudio recientes, en las que él había escrito por detrás de la primera: 'La última raya de El Loro'. En la otra, 'Para Javier y Camilo, de su papi, con mucho amor. Héctor'. Y la tercera, que era para mí: 'Amor, quiero que me recuerdes siempre. Te adora, Héctor...' (Silencio de treinta y cinco segundos en la grabación. Fin de la entrevista).

Después del Moisés, Giovanni Bordé empezó a soñar con otro avión y una mañana le contaron que la Fuerza Aérea Colombiana iba a poner en subasta los dos últimos Catalina de su flota anfibia. Contaba con algunos pesos y la terquedad, heradada tal vez de hombres como los que bordaron durante cien años la puerta del Duomo de Milán.

En ese sentido, adquirir los Catalina y reparar uno, si se piensa en función de escala, fue algo de tanto aliento como construir la entrada al Duomo en este siglo porque la compra duró diecisiete años de lucha diaria hasta que una tarde logró poner en el aire a uno de los dos.

La historia comenzó en 1977 cuando alguien le contó en secreto lo de la subasta y diez días después de averiguar cuidadosamente sin hallar la menor pista, fue a una dependencia llamada el Fondo Rotatorio de la Fuerza Aérea y allá le dijeron que llegaba tarde. La subasta ya había tenido lugar.

—¿Cuándo?

—Hace unos días.

—¿Quien compró los aviones?

—Nadie —respondió un funcionario que luchaba contra el sueño sobre su escritorio.

La base del remate eran unos veinticinco mil dólares de hoy, pero supo que se realizaría otra sesión.

—¿Cuándo? volvió a inquirir.

—No lo sé. Busque un aviso que ha de salir en los periódicos.

A partir de ese momento compró todas las mañanas cuantos diarios y revistas se publicaban, acudió al *Diario Oficial*, a las hojas parroquiales, a los semanarios de los colegios, a los cancioneros populares que publicaban avisos, pero como no encontró nada, empezó a sospechar que alguien estaba haciendo las cosas para que nadie se enterara.

Nuevamente en el Fondo Rotatorio de la Fuerza Aérea, el mismo empleado le dijo, esta vez entre bostezos, que otra vez había llegado tarde pero que habría un tercer remate.

—La ley sólo obliga a dos. El tercero es opcional. Quiere decir que ustedes me los pueden vender ahora, directamente— comentó Giovanni y el hombre pareció despertar:

—Ah, un momento. Voy a averiguar con jurídica— contestó y después de unos minutos, dijo:

—Pues sí. Usted tiene razón. Ya le podemos vender los aviones.

—¿Cuál es el precio de cada Catalina?

—Setecientos dólares.

De setenta mil habían bajado a mil cuatrocientos. Algo no estaba claro y se apresuró:

—Son míos. Los compro.

—Bueno, pero entonces compre también un par de avioncitos con flotadores que están en la base de Tres Esquinas, en la selva. Esos también entran dentro del mismo remate ¿Por qué no los compra?— insistió el hombre.

—¿Cuánto valen?

—Seiscientos dólares cada uno.

—Ah, bueno. ¡Míos!

Entre el primer contacto con el Fondo y ese momento habían transcurrido cuatro meses. Tres días después firmaron documentos. A los ocho días el mando de la Fuerza Aérea se enteró del negocio y emitió una comunicación:

"Orden del Estado Mayor, no vender los Catalina", pero el Fondo respondió que ya no pertenecían a la Fuerza Aérea.

"Me buscaron para proponer que devolviéramos el negocio de los Catalina, a cambio de lo cual nos entregaban, cero horas, totalmente reparados, los avioncitos anfibios de Tres Esquinas. Les dije a los generales que no. Lógicamente, decirle a un general que no, nos acarreó un cúmulo de problemas en el futuro", dice Giovanni y recuerda:

"Me prohibieron la entrada a las bases donde estaban los aviones y no los podía sacar de allí. Sin embargo, hice varias solicitudes para que me permitieran repararlos y sacarlos volando, hasta que por fin, el comandante de la base donde estaban los Catalina, contestó por escrito que no. Eso dio lugar a un pleito".

Cuando se inició el pleito, habían pasado dos años desde el momento en que resolvió comprarlos.

Antes de pisar los juzgados, Giovanni se asesoró de un abogado con buen nombre en el medio y él aceptó cobrarle sus honorarios a la contraparte una vez terminara el negocio. Eso le hizo sentir confianza y seguridad en los resultados. Así empezó un largo recorrido por las instancias judiciales: declaraciones, testigos, inspecciones oculares, memoriales, toda aquella maraña de trámites que hacen de la justicia un laberinto odioso e interminable y al final vinieron a descubrir que todo el tiempo y el esfuerzo se habían perdido porque el abogado falló desde el comienzo: demandó al Fondo cuando tenía que haberlo hecho contra la Fuerza Aérea. Debían regresar al punto de partida e iniciar un nuevo proceso.

Habían transcurrido doce años.

Veinticuatro meses más tarde existía otra oficialidad en la Fuerza Aérea, gente que no sabía por qué se hallaban abandonados aquellos aviones, ni por qué los habían retirado del servicio. No conocían de prohibiciones porque los superiores no les habían dado información sobre el caso y Giovanni visitó al comandante y le propuso que como la Fuerza Aérea al parecer quería conservar los Catalina, estaba dispuesto a retirar las denuncias a cambio de otro avión en buenas condiciones. Eso, desde luego, no era posible, pero el comandante le dijo que podía retirarlos cuando quisiera.

El momento coincidió con una apertura de la Fuerza Aérea para darle servicio al sector privado y Bordé propuso que le ayudaran a reparar uno de los dos con el fin de sacarlo de la base volando, pues por su tamaño resultaba una locura desbaratarlo y llevarlo por tierra hasta Villavicencio. La idea fue aceptada y empezaron a trabajar.

Habían pasado catorce años.

"Cuando fui a la base aérea de Madrid a mirar mis aviones, los encontré en un basurero, abiertos, los soldados penetraban en ellos para hacer sus necesidades, estaban tapizados de físico estiércol, no tenían motores porque se los quitaron y se hallaban arrumados en una bodega desde hacía muchos años. Además, habían vendido como chatarra la existencia de repuestos, con el fin de dejarlos desprotegidos", cuenta Giovanni.

Vista la situación, decidió hacer de los dos aviones, uno: "Lo que le hacía falta a uno se lo quitábamos al otro".

Luego buscó repuestos en el exterior y los halló con facilidad, porque buena parte de estas naves han sido adquiridas por museos y coleccionistas y las piezas nuevas abundan.

Los motores y las hélices son los mismos de los DC-3. Tampoco había dificultad en ese momento. El problema estaba en las partes estructurales porque Bordé no contaba con dinero para repararlas. Y tampoco conseguía socios: él mismo estaba consciente de que realizaba una locura.

"En ese momento no había en Colombia alguien que confiara en mí. El sueño era tan imposible que ni siquiera la Aeronáutica Civil se preocupó por parar los trabajos, ni por exigir un permiso de reparación.

"La Fuerza Aérea prestó talleres, equipos, rayos X, pero la gente que trabajó fue suministrada por mí. La busqué

por todo Colombia: allí se necesitaban mecánicos especializados en hidráulica, reglaje, lamineros, enteladores. Como
a esos aviones los habían halado con un tractor, le arrancaron a uno de ellos, completo, el tren de nariz, le dañaron
uno de los montantes del ala, mejor dicho, los trataron como
si fueran basura, a pesar de que cuando se hizo el negocio
firmaron un inventario de lo que se entregaba en buen estado. Y nadie respondió por eso. Hoy, todavía estoy pagando parqueo por el segundo Catalina en la base aérea
de Madrid, a la espera de que autoricen los trabajos del
segundo.

"Pero volviendo atrás, cuando llevábamos un año y
medio de trabajo, llegó a la base un comandante lleno de
arrogancia, con deseos de demostrar su poder de mando
con grosería y nunca quiso colaborar conmigo. Cada vez
que hablaba con él recibía agresiones, insultos, ofensas. Era
un energúmeno y tuve que aguantar todo ese tiempo con
una sonrisa porque, de lo contrario, nos sacaban a patadas
y se acababa la ilusión de ver volar el avión. Ese hombre
nunca encontró en mí una respuesta a sus insultos.

"Pues bueno. Así, a trancas y a mochas avanzamos en
la reparación del Catalina y casi al final salieron nuevos
problemas. En Colombia hoy no hay pilotos para este avión
y me tocó hacer mi propio curso. ¿Cómo? Encontré un
avión parado en Caracas y me tocó traer una certificación
de que había hecho el entrenamiento en él. Llegué con mi
papelito, firmado, sellado y registrado por cuantas autoridades hay allá, pero aquí me pusieron mil problemas, aun
violando el manual de reglamentos vigentes. ¿Por qué?
Porque ellos también tenían la necesidad de hacer notar
su poder. Me tocó pelear ocho meses para obtener mi licencia de piloto en este equipo.

*El Catalina después de reconstruido.*

"Pero, aquí hablando entre nos, el curso lo hice con el mismo avión el día que me monté en él. Leí el manual y de una vez me fui, dizque para chequeo con la Aerocivil. Afortunadamente ellos no saben nada de eso. Me trepé sin entrenamiento, sin nada, pero la experiencia que uno tiene a través de miles y miles de horas de vuelo y lo que conocía del avión porque, tornillo por tornillo me tocó ayudar a desarmarlo y armarlo nuevamente, era una ventaja grande. El resto fue medírmele en el aire".

"La reparación duró tres años y medio y a los diecisiete de gestiones le dieron encendido a los motores en la base de Madrid.

"Recuerdo que carreteamos por la pista, luego lo elevamos y navegamos por encima pero al decolar vi que la rueda de nariz no aseguraba: súbala y bájela... y, nada. Intenté hacer trabajar un segundo sistema mecánico pero tampoco funcionó, hasta que con la ayuda de los tripulantes, haciendo una fuerza sobrehumana, logramos asegurarlo.

Pero aún hallándose en el aire, no habían terminado los problemas. En el momento de decolar, el comandante no estaba allí. Cuando regresó y supo que el avión volaba, montó en ira.

"Al parecer los generales de ahora influenciados por los de 1977 lo estaban presionando y él tenía que quedar bien con ellos. ¿Cómo? Pues poniéndome toda clase de obstáculos.

"En ese momento yo le debía dos millones de pesos a la Fuerza Aérea, pero contaba con que en la base permanecían el segundo avión, que vale más dinero y una serie de equipos y herramientas, un motor que se hallaba en reparación y estaban todos los repuestos nuevos. Todo eso valía más de dos millones, pero el comandante dijo que hasta cuando no le pagaran, no lo volvía a dejar volar. Me tocó esperar dos meses más, mientras conseguía los dos millones.

"Y vino el vuelo de chequeo. Decolamos con gente de la Aeronáutica a bordo, entramos al aeropuerto internacional de Bogotá y de allí nos fuimos a la laguna de Betania, en el Huila. ¡Al agua! Yo nunca había acuatizado y ese día no sé cómo lo hice, pero me metí entre el agua. Y después para salir, peleando, pero peleando con el avión, logré elevarlo. Hicimos dos aterrizajes en esa laguna y un chequeo posterior, unas pérdidas y otras cosas que no están ni en el manual y regresamos a Bogotá. Cuatro horas de vuelo y me entregaron la licencia. Con la licencia me vine para la selva y el Llano y aquí estoy".

El Catalina de Giovanni es el único que vuela hoy en América Latina y uno de los diecisiete que lo hacen en el mundo.

Uno de los primeros trabajos con este avión fue la búsqueda de uno que se había perdido en la cordillera en medio de una tempestad.

Giovanni nunca conoció al aviador, pero habló con quienes volaron con él en el asiento derecho y ellos le dijeron que realmente no era piloto profesional sino un aficionado. Uno de esos niños terribles que en sus ratos libres volaba cometa, se tiraba atado de los pies a las barandas de los puentes, había tenido varios accidentes conduciendo motocicleta, corría en autos... Buscaba emociones fuertes y las tenía.

El día del accidente tripulaba una nave pequeña, pero como no dominaba el arte, andaba con un piloto de aquellos que hacen su curso y no tienen cómo diablos trabajar y, por sumar horas de vuelo y ganarse unos pesos, se le miden a acompañar al aficionado.

El tipo decoló de una hacienda en las llanuras del Meta y se dirigía al aeropuerto de Guaymaral, en Bogotá.

Los copilotos contaban, por ejemplo, que cuando se metía entre una nube y veía un cúmulo al frente, buscaba un huequito y lanzaba el avión abajo, con el fin de salirse de la trampa. "En esos casos hay que hacer lo contrario: reducir la velocidad al mínimo para que la turbulencia no le vaya a aumentar la carga alar y no le arranque, por ejemplo, uno de los planos".

Averiguó que el muerto tenía un "yi-pi-es", Global Position System, que trabaja con satélite y había escogido un punto sobre las montañas que siempre chequeba antes de enfrentar la travesía de la cordillera. A partir de allí enrumbaba hacia su aeropuerto en Bogotá. Giovanni averiguó cuál era la coordenada y se la programó a su "yi-pi-es".

También supo que el día del vuelo iba sobrecargado porque acomodó un pasajero más y eso le hizo pensar que, posiblemente, el avión no estaba ascendiendo a la rata que él necesitaba, puesto que a partir de aquel punto y saliendo del Llano hay crestas que deben ganarse a doce mil pies. Con menos altura, podía estrellarse contra la montaña.

Con aquellos datos escuetos alistó su propia búsqueda y la mañana del decolaje se encontró en el aeropuerto con una señora a quien le presentaron como una amiga del muerto. Estaba llorando, rezaba, no sabía qué hacer y él le dijo: "Camine conmigo". Pero ella no quería subirse al Catalina porque sentía miedo. Entonces insistió:

—Camine que a lo mejor sintiéndola a usted, él se deja encontrar.

La muchacha lo pensó un par de segundos y luego dijo: "Bueno. Voy". Y se subió.

Decolaron con cielo limpio para un vuelo visual y sobre la cordillera hizo el chequeo respectivo y tomó el camino de Bogotá.

"Recuerdo que cuando hallé los primeros cerros, pensé: 'De aquí para allá, cualquier sitio en que se haya chocado es muy poblado. Lo hubieran visto. Cualquiera oye. Cualquiera avisa. Voy a seguir ascendiendo. Ocho mil pies, diez mil. A los trece mil, ya entrando a Bogotá observamos repetidoras de radio y televisión, repetidoras de sistemas telefónicos en las que permanecen técnicos y vigilantes y también algo se hubiera reportado, de manera que, después de buscarlo todo el día, regresamos a Villavicencio por la tarde".

El segundo día sólo avanzó hasta el primer cerro y allí empezó a esculcar, a dar vueltas con el Catalina, rasante, bajito, hasta cuando divisó algo entre los árboles y entonces trazó un giro, dos giros y se volvió a colocar sobre aquel punto. No se veían copas partidas, ni ramas desmochadas. Bajó un poco más y, claro: vio un pedazo de lata entre un árbol.

"Estos vuelos se hacen muy rasantes, lamiendo los árboles y sacándole el cuerpo al filo de las montañas. El Catalina es un avión grande, sin la versatilidad de una nave liviana para meterse entre un cañón y un socorrista que iba a bordo me dijo: 'Capitán, este avión parece una marrana haciendo este trabajo'.

—Es cierto. La única ventaja es que vuela despacio, pero no se facilitan las maniobras para tratar de barrer el sitio en forma minuciosa —le contesté.

"De todas maneras, vi la lata y dije: 'Ahí está'. Lo que vi yo, también lo vio la amiga del muerto y lo vio el socorrista de la Cruz Roja. Pero al siguiente sobrepaso ya no la pudimos localizar. Se perdió. Sobrevolamos un par de veces más y tampoco la encontramos y cuando íbamos a realizar el tercer sobrepaso, subió una masa de nubes y se tapó la cordillera".

Regresaron a Villavicencio y la familia del muerto y quienes organizaban el rescate dijeron que iban a emplear un helicóptero para una búsqueda general, pero nadie le creyó que lo había localizado. "Decían que sí, pero que no. Que lo que yo había visto podría o no podría ser. Que si la velocidad, que si la visibilidad, que si el Catalina.

"La verdad es que, hombre, esa tarde yo llevaba unos binóculos. Para observar debía soltar la cabrilla del Catalina, me ponía los binóculos, miraba un segundo y suéltelos, porque el avión se me estaba ladeando y se iba contra la montaña y nivele y vuelva y tome otra vez los binoculares y mire un segundo y suelte y tome el control del avión. Yo no le podía soltar el Catalina al copiloto porque él no tenía la pericia necesaria y eso no me dejó concentrar lo suficiente para definir con mayor exactitud qué estábamos viendo. Pero yo me sentía seguro de que eran las latas de aquel avión y cuando regresamos a nuestra base, no me hicieron caso ni los expertos en búsqueda y rescate ni los familiares del tipo. Comenzando porque la primera pregunta que se hacían los familiares era:

—Y a este hombre, ¿quién lo contrató? ¿Cuánto nos irá a cobrar? ¿De dónde salió?

"Es que a mí nadie me dijo camine y menos en el Catalina. Yo fui por lo que siempre voy, ilusionado por salvar, de pronto, una vida. Por rescatar a alguien. Nada más. Esa gente se gastó más de sesenta millones de pesos en helicópteros buscándolo por la cordillera".

El quinto día volvió al sitio y después de buscar, no regresó a Villavicencio sino que se quedó encima de las montañas, luego de acuatizar en la laguna de Tominé, a más de dos mil metros de altitud. Desde aquel punto podía vigilar mejor el estado del tiempo sobre la cordillera y decolar cuando estuviera despejada. Villavicencio no ofrecía esa posibilidad.

Esa noche volvió a insistir en su teoría pero, familiares, amigos del desaparecido y expertos que se habían acomodado en el Catalina, volvieron a mostrar su incredulidad.

"Al día siguiente, salir de aquella laguna, a esa altitud y con diecisiete personas a bordo, fue muy difícil porque además, tenía debajo de la quilla del avión la gran resistencia que oponía el agua helada. Recuerdo que nos comimos como tres kilómetros y el avión no quería levantar. Lo elevé a la brava".

En el Catalina volaron veinticinco horas, pero Giovanni tenía la convicción de haberlo encontrado desde las tres primeras y como estaba al mando de su propio avión, al final de la tarde regresaron al punto, "pero no localizamos nada, por la premura y la niebla que comenzaba a levantarse en el lugar". En el trayecto de regreso continuó con su retahíla y los familiares aceptaron simplemente hablar de la posibilidad de buscar otro helicóptero. Unas horas más tarde, en un refugio sobre el cerro de Mámbita, al lado de una chimenea vino el diálogo:

"¿Qué fue lo que vio? ¿Cómo lo vio? ¿Dónde lo vio?' No los podía convencer del todo.

"Al día siguiente llegó el helicóptero de la Aeronáutica Civil al mando del jefe de búsqueda y rescate, pero él se quedó al lado del fuego porque hacía frío y yo me fui con otro piloto. Volamos hasta la zona y empezamos a tratar de descender, a barrerla bien, pero el tipo no se les acercaba a las copas de los árboles. Mire: me acercaba más, yo con el Catalina, que él con el helicóptero. ¿Así cómo se busca? Recuerdo que le dio una medio vuelta a la cañada y le dije: 'Bájese que aquí es'. Respondió, 'No. Ahí ya buscamos nosotros la vez pasada' ¿Cómo pelea uno con un tipo de ésos?

"Regresamos y el jefe resolvió descartar el punto. Ante eso, lo llamé y le dije:

—Pero, ¿usted cómo va a olvidar el sitio?

—Es que ya no se va a encontrar nada allí, contestó.

—Hombre —le dije—. Si es que aún no hemos mirado nada. El vuelo no fue cuidadoso. Volvamos...

"Esa misma noche les insinué a los familiares que tocaba contratar un helicóptero más adaptable a la zona, al mando de una persona experimentada y, hombre, con buena voluntad.

"Algunos amigos del muerto y un piloto veterano que estaba al frente del rescate me dijeron:

—Bueno, nosotros llamamos a ese nuevo helicóptero y, ¿qué tal que no haya nada ahí?

—Hay que hacerlo porque si no se hace, no se puede descartar el sitio. Entiéndanlo. Aquí de lo que se trata es de descartar posibilidades.

—Sí pero, ¿usted sabe cuánto vale la traída de ese helicóptero? —preguntó el veterano y yo le respondí:

—¿A usted qué le importa? ¿Usted lo está pagando? Los familiares tienen todas las posibilidades. Es que, ¿cuál es el problema de esta gente? Muy sencillo: hay herencias y si el señor no aparece, tienen que esperar cinco años para declararlo muerto. Y ¿usted me viene a decir que un millón, o dos, o tres que vale el vuelo? Deje de ser bobo.

"La viuda estaba escuchando, y dijo:

—Sí. Eso es cierto. Eso es cierto. Traigan el otro helicóptero.

"Ante la respuesta de la señora les aconsejé que buscaran a Landínez, de Cali:

—Mientras él no venga, esta vaina no funciona. Primero por el tipo de helicóptero que él vuela y segundo por su capacidad profesional y su buena voluntad.

"Llamamos a Landínez, un piloto de Helivalle, compañero mío, muy buen profesional y llegó a Mámbita al día siguiente a las cinco de la tarde. Tan pronto como aterrizó, me le subí y le dije:

—Hermano, camine a ver. Vámonos para el sitio, que ya va a oscurecer.

"Se elevó y llegamos allá: taque-taque-taque-taque, se le bajó, se le bajó, se le bajó a ras de la montaña. No veíamos ni un carajo y ese cerro tapándose de nubes y nosotros lúchele:

—Hermano, que sí, que por aquí es, camine, hacia este lado. Hacia acá, hacia acá. Bájese más, un poquito. Aquí, aquí...

"Y Landínez, taque-taque-taque-taque-taque. Sin embargo —como él me lo dijo después—, le parecía imposible hallar algo, pero lo hacía porque creía en mí.

"Dimos una y dimos dos y dimos tres vueltas más, cuando, carajo: allá estaba: ¡La lata del avión! La vi y me emocioné y me puse a gritar:

—La lata, la lata, mi lata, mi lata...

"Yo parecía una loca en ese helicóptero. ¡Hijueputa! Era una lata así de grande, encima de un árbol. Y yo, mi lata, mi lata, cuando veo: ¡Tan! Allá más abajo, dentro de los árboles, el ala con la matrícula completa del avión: HK, no sé qué vaina y el mecánico del helicóptero, dijo:

—Sí, sí, mírela, mírela, allá está.

"Hijuemadre, los binóculos. Yo ya iba como pasajero y ya podía manejar mis berriondos binóculos y, taque-taque-taque-taque, nos bajamos más y me dice Landínez:

—Ya, ya, ya, ya la tengo, hermano. Ya la vi. Ya la vi. Entonces le dio la vuelta, la vuelta, la vuelta y por allá bien lejos, diga unos doscientos metros, al otro lado, apareció el fuselaje incrustado entre el follaje.

"Sucede que al tipo se le arrancó un ala en vuelo. El ala cayó enterita por este lado y el resto se volvió pedazos. El accidente debió producirse cuando él trataba de salírsele a algún cúmulo, tal como lo habíamos calculado.

"Todo indica que, al parecer, aquel hombre volaba a siete mil cuatrocientos pies, altura a la que no tenía por qué estar, sabiendo que los cerros tienen trece mil pies. No podía él venir tan bajito a menos que hubiera visto algún roto en las nubes y cuando se dio el golpe venía de arriba hacia abajo, vertical, porque se le desprendió el ala.

Es que, mire: lo único que quedó entero de ese avión fue el ala que se desprendió y bajó libremente. El resto venía cayendo como una pedrada. Por eso no se veían desde el principio copas de árboles partidas ni destrucción del bosque".

—Al final de la búsqueda, los dolientes debían estar satisfechos con su terquedad. ¿Qué le dijeron?

—Nada... Y ¿sabe una cosa?

—¿Qué?

—Que cuando decidí buscarlo, esperaba eso: ¡Nada!

El brillo de las luces del avión sobre las copas de los árboles antecedía al regreso de alguien que había salido enfermo de la selva tiempo atrás, a la llegada de herramientas o mensajes, pero cuando los políticos resolvieron iniciar la campaña para elección de cuerpos colegiados aparecieron a bordo cajas pequeñas con comestibles, ropa barata para hombre y mujer y buenas cantidades de aguardiente y cerveza enlatada.

Las poblaciones salían a recibirlos y aunque no entendían muy bien lo que cada caudillo decía, contestaban con los mismos vivas a liberales y a conservadores. Cuando terminaba la manifestación, el avión decolaba pero el trago se había acabado, los mercados duraban sólo unas horas y la ropa empezaba a desintegrarse en el primer recorrido por la selva.

Tomás Caicedo, que había regresado a su patio y piloteaba el avión destacado por Ades con base en Mitú, aprovechaba el desorden y mientras los políticos se rompían el guargüero gritando en castellano, él le hablaba a la gente en su propia lengua y con su mismo sentimiento. Así empezó a revivir el fervor entre los suyos.

Alguien le dijo que debía mojar la palabra, pero en lugar de cerveza y aguardiente compró una caneca de cincuenta y cinco galones de capacidad y empezó a llenarla con guarapo de caña dulce que escanciaba con generosidad a través de una manguera que iba directamente del tanque acomodado en la parte delantera del avión, a la totuma de sus coterráneos.

La palabra de la región, humedecida con el sabor del trópico empezó a sumar voluntades pero los políticos pescaron pronto la estrategia y le salieron al paso escarbando en su vida privada, en busca de posibles abusos cometidos en el pasado, para tratar de dar con él en el calabozo. Pero fracasaron porque Tomás nunca le había esquilmado una moneda a nadie, ni había dado un paso chueco, ni mucho menos, trabajado con el Estado en cargos que implicaran manejo de fondos.

En ese momento, sus enemigos no eran sino el gobernador, Torún —un indígena que ocupaba el cargo de alcalde—, el registrador, el procurador, el fiscal, el jefe de la policía secreta, el personero municipal y el inspector de policía.

Pero una mañana se le prendió una luz en la frente a uno de los dignatarios y regó la especie según la cual Tomás había realizado algún vuelo contratado por el Servicio de Salud y mientras un enfermero pinchaba a la gente con vacunas, él se había dedicado al proselitismo político, tal como lo hacía en las narices de los caudillos, cuando éstos pagaban sus vuelos para ir a ofrecerles a las comunidades la redención terrena.

Esa tarde fue llamado a un cónclave en el cual cada uno de los funcionarios, en aras de velar por la moral y las buenas costumbres políticas, le comunicaron oficialmente que no podía volver a volar mientras no se realizaran los comicios. Todos ellos deseaban un sufragio sin mancha.

Hablando de aquello, Marta Russi —hoy asesora de Tomás en materia jurídica— se pregunta con base en qué tomaron su determinación aquellos barones y ella misma responde: "Con base en nada, porque ni siquiera actuó allí la autoridad competente para hacerlo, que en ese caso era la Aeronáutica Civil. Es que no sabían siquiera hacer las cosas bien. Eso más que un atropello, fue una leguleyada perteneciente al folclor colombiano. Lo malo es que para poder comer, Tomás tenía que volar".

Cuando cuenta lo sucedido esa tarde, Tomás sonríe y palabra a palabra empieza a describir la encerrona en el despacho del representante del Fiscal General de la Nación, en la cual habían ocupado asiento los voceros de sus contrincantes, ahora enchanfainados en los mejores cargos estatales del lugar.

"Ahí estaban todas las autoridades y les dije que la única que me podía parar era la Aeronáutica Civil. Pero que, además, yo no le había hecho mal a nadie. Sin embargo, que por respeto a ustedes, no porque quiero, sino porque respeto su condición de autoridades aquí en Mitú, no volveré a volar hasta cuando pasen las elecciones como ustedes quieren. Eso sí, voy a llamar a un piloto porque el avión es de una compañía privada. Y otra cosa: si hay un enfermo grave para trasladarlo de urgencia al hospital de Mitú, no voy a volar. La responsabilidad es de ustedes, les dije.

"No volé más, pero le mandaba afiches y mensajes a mi gente con el otro piloto y, preciso: en esos días hubo un accidente. Se cayó un avión y ahí sí volé para auxiliarlos. Los evacué. No hubo muertos ni heridos".Como dicen siempre los partes oficiales al terminar las elecciones en Colombia, "la jornada transcurrió en completa calma. Los ciudadanos se movilizaron sin presiones y el conteo de los votos tuvo lugar dentro de la mayor pulcritud". Sí señor. Eso fue así. Pero Tomás perdió. Y perdió por un margen estrecho, cuando sus cálculos señalaban lo contrario.

Esa tarde en Carurú —un pequeño puerto sobre el río Vaupés, a varios kilómetros de Mitú—, el doctor Cachucha, un indígena que había acudido como delegado y observador a nombre de otro candidato nativo, registró con sus ojos de lince algo que la experiencia le permitía calificar como irregularidades durante el conteo de los votos e impugnó el escrutinio. La queja debería llegar a Mitú un día más tarde, cuando se realizaría un segundo conteo y, en principio, eso favorecía a Tomás. Pero éste no lo sabía. Ni conocía tampoco nuevos argumentos que estaba maquinando el doctor Cachucha en ese momento.

Cachucha imaginaba que los caudillos del bando opuesto pretendían incluir dentro de la votación general del departamento del Vaupés, los sufragios depositados en un pueblo que, según los mapas, se halla en otro departamento.

— Eso se llama —dice el doctor Cachucha muy serio, ante la sonrisa de Marta, que es profesora universitaria— 'trashumancia de votos' y está contemplado como un delito en la Constitución Política de Colombia.

La verdad es que Pacoa —el pueblo del conflicto— corresponde al Vaupés y como tal, fue fundada sobre la banda izquierda del río Apaporis, una zona anegadiza, pero los primeros habitantes se pasaron al otro lado y levantaron sus casas allí cuando fue construida la pista de avia-

ción —buscando terrenos secos— de manera que el casco
urbano se desarrolló cerca de donde tienen que bajar los
aviones: en el departamento del Amazonas.

"Con ese argumento... y en su debido momento, yo in-
terpuse un recurso ante los delegados del Consejo Nacional Electoral en Mitú, pidiendo que también anularan la
votación de Pacoa", explica el doctor Cachucha y Marta
agrega:

—El recurso, jurídicamente es sencillo y muy bueno.

Jesús María Quevedo Rivas, el doctor Cachucha, es un
indígena menudo que susurra en tono alto y sonríe con
esa maldad del hombre inteligente cuando habla de las
contiendas ganadas a la luz de la razón. La reconstrucción
de aquella parte de la historia de Tomás no fue sencilla,
porque realmente Cachucha conoce a fondo los códigos y
algunas veces parece diluirse en artículos e incisos mediante los cuales explica toda esta peripecia y para tratar de
sobreaguar en medio de tanta cita a las leyes tuve que ase-
sorarme de Marta, quien me rescataba de la fronda jurídica con explicaciones sencillas.

"El Vaupés —dice el doctor Cachucha— "es clasista y,
además, racista. Allá hay una casta formada por algunas
familias de caucheros y gente que llegó del interior en busca de fortuna y han vivido pegados al presupuesto oficial.
Son la clase alta y, claro, siempre han utilizado al indígena
para que vote. Ellos votan, pero no les dan mejoras.

"En estas elecciones había una guerra general para que
no fuera a salir ningún indígena a la Cámara. Las casas de
mando tradicionales querían apoderarse de ese privilegio
y allí no les ha quedado tan difícil porque, mire: es que
ese pueblito de Mitú es la universidad de la politiquería.

Yo estaba del lado indígena, porque tengo ancestro indígena: mi madre era tucana, hablo el tucano y entiendo bien el cubeo que predomina en el territorio de Mitú, la capital del Vaupés.

"Bueno. Pues mi candidato indígena, el que me mandó a Carurú como delegado, fue derrotado, pero yo calculé la votación y pensé que si la impugnaba y se anulaban los votos, podía ganar otro indígena que era Tomasito.

"En Carurú, ese día se cerraron las elecciones a las cuatro de la tarde y a las cuatro y cuarto abrieron las urnas de las dos mesas que funcionaron allí. Yo vi que los jurados y los delegados de la Registraduría colocaron las papeletas encima y empezaron a hacer el conteo, pero en ese momento la Virgen Santísima sopló, hizo viento y se llevó los papeles y cuando los recogieron, escuché que los jurados no pudieron organizar bien esa cosa y uno dijo: 'Aquí sobran dos votos' Y otro contestó: 'Pues pasémoslos a la mesa número Uno'. Pero el de la mesa Uno, dijo: 'Hermano, es que aquí también sobran' 'Pues pasémoslos a la Dos'. Inmediatamente impugné: 'Señor delegado, que quede constancia en el acta que van a hacer ahora, que ustedes pasaron dos votos a la mesa número Uno y tantos a la Dos".

¿Impugnar? ¿Acta? Que alguien hablara en esos términos en plena selva, en territorio indígena, descontroló a los delegados que luego de mirarse... Sí. Dejaron constancia del soplo de la Santísima Virgen.

"Pues claro que ellos se confundieron" —dice el doctor Cachucha— "porque se habían equivocado a pesar del curso de capacitación que recibieron para desempeñar su trabajo. Eran educadores, gente capacitada, pero se enredaron. Además, entre el mismo paquete de los votos válidos que debían despachar para Mitú, metieron las papeletas en blanco que no fueron llenadas. En Mitú se hacía un recuento y cuando metí mi impugnación, nadie sabía, ni tenía idea de lo que iba a suceder con ese recurso.

"Pues, al otro día en Mitú, cogí los datos de todos los puntos, sumé y dije: 'Aquí tenemos representante indígena. Es Tomás Caicedo'. No me creyeron. Tomás se sentía derrotado pero lo animé y lo hice unir con el otro candidato indígena. Dijeron que sí, pero no me creyeron lo del triunfo de Tomás.

"Pasaron las horas y al otro día fue a mi casa a despertarme Cabeza de Palo, el hijo de Busca la Vida, para decirme que habían comenzado los escrutinios de todo el departamento, municipio por municipio. Y yo durmiendo.

"Cuando llegué allá, estaban en la mesa número Dos, de Carurú. Ya habían cerrado la mesa Uno y pensé que tenía que hacer rápido una maroma para amarrar las dos, porque ya no tenía opotunidad para discutir lo de la Uno. Entré diciendo que esas mesas estaban impugnadas y que la votación debía anularse.

"El mecanismo sencillo para anular la dos, era la inconsistencia de la suma de los votos. Pedí que sumaran el total, contaron y claro: allí había más votos de los registrados. La causal de nulidad que pedí aplicar era 'inconsistencia por cuestión numérica'. Yo me la sabía de memoria y de una vez la pedí. Luego dije: 'Solicito que lean el acta'. En el escrito aparecían dos votos de una mesa en la otra. 'Entonces, abran la mesa número Uno aunque sea extemporáneo'. Esa era mi la fórmula para hacer abrir la mesa a la que no tenía acceso por haber llegado tarde. Ahí también encontraron inconsistencia. Todos quedaron fríos. Prácticamente ninguno conocía la legislación. Nadie se imaginaba esto. Se puso de pie el delegado de la Comisión

Electoral y dijo: 'No hay nada que hacer. Anulada la votación'. Borrados todos los votos de Carurú. El ganador perdió noventa y ocho, el otro perdió treinta y nueve y Tomás, tres. Es decir, Tomás le restaba a los blancos.

"Pero cuando los rivales y sus amigos oyeron eso, se formó tremendo despelote en esa oficina. Los seguidores de los mestizos, o blancos, como les dicen allá, me insultaron, me corrieron, casi me pegan, me ofrecieron rejo. Yo me intranquilicé mucho por la seguridad personal. Tuve que llamar a la policía para que me pusieran escolta y me tocó esconderme de casa en casa y allá me llegaban las noticias: que la gente lo va a linchar, que le van a dar una paliza y al final vino uno a decirme que si quería dinero y eso a mí me dolió mucho porque me estaban comprando y yo no quería venderme.

"Al día siguiente vinieron los escrutinios departamentales y yo conocía a Pacoa. Como esa votación la estaban incluyendo dentro de la del Vaupés, eso era suficiente para anularla: no estaba dentro de nuestro territorio. Eso lo califica la ley, como ya le expliqué, mediante la figura de la trashumacia de votos. Así de claro, pero me parece que allí no sabían de eso.

"Bueno, pues ese día antes de comenzar los escrutinios, le dije a Cabeza de Palo que se consiguiera un mapa del Vaupés, donde fuera. En cualquier dependencia oficial. 'Dígales que es prestado por un momento, pero se va a perder porque va para Bogotá', le dije y fue y se trajo uno del Centro Experimental Piloto. 'Ya se lo devolvemos, es para hacerle una fotocopia', les dijo pero, qué va. Yo sabía que el mapa se perdería, porque iba a formar parte del acervo probatorio que necesitaba para mi reclamo.

"Me acuerdo que le comenté a alguien antes e comenzar el escrutinio que íbamos a tener un problema grave, 'porque cuando impugne la votación de Pacoa, con seguridad me la van a negar. Entonces necesito redactar al mismo tiempo impugnación y apelación, porque ya sé cuál va a ser el procedimiento que me van a recetar'. Entonces las escribí allí mismo, a mano, en dos hojas de papel.

"Las autoridades de ese escrutinio eran dos delegados de la Registraduría Nacional del Estado Civil en Bogotá, el registrador departamental del Vaupés, que tiraba más hacia los rivales que hacia Tomasito, el señor gobernador, que era uno de los caudillos del otro lado y las autoridades que tenían que ver con las garantías electorales: el fiscal, el procurador, el alcalde, el jefe de la policía secreta y el inspector de policía...

"Cuando llegó el momento presenté mi escrito impugnando, pero me guardé el mapa. Es que el mapa era el argumento de apelación, era mi carga de profundidad porque, una vez que me negaran la impugnación, tenía que cambiar de táctica. Si entregaba el mapa al comienzo, quedaba desarmado. Había que dejar munición para el final.

"Pues metí la impugnación apelando a la norma constitucional que dice que los votos no se pueden llevar de una jurisdicción a otra y de una vez me dijeron: 'Señor, esto no es procedente'

"El primero que se levantó fue Heraclio, un ex gobernador que apoyaba a los blancos y dijo que yo estaba cometiendo un desafuero, una tropelía y una vejación de lesa patria contra el departamento y que con profunda emoción patriótica me invitaba a dejar la bronca y me hacía un llamado a la cordura. Que cómo se me ocurría sacrificar así a mi terruño. Que mandara p'al carajo ese papel. Yo le dije que eso no era así, que de pronto era una enseñanza para que corrigieran los errores en un futuro y enseguida los demás dijeron en coro que no aceptaban el recurso.

"Me alisté para dar el segundo paso. Se trataba de que ellos concedieran la apelación y si la concedían, automáticamente eso se subía al Consejo Nacional Electoral, en Bogotá, donde las cosas eran a otro precio.

"Yo tenía que justificar mi segunda salida con algún argumento y entonces dije mostrando el mapa que se robó Cabeza de Palo, el hijo de Busca la Vida: 'El Instituto Geográfico Agustín Codazzi, que es la maxma autoridad en materia de límites, establece las jurisdicciones administrativas y territoriales del país y según él, el casco urbano de Pacoa está en el Amazonas y no en el Vaupés. Pido que me digan quién tiene la razón: ¿El Agustín Codazzi?, o esta respetable comisión electoral.

"Se miraron. Estaban fríos. Se desinflaron, porque por las calles ya andaban celebrando el triunfo. Los caudillos quedaron desconcertados pero allí había dos jueces que conocen bien la parte jurídica y dijeron que inmediatamente se debía conceder la apelación y trasladar el proceso a Bogotá. Silencio en la sala. Ahí lo que escuchábamos era la algarabía de la gente gritando el nombre de los líderes de siempre.

"En ese momento le dije a Tomasito: 'De aquí en adelante le toca seguir a usted con esto, porque va a ganarse su puesto en el Congreso. Yo llego hasta aquí porque no tengo plata para salir. Hay que poner un abogado. Y lo otro es que usted debe meter ahora mismo su apelación como parte interesada. Hágala ya, pero ya'. Tomasito me miró y yo cogí otro papel y la escribí a mano. Él la presentó al momento. Eso es de rigor jurídico.

"Como Candy estaba inscrita como testigo electoral, le expliqué rápidamente nuestra táctica. Hay una disposición que dice que quien apela, sólo tiene derecho a una intervención. Sólo a una y si le refutan, ella no podía contrarefutar para que no se formara polémica. Los demás sí tienen derecho a hablar. Pero ella, no. Entonces le escribí en un papel lo que tenía que decir. Pero como yo sí podía refutar, lo hice a favor. Esa acción fue muy importante en ese momento. Son puntos que ninguno de los de allá sabían, porque no conocen de derecho electoral.

"Cuando se supo afuera lo que estaba sucediendo en esa oficina, empezaron a rebotarse y a ofenderme, a decir que un gorgojo no iba a poder contra los abogados. A mí me dicen también Gorgojo porque trabajo la madera. Masas exaltadas y botellas de aguardiente corriendo de mano en mano. Ahí se me puso la situación color de hormiga, porque ya pasaron a la acción. Tan pronto como salí de ese sitio me corretearon unas tres veces para pegarme. Yo tuve que partir en carrera de marrano y escaparme. Me escondí y llegaron unos amigos con un metro a medirme las costillas. 'Es para ver el tamaño de su ataúd', me decían, porque afuera escucharon que me iban a matar y yo dije, lo único que tengo es que ir a la Fiscalía y demandar al caudillo derrotado. Fui, me quejé y después lo llamaron y le dijeron: 'Tribuno del pueblo, si al doctor Cachucha le llega a suceder algo, usted es el culpable'. Así lo neutralicé porque le implicaron responsabilidades directas.

"Bueno, pues el caso de Pacoa llegó hasta el Consejo de Estado, en Bogotá. Mientras tanto, yo investigaba y sacaba aquí documentos y se los mandaba a Tomasito y a Candy. Unos eran certificados de la misma gobernación del Vaupés, diciendo a qué lado del río estaba Pacoa. Y tenían que expedírmelos, por ley, a pesar de que estaban labrando su derrota. A uno de esos funcionarios casi le aplico prevaricato porque iba a decir cosas falsas y se lo anuncié. Él se dio cuenta de que estaba a punto de cometer un delito y tuvo que pedirme cacao. Es que el montaje para tumbar a Tomasito era grande. Tanto, que yo tuve que irme del pueblo porque la cosa estaba muy pesada contra nosotros. Era una ofensa que hubiéramos elegido a un indígena para la Cámara y los blancos instigaban a los indígenas contra Tomasito y contra mí".

En Bogotá, la contraparte nombró como su abogado ante el Consejo de Estado a una figura de prestigio nacional, ex ministro de Estado, ex senador, ex embajador y gran abogado y Tomás, desanimado, dijo: 'Esto ya se perdió. A trabajar' y siguió volando. Pero Candy se puso al frente de la reclamación y con Jhimmy, el hijo mayor, llevaban memoriales y luchaban, asesorados a larga distancia por el doctor Cachucha.

Durante el forcejeo, el diario *El Tiempo* publicó una columna de Andrés Hurtado García con el título "El infierno de Pacoa", que dice entre otras cosas:

> Pacoa son dos hileras de casas paralelas, ubicadas a ambos lados de la pista de aterrizaje. A raíz de las elecciones del 13 de marzo se le ocurrió a un gracioso decir lo que todos sabían: que la cabecera de Pacoa está dentro de Amazonas. Lo peor del caso es que al chistoso de marras, 'le cogieron la caña' unas autoridades despistadas y ahora nadie quiere reconocer a los habitantes del pueblo, ni Vaupés ni Amazonas. La gente está desesperada, no sólo porque quiere votar en las elecciones de octubre, sino porque todos los trámites y papeleos diarios están suspendidos.

He aquí un caso aberrante: que a los colombianos en su propia tierra los desconozcan. Rebasa todo sentido común y clama justicia. Imagino que el primer derecho humano a que tiene derecho un ciudadano es a que su Estado lo reconozca.

Una interpretación estúpida. Un político llevado de inconfesables intereses personales. Y todo un pueblo sometido a la rabia y a la impotencia. Esto es Colombia. Imagino que alguien deberá resarcir a los habitantes de Pacoa, el tiempo y las terribles molestias sufridas.

Jesús María Quevedo Rivas, el doctor Cachucha o "el chistoso de marras", nació en Carurú hace cuarenta y dos años, tiene un metro con sesenta y cinco centímetros de estatura, setenta kilos, tez cetrina, pelo lacio y cara de satisfacción.

"Siendo niño" —dice— "alcancé a vivir la cauchería, cuando se marcaba al indígena con las facas o navajas de rayar los árboles, en la frente y en otras partes del cuerpo y cuando se le daba fuete si no cumplía con las cuotas de caucho que le ponían como tarea los blancos. Eran tan déspotas...

"Hice hasta quinto de primaria en el internado de los misioneros, en Mitú. Porque mis notas no fueron malas —fui el segundo de mi cochada—, como premio los misioneros me llevaron para su seminario en Yarumal, Antioquia, un pueblo en la cordillera de los Andes. Allá llegué y vi a todos esos curitas rezando, muy callados y como a mí me gusta la pachanga, no quise entrar. Me mandaron para Bogotá a capacitarme en ebanistería y luego me llevaron nuevamente a Antioquia, a un sitio llamado Entre Ríos, donde hice primero de bachillerato. Saqué el segundo lugar, pero como me bajaron la conducta, me devolvieron para Mitú.

"¿Sabe qué sucedió? Yo todavía era inocente. Un día encontré tirada en la calle una bomba de caucho, de esas que se usan para adornar las fiestas infantiles y me gustó. Entonces la inflé y me fui para el colegio jugando con ella. Y en plena fila inflaba y desinflaba y yo veía que algunos se reían, hasta que uno de los padres me reprendió: la bombita era un condón. No tenía ni idea. Es que en esa época ni siquiera se pronunciaba la palabra condón, era algo prohibido, vulgar, grosero. Entonces me llamaron a la rectoría y me bajaron la nota de conducta.

"En Mitú seguí estudiando el bachillerato en el internado de los misioneros, pero me expulsaron porque con otros nueve muchachos habíamos recibido una beca oficial que nos concedió "el doctor Sí, Sí", pero los misioneros cogían la plata y no nos daban ni para nuestra ropa, ni para nuestras cosas. Hicimos huelga y nos pusieron en la calle.

"Como teníamos deseos de estudiar, fuimos los fundadores de un nuevo internado en el colegio oficial del pueblo, con la ayuda de las autoridades civiles. El internado nos permitía vivir en el mismo colegio y nosotros nos ayudábamos trabajando en las casas del pueblo durante el tiempo libre y a cambio nos daban la comida.

"Estando en cuarto de bachillerato nos mandaron a la Quinta Feria Internacional de la Ciencia en Medellín, a Saúl Vega, que presentó un trabajo de botánica sobre una planta llamada barbasco, yo presenté un geoplano eléctrico y Plutarco Chávez, un trabajo sobre el procesamiento ritual de la coca, no de la cocaína, y los tres regresamos con premios. Mi trabajo fue el segundo a nivel nacional en matemáticas. Lo hice con bombillitos de linterna, plaquetas y cables, para permitir en forma más didáctica la enseñanza de las matemáticas, de las líneas geométricas y de las coordenadas cartesianas, pero cuando me llamó el jurado a sustentarlo, lo expliqué y me preguntaron por qué no lo había ideado en el plano tridimensional. Yo no sabía qué era eso. Dudé y perdí el primer lugar. Me vieron cara de indio.

"Con el segundo lugar, dijeron que el premio era una beca para pagarme el estudio donde yo quisiera, pero me resultaron falsos, no me dieron nada y por eso no me capacité. Yo estaba soñando con estudiar ingeniería química o química de textiles, pero...

"Regresé a Mitú y estuve detenido unos días. ¿Por qué? Porque se me estaban afilando las uñas. Hay que contarlo: con mi grupo de estudiantes escuchábamos diariamente, "El León de Francia", una radionovela de Caracol. El León robaba para regalarle a la gente y un día, Jesús Santacruz, Juan Antonio Rodríguez y yo, robamos ropa en un almacén y empezamos a regalarle a la gente pobre. Hasta a unos policías les dimos prendas. Nos descubrieron y como vieron que no lo habíamos hecho por maldad, nos detuvieron tres días y nos hicieron renunciar al colegio. Como castigo, a mí me mandaron para un pueblo en plena selva llamado Calamar, a trabajar en la construcción de un camino. Eso me benefició porque me nombraron capataz con la oportunidad de ganar dinero, pero cuando terminamos, el contratista no nos pagó. Se fugó y lo vinimos a pescar más tarde con las autoridades y tuvo que pagarnos.

"Volví a Mitú y monseñor Belarmino Correa me ayudó económicamente y me fui a Cali, otra ciudad del interior del país, a buscar la manera de estudiar. Allí tenía una hermana. Mi papá nunca me ayudó porque era pobre. Entré a la Escuela Normal y no pude terminar mi especialización de profesor. Iba muy bien, pero no había dinero.

"Regresé a San Martín, un pueblo del Llano donde vivía mi papá. A mi hermano lo habían matado en un combate siendo soldado del Ejército y con la pensión que le dieron al viejo pude pisar otra vez el colegio.

"Todavía tenía ilusión y cargaba la tarjetica del premio a los mejores estudiantes de la Feria de la Ciencia en Medellín y de todos lados le escribía a la fábrica de telas que ofreció pagarme mis estudios, pero nunca me contestaron. Escribió el rector y tampoco le contestaron, hasta que un día, desesperado por estudiar y estudiar mejor y avanzar en conocimientos, les envié una carta muy supergrosera, invitándolos a que se guardaran la tarjeta entre el bolsillo de atrás. Ahí sí contestaron. Que dijera cuánto valía el colegio, pero yo no pagaba sino veinte pesos mensuales. Me mandaron cinco mil pesos. Cuando terminé mi bachillerato con las mejores notas, les escribí hablándoles de la universidad y no contestaron. Si no me hubieran engañado, yo podría haber estudiado en un buen colegio de Bogotá, yo hubiera entrado a la universidad, yo...

"Hice cursos de capacitación especial en el Servicio Nacional de Aprendizaje y terminé como instructor de español, matemáticas, sociales y recreación.

"Luego hice otros cursos en el Instituto de Deportes: me metí en la parte de capacitación física, me enviaron a la Escuela Nacional de Entrenadores, en Cali, y salí como monitor y me iban a homologar como licenciado en educación física, pero no hubo dinero para seguir y terminé en Mitú como profesor de gimnasia.

"Estando allí, ya tenía la chispa adelantada. Mejor dicho, era revolucionario porque trabajaba con la acción política y comencé a crear la idea de formar líderes, a crear movimientos de relaciones políticas, de capacitación en administración, para oponernos a los gamonales blancos que se enquistaban en los dineros oficiales Yo era un antigamonal. Se trataba de buscar un cambio, pero haciendo que la gente pensara y un misionero me recomendó ante el comisario don Mario Arango para ocupar el puesto de alcalde. En ese momento aún los alcaldes no eran elegidos por voto popular. Fuimos los dos candidatos y don Mario se confundió y nombró al otro.

"Esperé años. Vino la elección popular de alcaldes, me presenté con la ayuda de monseñor Belarmino Correa. Tenía opción pero éramos dos candidatos liberales. Se dividió el partido y ambos perdimos, pero ahí me di cuenta que tenía votación propia y fue cuando vino mi tecera derrota frente a Torún, el indígena enemigo político de Tomasito, que era alcalde cuando las elacciones de Pacoa".

Cuatro meses después del día de elecciones se instaló el Congreso de la República y Candy, sus hijos y el doctor Cachucha animaron a Tomasito para que ocupara su curul. Tenía derecho a hacerlo mientras se producía un fallo del Consejo de Estado y una mañana de julio, él se detuvo en el centro de la Plaza de Bolívar, frente a la fachada del edificio del Congreso, una construcción republicana que abarca el costado sur.

Hacía sol pero un viento frío y la nube de palomas que se posó a sus pies le hizo tener nuevamente la sensación que había experimentado cuando era niño y vio por primera vez la gran construcción de madera del internado en

Mitú, o la tarde que llegó a Vanguardia y se encontró abandonado en medio del estruendo de decenas de aviones y aunque sabía perfectamente lo que deseaba, no encontraba por dónde comenzar a buscarlo.

Sin embargo, aquella mañana, solo, en la inmensidad de la plaza, metido entre un traje de paño, con una camisa y una corbata que le apretaban el cuello, pensó que allí era más extraño que nunca y sintió temor.

Al final de las gradas que dan acceso al Capitolio, un policía le explicó que los congresistas tenían sus oficinas en otro lugar y allí volvió a sobrecogerse. Era un edificio moderno, con puertas de vidrio, guardias que lo miraron de arriba abajo sin chistar y pisos largos que convergen en el centro de un vestíbulo, también frío y silencioso.

—Yo fui elegido como representante —le dijo a un hombre que cruzó por su lado y éste respondió:

—Usted es nuevo, ¿verdad? Vaya a la secretaría, por allá —y le señaló la escalera.

Después de subir un piso y otro y de volver a bajar y de tratar de subir nuevamente, alguien lo guió.

—Yo soy Tomás Caicedo Huerto, representante por el Vaupés —dijo, y una secretaria buscó su nombre en la pantalla del computador.

—¿Caicedo? Aquí figura otra persona.

—Sí, pero el verdadero soy yo.

La mujer lo miró fijamente y luego le expidió una identificación.

—Y ¿ahora?

—Doctor, ahora usted tiene que llenar este formulario y éste y este otro y los ponemos a cursar para que la secretaría le asigne su oficina y lo incluyan en la nómina...

"Duré unos tres meses sin oficina, caminando por los pasillos y los corredores, pero a las dos horas dejé de sentirme como un extraño porque conocía a los congresistas de lo que llamaban "La media Colombia", que eran los departamentos de la selva y el Llano, los del Pacífico, los de los sitios más olvidados. Ellos eran mis amigos y me guiaban y me ayudaban.

"Con el tiempo me asignaron una oficina pequeñita pero el computador no servía, algunos vidrios estaban rotos, los bombillos dañados, los muebles dañados. Bueno, me quedé ahí, pero ni me dijeron cuál era el número del teléfono, ni figuraba por ningún lado, porque lo habían borrado. Nadie lo sabía y trate de averiguarlo y trate y nada, hasta que al tercer día entró una llamada para el representante que la había ocupado antes y le pregunté a la persona: 'Cuénteme a qué número está llamando usted'. Me dijo: 'a tal' y así lo supe".

Antes de llegar a la 401-B, es posible cruzar por oficinas amplias con salas de espera y muebles confortables, en las cuales atienden una o dos secretarias, varios asistentes, mensajeros, pero la de Tomás es una de las más pequeñas del edificio. A la entrada se mueve con estrechez Sonia, la secretaria y detrás de una puerta se ven el escritorio y tres sillas, un mapa del Vaupés, una fotografía de Tomás con anteojos, un teléfono y una mesita con revistas.

"El computador siempre ha estado bloqueado", dice Sonia con desconsuelo y Marta Russi complementa la idea:

"La mesa directiva de la Cámara está conformada por personajes de la fauna política que dicen sí, pero no. Y Tomás no es la persona que se mantiene pidiendo, insistiendo y ejerciendo presión. Él pide. Si no le dan, se resigna. En eso es muy discreto. Entonces, primero: no está en la rosca de los manejos. Aquí hay congresistas que tienen computador personal, uno o dos computadores en la oficina, nevera... Usted aquí encuentra lo poco que ve. No hay nada más, porque en el Congreso las cosas se dan en la medida en que se obtiene algún provecho de la persona. Es decir: algún acuerdo para votar, algún apoyo determinado. Si el representante no pacta, no le dan nada. Y segundo: existen senadores y representantes de primera categoría porque se conocen todas las artimañas y tienen dos y tres oficinas y cinco líneas y el que llega nuevo, como todo primíparo, va pagando las consecuencias de la novatada.

"Pero, más allá, el caso es que Tomás es exageradamente honesto. Al punto de que, si tiene derecho a algo y ve que no lo necesita, no lo pide. Por ejemplo, hoy a los congresistas no les dan automóvil porque como en el pasado abusaron mucho de ellos, resolvieron otorgarles un crédito para comprarlo y pagar sin intereses, pero él no ha querido tomarlo. Y yo le digo: 'Representante, es hasta criminal dejar perder esa plata. ¿Usted sabe cuánto valen los intereses de treinta millones de pesos al mes?' Si él quisiera, aquí le prestan eso y si quiere más, le prestan más, siempre y cuando acredite que el auto que compró es más costoso, pero él dice: 'Yo tengo carro. Ese carro sirve'. Él no entiende el lujo ni la comodidad como necesidad de consumo, ni como alarde de poder. Adora su carro viejo porque lo luchó. Y no tiene chofer. Él mismo maneja. Podía tenerlo y podía tener ayudante y secretario privado y tener cocinera. Pero, no.

El dinero que le dan mensualmente para todas esas cosas, lo utiliza en pagarles vivienda, comida, ropa y estudio en Bogotá, a seis jóvenes venidos del Vaupés".

El auto es un modelo de hace dieciséis años. El día que visité su oficina por tercera vez, llegó quince minutos tarde, pero su secretaria me dijo que había llamado para avisar que tenía los frenos descompuestos y lo estaba dejando en un taller. Venía en taxi.

—¿Cómo es la historia del auto? —le pregunté a Marta y ella propuso que lo esperáramos. Le parecía que el cuento tiene más sabor en sus propias palabras. Escúchelo —agregó—, pero pensando en que todas sus cosas han tenido el precio de la lucha. Es que él ha sido golpeado por la suerte y por la adversidad al mismo tiempo. La conjunción de esas dos cosas parece marcar su vida:

Era 1981 y Tomás compró una boleta para la rifa de un R-12 modelo 80. La 5054. Cuatrocientos pesos, la guardó en algún lugar y se fue para la selva.

"Por esa época yo andaba lejos" —cuenta luego— "y de la torre de control de Villavicencio llamaron a la de Mitú con un mensaje para mí. Estaba lloviendo. Yo me encontraba en el Hotel La Vorágine y me fueron a buscar: 'Que lo necesitan urgente en el aeropuerto'.

"Me acuerdo que estaba de controlador Carlos Avila y me dijo: 'Capitán, buenas noticias: usted se ganó un automóvil' Pero, ¿cómo? Yo no sabía dónde había dejado la boleta. Y ¿la boleta? Bueno, me puse a pensar y cuando regresé al hotel escuché la noticia por La Voz del Llano. Era un diciembre. Me fui para Villavicencio, me presenté, me entregaron el carro en un acto especial y como no lo sabía manejar porque tenía la barra de cambios en el piso y el R4 en que yo andaba se manejaba con una manija al frente, me tocó llamar al cuñado de Fernando Estrada para que se lo llevara. Esa tarde le pedí los papeles al tipo que me lo entregó y él dijo: 'Tranquilo, ahora estamos en fiestas. En enero le entrego todos los documentos'.

"Bueno, agarré mi carro nuevo y Candy se quedó con el Renault 4. Estábamos hechos. Pasó diciembre y como a finales de enero lo llevé donde Miguel a que le arreglaran los frenos, hice un vuelo y regresé por la tarde y en lugar de carro, Miguel me entregó un papel: 'su auto se lo llevó la policía', dijo. '¿Cómo? ¿Se lo llevaron? No. No puede ser. ¿Me quedé sin carro?'

"La policía me informó que Car-Llanos, una agencia, lo había mandado a recoger y en Car-Llanos me contaron que quien lo rifó solamente había pagado la mitad y le dije al gerente:

—Pero, ¿qué hago entonces en este caso? Ese carro no tenía radio, yo se lo puse. Déjeme le quito el radio— y me contestó:

—Mire capitán: si usted quiere su carro, tiene que poner un abogado. —Pero cómo voy a poner abogado si yo me lo gané en una rifa. Mire, aquí está el certificado de la Cámara de Comercio, éstos y éstos son los testigos, aquí están las fotos de la entrega... Yo no tengo abogado, no conozco a ninguno. Déme uno suyo. Inmediatamente me ofreció varios y pensé: 'Estos son amigos de él. Me van a tumbar'. Entonces conseguí al doctor Winston Rubio y nos gastamos un mes en pleito, antes de que me lo entregaran.

"Al poco tiempo me ofrecieron una boleta para la rifa de un equipo de sonido. Me lo gané, fui a reclamarlo y el tipo me respondió: 'Hombre, qué problema: se entraron los rateros y se robaron el equipo'. Le pedí entonces el dinero, pero en cambio me prometió que me daba el equipo después. Cada rato iba y él decía que no, que volviera la semana siguiente, hasta que un día le dije que iba a ir a la autoridad y él me contestó: 'Demándeme entonces'. Nuevamente entré a donde Winston y tan pronto me vio, se rió y dijo: '¿Usted? Mire Tomasito: cada vez que compre boleta para una rifa, aliste primero el abogado'. Demandamos al hombre en un juzgado y allá expidieron orden de captura. Esa la guardó el abogado y nos fuimos a buscarlo, pero cuando llegamos a la esquina de su casa, vimos que estaba cargando sus muebles en un camión. Se iba a volar:

—Doctor, es él.

—Vámonos para la policía secreta, presentamos la orden de captura y lo hacemos agarrar —me aconsejó Winston.

Llegamos allá, les explicamos y un hombre dijo: 'Hoy es sábado. Yo no puedo capturar sino hasta el lunes'.

—¿Cómo? Señor agente, aquí está mi abogado, aquí está la boleta, el hombre está allí.

—No. Yo no puedo capturar ni hoy ni mañana domingo. Vuelvan el lunes.

"Nos fuimos a buscar a alguien que lo agarrara y por fortuna apareció un policía uniformado, le contamos, le mostramos la boleta, el abogado se identificó y el policía respondió: 'Yo no puedo porque no estoy de servicio'. Estábamos con él cuando apareció otro que resultó conocido del aeropuerto y tuvimos que volver a explicar todo, le mostramos la boleta, el abogado se identificó y él dijo: 'No puedo. No es mi zona'. En ese momento lo único que se me ocurrió fue sacar dos mil pesos y dárselos y ahí sí se animó: 'Vámonos rápido para que no se vuele'.

"Cuando llegamos a la esquina, el tipo no estaba. El camión no estaba. Dimos algunas vueltas y lo encontramos echándole gasolina al vehículo y tan pronto lo vi, le dije al policía: 'Este es el señor' y el tipo salió con que lo único que tenía era un televisor de segunda mano. Me tocó recibirlo y, además, pagarle al abogado".

Su primer mes en Bogotá fue la continuación del camino de penuria que había transitado durante cincuenta años y por tanto, las mañanas sin bocado o las noches en un colchón modesto no le fueron extrañas.

Al atardecer se alojaba en un hotelito de la Avenida Jiménez de Quesada —zona en deterioro del centro de la ciudad—, esperando a que el primer sueldo en la Cámara le permitiera unas condiciones de vida menos distantes del cargo que acababa de ocupar.

"Yo pagaba cinco mil pesos por dormir y para que no me cobraran el día, sacaba temprano la maleta y la dejaba a guardar en la recepción o me la llevaba hasta el parqueadero del Congreso donde dejaba el carro por las noches. Ahí no me costaba nada. Comía poco y leía todo lo que podía. Algunas veces me invitaban los representantes amigos a un tinto y a veces a almorzar. Ahí salvaba el día", dice.

El paso inicial en la Cámara era acomodarse dentro de una Comisión que le permitiera comenzar a cristalizar siquiera una parte de las ideas que se le agolpaban en la cabeza, pero para conseguirlo tenía que ajustarse a los mecanismos tradicionales de la corporación. Esto es, realizar un sondeo entre los congresistas y hacer pactos que le aseguraran la votación requerida.

Estudió la situación y encontró que la comisión sexta era ideal porque tenía que ver con salud, educación, radiocomunicaciones y turismo, pero a la hora de la elección perdió por un voto y debió acomodarse en la segunda, que maneja básicamente política internacional y fronteras. Su departamento cubre parte de la línea limítrofe con Brasil.

Su primera gestión exitosa consistió en agilizar la adjudicación de una partida de ochenta millones de pesos para adelantar algunas obras públicas en Mitú, pero cuando lo logró le explicaron que el requisito para que giraran ese dinero era que el alcalde firmara algunos documentos.

Entonces aún ocupaba ese cargo Torún, el indígena que había sido su opositor encarnizado durante la campaña y alguien le dijo que se hallaba en visita oficial en Bogotá. ¿Dónde se hospeda?, preguntó y alguien le dijo que en el Tequendama, un hotel de cinco estrellas.

Torún había trabajado varios años con el gobierno en Mitú, ocupando puestos de muy bajo nivel y allí se contagió de los manejos que algunos funcionarios le daban al presupuesto oficial.

"El Tequendama es lujoso. En ese momento, sólo dormir valía cien mil pesos y una botella de Sello Negro, porque él no tomaba sino de eso, costaba ciento cuarenta mil pesos. Imagínese. Con sólo eso, yo podía comer todo un mes", cuenta Tomás.

"Allá encontré a Torún, borracho, con unas diez personas que se había traído a que lo acompañaran y le dije que se presentara al Ministerio para firmar y le entregaran la plata al municipio, pero se quedó mirándome y lo que me dijo fue: '¿Qué quiere beber?' 'Yo no puedo', le contesté. En ese momento yo estaba en ayunas y me tomé un refresco.

"Después supe que él siempre que llegaba a Bogotá, se alojaba en el Tequendama. Luego se iba con su gente para uno de tres estrellas. Después, para uno de la plaza de mercado y cuando se le acababa la moneda, regresaba a Mitú.

"Bueno, pasó el tiempo y yo pendiente de la obras en el pueblo, hasta que un día me dijeron en el ministerio que el alcalde nunca había ido a firmar. Se perdió ese dinero".

Los dos eran viejos conocidos, pero alternaron por primera vez veinticinco años antes, cuando por iniciativa de Tomás varios estudiantes indígenas crearon una fundación llamada Katuyumar, nombre que aglutina las etnias del Vaupés. En ese momento, Tomás estudiaba aviación y Torún cursaba bachillerato.

"El cuento es que una vez fui a visitar a la familia de Carlos Romero, que fue colono, vivió mucho tiempo en Mitú, se casó con una indígena y en esos días vivían en Bogotá y los indígenas llegaban a esa casa", dice Tomás.

"Para entonces yo vivía en la escuela de aviación y era celador y cuando llegué a donde Carlos, encontré un poco de indígenas. ¿Qué hacen? Hombre, estamos estudiando bachillerato; otros dijeron que estudiaban algo industrial, otros ebanistería, electricidad. Entonces yo les conté que estaba viviendo en una casa grandísima y dije que iba a tratar de que los dejaran dormir allá, porque vi que en una piecita pequeña dormían como veinte tipos.

"Al otro día hablé con Jorge Páez, el dueño de la escuela de aviación: 'Don Jorge, tengo unos indígenas que están muy mal de vivienda, no tienen dónde quedarse'. Y dijo: 'Tráigalos, que nos ayuden a cuidar aquí', porque a él le habían robado de la escuela —cuando estaba sola— computadores, teléfonos, calculadoras... saquearon todo. Por eso cuando yo me fui a vivir allá, me dijo: 'No nos cobramos si usted cuida esto'.

"Jorge Páez pidió que cada cual llevara su colchón. Lo llevaron y desde ese momento, por la noche, cuando la gente se iba, tendían cama, dormían y tempranito recogían y guardaban antes de llegar los estudiantes.

"Pasó el tiempo y cuando me iba a graduar, les dije que en vez de estar allá acostados y pidiendo limosna, hiciéramos una fundación. No querían. Dijeron que era mejor viajar a Cuba a traer armas y luego irnos a derrocar al gobernador del Vaupés y quedarnos a vivir en lo nuestro. Les dije que no. Que la idea no era la guerra ni la revolución, sino la inteligencia. Que hiciéramos una fundación. Los convencí. Fuimos al Ministerio del Interior, llenamos solicitudes, hicimos escrituras y nos la aprobaron.

"En ese momento estaba de presidente el doctor Alfonso López Michelsen y su señora, doña Cecilia Caballero de López era la primera dama. Ellos habían visitado el Vaupés y conocido la región. Por intermedio de doña Cecilia conseguimos una casa y la presidencia nos empezó a dar el dinero para pagar arrendamiento. Y nos dio camas, colchones, muebles de comedor, estufa, nevera, todo lo de cocina, todo lo de una buena casa. Entonces me gradué y me fui a volar y los dejé ahí, organizados.

"Al mes volví, todo estaba bien y les dije: 'Esto es de ustedes, yo ya no soy estudiante, ya no tengo nada que ver en esto, pero lo importante es que los que siguen estudiando van a vivir aquí con todas las facilidades.

"Después de eso, encabezados por Torún, empezaron a beber trago y todo se iba en rumba y a las pocas semanas ya no había dinero. Y como se acabó el dinero, Torún y dos más empezaron a vender los muebles, uno por uno. Cada vez que no había plata, vendían algo y con eso llevaban trago y mujeres. Se la pasaban en fiesta.

"La primera dama supo eso y cortó totalmente la ayuda. Entonces ellos vendieron el resto del mobiliario, compraron algunos colchones y se fueron a vivir en una zona muy mala, muy mala, en una casa inmensa, viejísima, a punto de caerse. Lo que se llama un inquilinato. Allá debían pagar por unas piezas... No sé cuánto. La verdad es que nunca pagaron.

"Cuando llegaron a vivir allá eran unos treinta y dejaron sus colchones, su poca ropa y cerraron y cuando salieron, entraron los ladrones y les robaron todo.

"El presidente de la gallada era Torún y se hicieron amigos con los rateros y acordaron un pacto: como ustedes ya robaron, ahora cuídennos la casa. Cuando llegue indígena, no lo vayan a robar. De ahí para adelante, indígena que llegaba, no lo robaban. Pero estaban arruinados, arruinados y como no tenían qué ponerse, se fueron a Coldeportes y allá les regalaron ropa deportiva. Vivían vestidos como la Selección Colombia.

"De ahí rodaron un tiempo, no sé qué pasó y por fin, Torún terminó su bachillerato y se metió a derecho. Estudió como diez años y nunca terminó. Estando en esa pobreza, escribieron una carta a la embajada de Noruega y la embajada respondió muy bien. Vino a visitarlos un señor, miró y dijo: 'Ustedes están muy mal. Vamos a tratar de que nuestro gobierno los ayude".

Al cabo del tiempo les dieron dieciocho millones de pesos. Torún recibió esa plata y compraron una casa muy bonita, de dos pisos, por trece millones y medio, frente a la Universidad Nacional y volvieron a comenzar con lo mismo: todos los sábados había fiesta o llegaban borrachos. Como yo era fundador, fui y les dije: 'Aquí vamos a organizarnos. Ningún estudiante puede llegar borracho. La entrada es, por tarde, a las diez de la noche. A esa hora se cierra la puerta'. Pero como Torún es un borracho, él fue el primero en violar el reglamento y tuvimos los primeros problemas.

"Después, ellos llevaron otra carta a la embajada de Noruega y la embajada les mandó más dinero: otros veinte millones. Eran reyes. Torún manejaba chequeras, viajaba con los de su rosca a Leticia, a Manaos en el Brasil. Como vivían en turismo, los estudiantes universitarios se pusieron bravos. '¿Cómo así? Esto es para nosotros y el que se lo está bebiendo es Torún con sus dos o tres amigos' y un día colocaron un petardo en la puerta de la casa para protestar. Que iban a tumbar a Torún. Se rebelaron.

"En esa época yo estaba volando en el Vichada, vine a hacer algunas gestiones en la Aerocivil y me dijeron que iban a elegir otro presidente y ahí sí se acordaron que yo era fundador. Ahí sí fui fundador. Cuando hay problemas se acuerdan, porque es que ya me habían sacado de la lista de los fundadores.

"Bueno, me quedé esa noche y empezamos con ellos a trabajar haciendo estatutos. Trabajamos como quince horas, pero ellos estaban muy radicales. Decían que estudiante que perdiera una materia, había que echarlo p'a fuera. Les expliqué que los estudiantes pueden perder una o dos materias y eso no quiere decir que sean malos. 'Lo que hay que establecer es algunas sanciones para el que pierda. Pero no echarlos. Vamos más bien a estimularlos para que estu-

dien y aprovechen', les dije y se calmaron. Después de eso
vinieron las elecciones de directivos. Torún se postuló como
presidente para demostrar que sí podía y le dije: 'Torún,
usted ya no puede' y nombraron a uno que había estado
en el seminario, pero con el tiempo él fue blando y empezó
a dejarse manejar por Torún y los suyos.

"Llegó otra ayuda de treinta y ocho millones de pesos
de esa época y cuando me enteré, llamé al presidente y le
pregunté si Torún ya había entregado las chequeras, los
sellos, la papelería. Dijo que no. Que Torún tenía no sólo
las chequeras, sino las llaves de la casa. En ese momento,
Torún estaba negociando una casa para él y lo único que
esperaba era la llegada de ese dinero. Tan pronto supe, fuimos al banco a ver cómo eran las cuentas y encontramos
noventa mil pesos en un fondo de ahorro y un sobregiro de
catorce millones de pesos. Catorce millones de esa época.

"Como Torún iba seguido al banco a preguntar si ya
habían llegado los dólares de Noruega, al día siguiente le
dijeron que la cuenta estaba congelada, porque eso fue lo
que hicimos. Ahí se agrandó su molestia conmigo.

"Torún ya no vivía en la casa de la fundación y como
tampoco había entregado las llaves, un día entró alguien
sin romper los candados y desapareció un televisor. Hicimos cambiar las guardas de las cerraduras y les dije que
me entregaran los libros de contabilidad. Lo primero que
encontré fue, óigame bien: 'arreglo de máquina de escribir, Mitú, Vaupés, Luis Uribe: sesenta mil pesos'. Pero
¿cómo van a llevar de Bogotá a Mitú una máquina de escribir para arreglarla allá? Según ese libro, una secretaria
se ganaba medio millón de pesos. Medio millón, cuando
el salario mínimo era de treinta y tres mil pesos. (Yo como

piloto ganaba ciento veintiséis mil). La mujer de Torún figuraba con un sueldo como administradora y con otro como enfermera. La mensajera otro tanto, el jefe de consignaciones, otro tanto. La muchacha del servicio, otro tanto, pero todos esos sueldos iban para el bolsillo de Torún.

"Los indígenas llegaban de Mitú a dormir allá una o dos noches y él les anotaba nombre y cédula, los hacía firmar y con eso iba al Ministerio del Interior, a algunas embajadas y decía que a todos los mantenía y así conseguía dinero para él.

"Él no sabe qué es madrugar a trabajar, él no sabe qué es coger una herramienta. Toda la vida fue tramposo. Es amante del dinero pero nunca lo guarda. Tuvo una casa en Bogotá y la vendió. Después se fue para Mitú con la aspiración de hacer política y venir como representante a la Cámara y para su campaña se llevó a un dentista amigo de él y allá echó discursos y les dijo a los indígenas que les iba a dar cajas de dientes bonitas y puentes y dientes más brillantes y más blancos y los indígenas abrieron la boca. Les sacaron muelas y les sacaron colmillos y les arrancaron los dientes de adelante y al cabo del tiempo, todo el mundo mueco en Mitú. Muecos y gritando: 'Vamos a votar por Torún, porque nos va a dar caja, nos va a dar puente bonito'. Se quedaron muecos, porque Torún no salió para la Cámara.

"Bueno, pues como no salió congresista, se vino otra vez para Bogotá y se metió en la fundación y cuando menos pensamos, no había un solo peso y Torún había hipotecado la casa. En esos días llegó la visita de algunos senadores indígenas y ellos mandaron una carta a la embajada de Noruega diciendo que la plata no estaba llegando a los estudiantes. La embajada cortó la ayuda.

"Con la plata de la hipoteca se regresó a hacer política. Esa vez quería ser alcalde de Mitú y daba cerveza, aguardiente, daba gasolina para los botes... Él cambiaba los billetes de cinco mil por de a cien pesos, que era el billete más pequeño, hacía fajos, ponía uno de cinco mil encima y otro debajo y en el centro los de cien y cargaba todo eso en un maletín grande. Llegó el día de elecciones y le ganó precisamente al doctor Cachucha. Al principio Torún perdió, pero demandó los votos porque a Cachucha le sumaron los de un corregimiento que no pertenecía a Mitú. Ahí fue cuando Cachucha se puso a estudiar los códigos electorales. Se los aprendió de memoria.

"Pero mientras el pleito por la alcaldía, Cachucha mataba cada ocho días novilla: 'Yo ya gané'. Y era fiesta. A los ocho días, decía: 'Voy ganando. Voy a ser alcalde'. Otra fiesta. Y la mujer compró un vestido de lo más fino y, fiesta todos los días y fiesta por las noches y que Torún ya perdió. Al otro día: 'que Cachucha perdió'. 'No, que Torún fue el que perdió'.

"Vinieron al Consejo de Estado para escuchar el fallo final. La mujer de Cachucha, bien vestida, Torún con su grupito y cuando dijeron que Torún era el alcalde, la mujer de Cachucha se desmayó. Se le dañó el vestido. Cachucha quedó derrotado y debiéndole a todo mundo.

"Cuando Torún asumió la alcaldía, ya era Don Torún, pero como él pensaba que el manejo de los dineros del Estado era como los de Katuyumar, donde no había ningún tipo de fiscalización, terminó en la cárcel de Villavicencio".

**Marta** —Después de haber sido su enemigo político, Tomasito es el único que va a visitarlo a la cárcel. La primera vez, lo encontró durmiendo en el suelo físico y le llevó un colchón y algunos pesos... Después de que era su enemigo político, porque Torún persiguió a Tomasito. Y Tomasito es tan noble, que es el único que se acuerda de él. Torún tiene hoy en su contra dieciocho procesos penales por peculado".

Más que el caso de Torún, los de algunos indígenas que cometieron delitos menores y fueron remitidos a cárceles de las ciudades han ocupado una parte del trabajo de Tomás en el Congreso.

Asesorado por Marta y a partir de principios generales del derecho, busca la fórmula para crear territorios indígenas especiales y que los delitos sean del conocimiento de las autoridades de cada tribu, de manera que —como ha sucedido a través de los siglos— sea el propio cacique quien imponga el castigo, relevando la acción de los jueces de los 'blancos'. Es decir, "darle marco jurídico a los sistemas de control social de esas culturas, porque lo hay", explica Marta y agrega: "Allá existe el payé y él es quien penaliza. Ellos entienden que ese es el castigo que deben recibir y que el juez o el fiscal, lejanos a lo suyo, no tienen por qué intervenir en cosas de su pueblo y de su cultura.

"Es que, desde cuando empezamos a trabajar con Tomás en esto, hemos podido medir que se hace un daño muy grande llevándolos ante la justicia del blanco. Por ejemplo, el indígena que es capturado por violaciones a la ley y viene a pagar condenas a cárceles de Bogotá o Villavicencio, cuando regresa lleva el concepto de propiedad privada, ajeno a sus costumbres. Entonces, en la comunidad, cerca un pedazo de tierra para él. Donde hay agua, se la quita al resto y se convierte en un elemento disociador y en un problema que ellos no conocían. Y no tienen ni idea de por qué él actúa así. Con un agravante: que el indígena entiende que todo lo del blanco es bueno. El blanco vive bien porque roba. Entonces, yo robo. 'Si blanco roba, yo robo'. 'Si blanco se emborracha, yo me emborracho'. Ellos entienden que civilización es poder hacer todas estas cosas. Todo un choque porque ellos han vivido hasta ahora en un mundo de abundancia, encuadrado dentro de una sociedad comunal donde todos son dueños de todo y todos trabajan para todos y por eso no tienen la percepción del lucro ni del futuro. Por eso, al salir a los pueblos, viven el hoy y si tienen diez pesos, se toman diez pesos".

Tomás y su familia viven en una pequeña casa en Chía, uno de los municipios aledaños a Bogotá y mientras avanzamos a través de un valle con clima de primavera que permanece verde todo el año, le pregunto a Marta por la personalidad de Tomás y su trabajo en el Congreso y dice que, inicialmente, su relación profesional con él fue muy lejana, de manera que tuvo que buscar como puente a Candy:

"Poder entrar a su mundo, poder lograr que él le confíe a uno sus cosas —siendo yo su abogada— ha sido un trabajo de paciencia, dispendioso, porque se trataba de que él conociera mis habilidades y pudiera tenerme confianza. De entrada, él no le cuenta a uno las cosas, pero luego, poco a poco se va comunicando. Ha sido lento aprender a conocerlo, aprender a saber cuándo está nervioso, cuándo está acelerado, porque, auncuando vibra mucho, su cara generalmente es inexpresiva, lejana.

"Y, como la inmensa mayoría de los hombres, pues es machista, aunque no se dé cuenta. Son miles de años de costumbre. En principio, me parece que no creía mucho en una mujer y menos en una mujer abogada. Ellos no creen mucho en la capacidad de la mujer. Pero ahora sí dice: 'Mujeres, activas. Mujeres saben mucho'. Ayer estuvo en un ministerio y cuando regresó, dijo: 'Todos los asesores son mujeres. Mujeres trabajando más'. Creo que si yo hubiera sido hombre, habría podido tener más acceso a él desde un principio".

La casa de Tomás y su familia es pequeña y limpia. Paredes claras y desnudas, unos muebles sencillos como en cualquier hogar de clase media, en el cual lo único excepcional es una foto del capitán Caicedo —parecida a la que encontré en casa del Loro Jiménez— vistiendo chaqueta de cuero, pasamontañas y bufanda blanca, que recuerda el atuendo de Charles Lindberg cuando realizó en 1927 la primera travesía sin escalas, Nueva York-París, en el 'Espíritu de San Luis'.

Esa tarde, Tomás estaba rodeado por Candy y sus hijos que lo escuchan con atención y participan cuando él hace pausas o los mira para que entren en los temas.

A las siete de la noche, como en cualquier casa, el aroma de la cocina llegó hasta la sala. La cena era quiñapira. Les pregunté a los hijos por su alimentación y supe que, a pesar de las habilidades de Candy, allí se come mucho más la comida que un día vino del Vaupés: desayuno con caldo de pescado y fariña. Consumen generalmente pescado con sal y ají picante, fariña y casabe. Al medio día, "platos de blanco" y por la noche, más pescado o pollo, servido en vajilla de barro, una cerámica autóctona que le llamó la atención a un pariente de Tomás que vino a verlos y les dijo: "¿Barro? Yo tengo en Mitú loza fina. Esto no es fino".

*Tomás, Candy y sus hijos.*

Allí hablamos nuevamente de la justicia de los blancos frente a las culturas indígenas. Su idea es crear colonias agrícolas de penitenciaría, donde los indígenas que hayan transgredido la ley paguen sus condenas.

Pensando en eso, Tomás estuvo visitando cárceles de Canadá y Estados Unidos y ahora proyecta viajes a otros países, pero hasta hoy no ha visto nada similar a la idea para lograr que el indígena no sea desarraigado de su hábitat.

El resto de su trabajo este semestre apunta a varios acuerdos internacionales de cooperación. "Proyectos de desarrollo humano sostenible": No le regale un pez a un indígena...

Y aunque faltan dos años para nuevas elecciones, la pregunta es si logrará ser reelegido. Creen que sí porque su potencial electoral se halla en las comunidades apartadas de Mitú, menos contaminadas de mestizo, donde él es el único líder natural que —aparte de los estadounidenses del Instituto Lingüístico de Verano— habla sus mismas lenguas.

El domingo siguiente regresé a Chía, donde encontré el mismo cuadro familiar y luego de precisar algunos datos, Tomás me invitó al aeropuerto de Guaymaral —no lejos del pueblo—, para que conociera el viejo Aeronca de tela y allí supe que, hoy, su preocupación no es volver a elevarse al mando de un avión, sino tratar de que la imaginación vuele en su trabajo, porque, además de alas en los sesos, este hombre nuevo tiene los pies sobre la tierra.

Como el alcaraván.